DEMOCRACIA CONTRA CAPITALISMO

Ellen Meiksins Wood
DEMOCRACIA CONTRA CAPITALISMO
a renovação do materialismo histórico

Tradução
Paulo Cezar Castanheira

Copyright © Ellen Meiksins Wood, 1995
Copyright desta edição © Boitempo Editorial, 2003

Título original: *Democracy Against Capitalism* (Cambridge, Cambridge University Press, 1995)

Editora Ivana Jinkings

Editora assistente Sandra Brazil

Tradução Paulo Cezar Castanheira

Revisão Sandra Regina de Souza
Maurício Balthazar Leal

Índice remissivo Daniela Jinkings
Juliana Zannini
Renata Alcides

Diagramação Desenho Soluções Gráficas

Capa Antonio Carlos Kehl
sobre tela de Clyfford Still, sem título, 1951.
National Gallery of Art, Washington, DC

Coordenação de produção Livia Campos

CIP-BRASIL. CATALOGAÇÃO-NA-FONTE
SINDICATO NACIONAL DOS EDITORES DE LIVROS, RJ

W853d

Wood, Ellen Meiksins, 1942-
  Democracia contra capitalismo : a renovação do materialismo histórico / Ellen Meiksins Wood ; tradução Paulo Cezar Castanheira. - São Paulo : Boitempo, 2011.

  Tradução de: Democracy against capitalism
  Inclui índice
  ISBN 978-85-7559-008-9

  1. Economia marxista. 2. Capitalismo. 3. Democracia. 4. Materialismo histórico. I. Título.

11-5943.   CDD: 335.412
                                                 CDU: 330.85

É vedada a reprodução de qualquer parte deste livro sem a expressa autorização da editora.

1ª edição: março de 2003
1ª reimpressão: dezembro de 2006; 2ª reimpressão: abril de 2010
1ª edição revista: novembro de 2011
1ª reimpressão: setembro de 2013; 2ª reimpressão: agosto de 2015
3ª reimpressão: junho de 2017; 4ª reimpressão: maio de 2018
5ª reimpressão: outubro de 2020

BOITEMPO
Jinkings Editores Associados Ltda.
Rua Pereira Leite, 373
05442-000 São Paulo SP
Tel.: (11) 3875-7250 / 3875-7285
editor@boitempoeditorial.com.br | www.boitempoeditorial.com.br
www.blogdaboitempo.com.br | www.facebook.com/boitempo
www.twitter.com/editoraboitempo | www.youtube.com/tvboitempo

Sumário

Prefácio à edição brasileira 7

Agradecimentos 11

Introdução 13

PARTE I
O MATERIALISMO HISTÓRICO E A ESPECIFICIDADE DO CAPITALISMO 25

A separação entre o "econômico" e o "político" no capitalismo 27

Repensar a base e a superestrutura 51

Classe como processo e como relação 73

História ou determinismo tecnológico? 99

História ou teleologia? Marx *versus* Weber 129

PARTE II
A DEMOCRACIA CONTRA O CAPITALISMO 155

O trabalho e a democracia antiga e moderna 157

O *demos versus* "nós, o povo": das antigas às modernas concepções de cidadania 177

Sociedade civil e política de identidade 205

Capitalismo e emancipação humana: raça, gênero e democracia 227

Conclusão 243

Índice remissivo 251

Para Peter, Joyce e Robin

Prefácio à edição brasileira

Em 1995, quando este livro foi publicado em inglês, ocorreram alguns sinais de oposição crescente ao capitalismo neoliberal e à "globalização" em várias partes do mundo. Mas a onda atual de "anticapitalismo", que se manifestou em Seattle, Gênova, Porto Alegre e em muitos outros locais, estava por vir. Ainda é muito cedo para sabermos aonde esses movimentos vão nos levar, mas uma coisa é certa: por mais diversificados que sejam, o impulso em direção à democracia é uma motivação comum que os une.

Resta saber se todos os "anticapitalistas" querem dizer a mesma coisa quando falam de democracia, e se concordamos quanto às condições necessárias para se chegar a ela. Creio poder afirmar que todos nós, pelo menos a maioria, consideramos indispensáveis as liberdades civis básicas – liberdade de expressão, de imprensa e outras. Mas se isso é tudo que esperamos não há diferença entre os anticapitalistas e os advogados "liberais" do capitalismo. Este livro parte da premissa de que "democracia" significa o que diz o seu nome: o governo pelo povo ou pelo poder do povo.

É provável que essa definição tão ampla de democracia seja aceita pelos movimentos de oposição atuais, mas mesmo neste caso ainda haveria diferenças. Por exemplo, governo pelo povo pode significar apenas que o "povo", como um conjunto político de cidadãos individuais, tem o direito de voto. Mas também pode significar a reversão do governo de classe, em que o *demos*, o homem comum, desafia a dominação dos ricos. A definição usada neste livro se aproxima desta última, em que "democracia" significa o desafio ao governo de classe.

Poderíamos efetivamente distinguir muitos tipos de "anticapitalismo" explorando a forma como veem a compatibilidade entre capitalismo e democracia. Num extremo, ficariam aqueles para quem a democracia é compatível com um capitalismo reformado, em que empresas gigantescas são mais socialmente conscientes e responsáveis perante a vontade popular, e certos serviços sociais são ditados por instituições públicas e não pelo mercado, ou no mínimo regulados por alguma agência pública responsável. É possível que essa concepção seja menos anti*capitalista* que antineoliberal ou antiglobalização. No outro extremo, estariam aqueles que acreditam que, apesar da importância crítica da luta em favor de qualquer reforma democrática no âmbito da sociedade capitalista, o capitalismo é, na essência, incompatível com a democracia. E é incompatível apenas no caráter óbvio de que o capitalismo representa o governo de classe pelo capital, mas também no sentido de que o capitalismo limita o poder do "povo" entendido no estrito significado político. Não existe um capitalismo governado pelo poder popular, não há capitalismo em que a vontade do povo tenha precedência sobre os imperativos do lucro e da acumulação, não há capitalismo em que as exigências de maximização dos lucros não definam as condições mais básicas da vida.

Este livro pertence à segunda categoria de anticapitalismo. Ele conclui que "um capitalismo humano, 'social', verdadeiramente democrático e equitativo é mais irreal e utópico que o socialismo". O capitalismo é estruturalmente antitético à democracia não somente pela razão óbvia de que nunca houve uma sociedade capitalista em que a riqueza não tivesse acesso privilegiado ao poder, mas também, e principalmente, porque a condição insuperável de existência do capitalismo é o fato de a mais básica das condições de vida, as exigências mais básicas de reprodução social, ter de se submeter aos ditames da acumulação de capital e às "leis" do mercado. Isso quer dizer que o capitalismo coloca necessariamente mais e mais esferas da vida fora do alcance da responsabilidade democrática. Toda prática humana que é transformada em mercadoria deixa de ser acessível ao poder democrático. Isso significa que a democratização deve seguir *pari passu* com a "destransformação em mercadoria". Mas tal destransformação significa o fim do capitalismo.

No mundo globalizado de hoje, parece que o processo de transformação em produto já avançou muito, já penetrou tão profundamente em todos os aspectos da vida e se espalhou para muito além do alcance de qualquer comunidade política, mesmo a nação-Estado, que o espaço para a democracia ficou muito estreito e muito pequena a probabilidade de desafiar o capital. Mas aqui, parece-me, chegamos a um paradoxo interessante. O capital foi capaz de estender seu alcance econômico para muito além das fronteiras de qualquer nação-Estado, mas o capitalismo ainda está longe de prescindir da nação-Estado. O capital precisa do Estado para manter a ordem e garantir as condições de acumulação, e, independentemente do que tenham a dizer os comentadores a respeito do declínio da nação-Estado, não há evidência de que o capital global tenha encontrado um instrumento mais eficaz. Mas, exatamente porque o alcance econômico do capital se estende para além de todas as fronteiras políticas, o capital global necessita de muitas nações-Estados para criar as condições necessárias de acumulação.

Acredito que hoje estejamos assistindo aos efeitos de uma contradição crescente entre o alcance global das forças econômicas e as instituições de administração e repressão locais e territoriais de que o capital ainda necessita. Acho mesmo que o padrão das intervenções militares em que os Estados Unidos estão engajados – guerras sem objetivos específicos, fronteiras geográficas nem prazos definidos (a "guerra ao terrorismo") – representa uma tentativa de enfrentar essa contradição crescente.

Mas isso já é outra história (sobre a qual já escrevi em outro local). A questão principal aqui é que essa contradição crescente oferece um pouco de esperança para as lutas de oposição. Enquanto o capital global depender dos Estados locais, como acredito que vai continuar a depender, esses Estados continuarão a ser um alvo potencialmente útil para as forças de oposição. As lutas democráticas visando alterar o equilíbrio das forças de classe, tanto dentro quanto fora do Estado, talvez representem o maior desafio ao capital. Os movimentos anticapitalistas por todo o mundo têm muito a aprender com a experiência de governos como o de Porto Alegre. Imaginem o que representaria a extensão dessa experiência para todo o Brasil e além.

Ellen Meiksins Wood
Londres, setembro de 2002

Agradecimentos

Este volume é e não é, ao mesmo tempo, uma coletânea de ensaios. É uma coletânea no sentido de que se baseia em grande parte em artigos já publicados, mas espero que seja mais que "apenas" uma coleção. Isso porque não me limitei a incluir esses ensaios tal como estavam, mas revisei-os e integrei-os, ou, em alguns casos, incluí apenas partes deles, e também porque considero que eles formam, desde que os escrevi, um todo coerente. Os temas unificadores e as formas em que esses ensaios se completam uns aos outros se tornarão evidentes, embora na introdução haja algumas reflexões sobre os temas dominantes e seu contexto histórico, bem como alguns comentários sobre as alterações feitas nos ensaios a fim de incluí-los neste volume. Quero aqui apenas agradecer aos editores originais e às muitas pessoas que, de uma forma ou de outra, em uma ou outra época, me ajudaram em um ou mais capítulos.

O capítulo "A separação entre o 'econômico' e o 'político' no capitalismo" é uma versão modificada de "The Separation of the Economic and the Political", publicado originalmente na *New Left Review* 127 (1981); o capítulo "Repensar a base e a superestrutura" é uma versão editada de "Falling through the Cracks: E. P. Thompson and the Debate on Base and Superstructure", em Harvey J. Kaye e Keith McLelland (eds.), *E. P. Thompson: Critical Perspectives* (Oxford, Polity Press, 1990); o capítulo "Classe como processo e como relação" é uma revisão, acrescida de material novo, de "The Politics of Theory and the Concept of Class: E. P. Thompson and His Critics", publicado pela primeira vez em *Studies in Political Economy* 9 (1982). O capítulo "História ou determinismo tecnológico?" contém material novo, junto com vários ensaios, e partes de ensaios, combinados e integrados, retirados de *New Left Review*: Marxism and the Course of History, *NLR* 147 (1984); pequenas seções de "Rational Choice Marxism: Is the Game Worth the Candle?", *NLR* 177 (1989), e "Explaining Everything or Nothing?", *NLR* (1990). O capítulo "História ou teleologia? Marx *versus* Weber" é um ensaio novo, escrito para um volume sobre historiografia marxista, editado por John Saville e Marcel van der Linden, cujo destino, no momento em que estou escrevendo, ainda desconheço. O capítulo "O trabalho e a democracia antiga e moderna" ainda não foi publicado, mas é um ensaio mais ou menos inalterado escrito para o volume I (*I Greci e Noi*) de uma obra em vários volumes sobre a Grécia antiga, a ser publicado em italiano pela Einaudi. Agradeço muito aos editores pela permissão dada para incluí-lo neste livro antes de sua publicação, o que contraria suas condições contratuais costumeiras, e agradeço a permissão especial de Giulio Einaudi editore s.p.a para incluí-lo aqui. O capítulo "O *demos versus* 'nós, o povo': das antigas às modernas concepções de cidadania" é também uma combinação e integração de vários artigos, ou partes de artigos, acrescidos de material novo: "A Tale of Two Democracies", publicado em *History Today*, junho de 1994, e dois artigos: "Democracy: An Idea of Ambitious Ancestry", em J. Peter Euben, Josiah Ober e John Wallach (eds.), *Educating Democracy* (Cornell University Press, 1994); e "Freedom and Democracy, Ancient and Modern", baseado numa palestra feita em Washington em abril 1993, durante um congresso sobre Democracia Antiga e Moderna, patrocinado pelo National Endowment for Humanities, cujas atas (editadas e ampliadas) deverão ser publicadas em breve, editadas por Josiah Ober e Charles Hedrick. O capítulo "Sociedade civil e política de identidade" é uma versão revisada e, espero, melhorada, acrescida de material novo, de "The Uses and Abuses of 'Civil Society'", *Socialist Register* 1990; e o capítulo "Capitalismo e emancipação humana: raça, gênero e democracia" se baseia em meu Deutscher Memorial Lecture, publicada originalmente como "Capitalism and Human Emancipation" na *New Left Review* 167 (1988).

Por esses ensaios, devo muito a muitas pessoas. Algumas leram vários deles, outras apenas um, embora minha dívida com elas não possa ser avaliada apenas pelo número de ensaios que comentaram. Também devo muito a Neal Wood por sua ajuda e seu apoio. Agradeço ainda a George Comnimel, um antigo aluno, hoje amigo e colega, e a Karren Orren, cuja amizade vem de nossa adolescência, ao meu irmão Peter Meiskins não somente pelos comentários, mas por tantos anos de discussões, debates e incentivo, sem mencionar o trabalho emocionante de cada um deles. Frances Abele, David McNally e Colin Mooers, cuja inteligência crítica como alunos foi uma inspiração quando comecei a escrever esses ensaios, e que continuaram a ser de grande ajuda, agora como amigos, tanto pelas nossas conversas quanto por seus próprios textos. Outros amigos que me ajudaram com ideias críticas sobre um ou outro desses ensaios são John Saville, Harvey Kaye, Norman Geras e Patrick Camiller. Perry Anderson e Robert Brenner leram, cada um, três ou quatro dos ensaios em que se baseia este volume, e foram, durante os muitos anos em que eu pensava e escrevia sobre temas relevantes, fontes e interlocutores valiosos. Ralph Miliband, cuja morte quando da preparação deste volume foi uma perda enorme não apenas para os que o conheceram, mas para o conjunto da esquerda socialista, comentou dois ou três desses ensaios; mas minha dívida com ele vai além de qualquer contribuição específica para a minha obra, pois, tal como muitos outros, devo muito ao exemplo de seu compromisso firme e lúcido com o socialismo.

Sou também grata a várias outras pessoas que fizeram comentários úteis sobre um ou mais desses ensaios: Chris Bertram, Alan Carling, Paul Cartledge, Diane Elson, Peter Euben, Leo Panitch, Bryan Palmer, Nicholas Rogers e John Haslam.

Introdução

I

Há algo estranho na premissa de que o colapso do comunismo representa a crise terminal do marxismo. Podia-se esperar, entre outras coisas, que um período de triunfalismo capitalista devesse oferecer mais espaço, em relação a qualquer outra época, para o principal projeto marxista: a crítica do capitalismo.

Ainda assim, a crítica do capitalismo anda fora de moda. O triunfalismo capitalista da direita espelhava-se na esquerda por meio de uma nítida contração das aspirações socialistas. Os intelectuais de esquerda, quando não abraçam o capitalismo como o melhor dos mundos possíveis, limitam-se a sonhar com pouco mais que um espaço nos seus interstícios e prescrevem apenas resistências locais e particulares. No exato momento em que se necessita urgentemente de uma compreensão crítica do sistema capitalista, grandes seções da esquerda intelectual, em vez de desenvolver, enriquecer e refinar os instrumentos conceituais necessários, dão amplos sinais de que pretendem abandoná-los. O "pós-marxismo" deu lugar ao culto do pós-modernismo, e a seus princípios de contingência, fragmentação e heterogeneidade, sua hostilidade a qualquer noção de totalidade, sistema, estrutura, processo e "grandes narrativas". Mas se essa hostilidade se estende à própria ideia de capitalismo como sistema social, ela não evita que essas correntes intelectuais tratem "o mercado" como se ele fosse uma lei natural, universal e inevitável, enquanto, paradoxalmente, bloqueiam o acesso crítico a esse poder totalizador pela negativa de sua unidade sistêmica e pela insistência na impossibilidade de conhecimentos "totalizadores". A fragmentação e a contingência pós-modernistas se unem aqui à estranha aliança com a "grande narrativa" do "fim da história".

Os intelectuais da esquerda, então, vêm tentando definir novas formas, que não a contestação, de se relacionar com o capitalismo. A maneira típica é procurar interstícios no capitalismo onde criar espaço para discursos e identidades alternativos. Fala-se muito no caráter *fragmentário* do capitalismo avançado – seja essa fragmentação caracterizada pela cultura do pós-modernismo, seja pela economia política do pós-fordismo; e assim se pretende multiplicar os espaços em que uma cultura de esquerda possa operar. Mas, subjacente a tudo isso, parece haver a convicção de que o capitalismo chegou para ficar, pelo menos numa perspectiva histórica previsível.

A reformulação da relação da esquerda com o capitalismo como a criação de espaço no seu interior, e não o desafio direto e a contestação a ele, ajuda, entre outras coisas, a explicar as principais transformações dos discursos tradicionais da esquerda, como por exemplo a economia política e a história, dos que hoje estão mais na moda: o estudo dos discursos, textos e do que se poderia chamar de a cultura da "identidade". A economia política e a história marxistas pretendem desafiar de frente o capitalismo como uma totalidade do ponto de vista de sua antítese, o socialismo, ao passo que os "estudos culturais" (entendidos da maneira pós-modernista) e outras atividades pós-esquerdistas, especialmente na academia, onde discursos e identidades podem ser desconstruídos e generalizados sem grandes restrições materiais, se definem pela noção de que o terreno da política está no interior do capitalismo e entre os seus fragmentos.

Num mundo fragmentado composto de "sujeitos descentrados", no qual conhecimentos totalizadores são impossíveis e indesejáveis, que outro tipo de política poderia existir, senão uma espécie de radicalização descentrada e intelectualizada do pluralismo liberal? Existiria, em teoria, fuga melhor da confrontação com o capitalismo, o sistema mais totalizador que o mundo já conheceu, do que a rejeição do conhecimento totalizador? Existiria, na prática, obstáculo maior a qualquer coisa além das resistências locais e particulares ao poder global e totalizante do capitalismo do que o sujeito fragmentado e descentrado? Existiria desculpa melhor para a sujeição à *force mejeure* do capitalismo do que a convicção de que seu poder, ainda que difuso, não tem origem sistêmica, não tem lógica unificadora, nem raízes sociais identificáveis?

Em oposição a essa tendência dominante, proponho partir da premissa de que a crítica do capitalismo é urgentemente necessária, que o materialismo histórico ainda oferece a melhor base sobre a qual é possível construí-la e que o elemento *crítico* do marxismo está acima de tudo em sua insistência na especificidade histórica do capitalismo – com ênfase tanto na especificidade de sua lógica sistêmica quanto na sua historicidade. Em outras palavras, o materialismo histórico aborda o capitalismo de uma forma exatamente antitética às modas atuais: a unidade sistêmica do capitalismo em vez de meros fragmentos pós-modernos, mas também a historicidade – e daí a possibilidade de sua superação – e não a inevitabilidade capitalista e o fim da história.

É justo afirmar que um conjunto de obras criadas para estudar o capitalismo no século XIX não é adequado para as condições do final do século XX. Mas não é tão evidente que haja surgido qualquer outra coisa durante esse período que ofereça uma base melhor – nem mesmo remotamente igual – para a análise crítica do capitalismo. O mínimo que se pode dizer do marxismo é que ele tem uma vantagem inestimável sobre todos os outros sistemas teóricos econômicos ou sociais que se propuseram a superá-lo, ou seja, o fato de ele submeter a exame crítico não apenas o capitalismo em si, mas também as categorias analíticas a ele associadas. Outras teorias se encasularam em categorias conceituais derivadas da experiência histórica específica do capitalismo, de premissas capitalistas sobre natureza humana, racionalidade, "leis do movimento" sistêmicas e processos históricos, e por elas se deixaram limitar.

Apesar de ter explicado a mecânica do capitalismo, a economia política clássica jamais foi capaz, segundo Marx, de penetrar sob sua superfície, sob suas "aparências reais", pois sua estrutura conceitual aceitava sem discussão a lógica do sistema capitalista. Foi sempre permeada por premissas acríticas específicas do capitalismo. Nesse sentido, ela sempre foi ideológica, mesmo quando não chegava a ser uma "apologia crua". Daí a necessidade de uma crítica do capitalismo por meio de uma "crítica da economia política" que reconhecesse a especificidade histórica e sistêmica do capitalismo e a necessidade de explicar o que a economia política aceitava como dado.

Uma crítica efetiva do capitalismo do final do século XX teria de ser conduzida segundo as mesmas linhas – e desta vez levaria em conta não apenas as enormes mudanças por que passou a economia capitalista, mas também os novos sistemas teóricos que surgiram para incluí-las. A economia neoclássica, por exemplo, é mais, e não menos, ideológica do que a economia política clássica, mais, e não menos, circunscrita por uma estrutura conceitual que aceita sem discutir a lógica do capitalismo. Mas o que complica ainda mais as coisas é o surgimento de novas variedades de marxismo, que se tornaram dominantes na tradição marxista e que universalizam a lógica do capitalismo – geralmente pela adesão a um tipo qualquer de determinismo (que universaliza a tendência específica do capitalismo de aprimorar as forças de produção) e pela adoção de procedimentos da economia convencional. Abandonou-se a crítica da economia política, junto com as ideias do materialismo histórico – especialmente sua premissa primeira de que todo modo de produção tem uma lógica sistêmica própria –, passando-se a tratar as "leis do movimento" capitalistas como se fossem leis universais da história.

Dessa forma, a crítica do capitalismo exige não apenas adaptações a todas as transformações do sistema, mas uma crítica constantemente renovada dos instrumentos analíticos desenvolvidos para compreendê-lo. É possível que nunca antes, desde o tempo de Marx, essa tarefa tenha sido tão necessária e urgente, à medida que mais e mais ramos do conhecimento, tanto nos estudos culturais quanto nas ciências sociais, são absorvidos pelas premissas autovalidadoras do capitalismo, ou pelo menos pela convicção derrotista de que nada mais é possível.

II

Praticamente desde o princípio, havia duas teorias principais da história no marxismo. Ao lado do materialismo histórico crítico, que tem raízes na crítica da economia política e chegou ao apogeu nos melhores títulos da historiografia marxista, sempre existiu a tendência contrária de buscar na teoria marxista os aspectos mais compatíveis com a ideologia capitalista, e de suprimir o que nela é mais inovador e crítico. Havia, em particular, marxistas (não sem o incentivo do próprio Marx e da "dialética da natureza" de Engels) que preferiram esquecer a crítica da economia política e todas as suas consequências em favor de um determinismo tecnológico e de uma sucessão unilinear de modos de produção, na qual os modos menos produtivos são inexoravelmente sucedidos por outros mais produtivos de acordo com alguma lei universal da natureza. Essa versão do marxismo pouco difere das teorias convencionais de evolução e progresso sociais, ou de uma visão "etapista" da história como uma sucessão de "modos de subsistência" associados à economia política clássica.

Nessa concepção clássica de progresso, a evolução histórica dos "modos de subsistência" culminou no estágio atual, o mais alto, da "sociedade comercial"; mas isso não quer dizer que a sociedade comercial seja, como em estágios anteriores, apenas mais um fenômeno histórico específico e transitório, como seus predecessores. Ela tem um *status* universal, trans-histórico, não apenas no sentido de representar o destino final do progresso, mas também no sentido mais fundamental de que o movimento da história em si foi desde o início governado pelo que poderia ser chamado de leis naturais da sociedade comercial: as leis da competição, da divisão do trabalho e da produtividade crescente baseadas na inclinação natural dos seres humanos para "a troca, o comércio e o intercâmbio".

Não resta dúvida de que Marx chegou quase a aceitar a visão da economia política clássica e das concepções convencionais de progresso de que a história havia sempre estado do lado da "sociedade comercial". Mas o núcleo do materialismo histórico foi a insistência na historicidade e especificidade do capitalismo, e a negação de que suas leis fossem as leis universais da história. A crítica da economia política visava descobrir por que e como as leis de movimento específicas do capitalismo operavam como leis – por exemplo, encontrar a chave da determinação tecnológica e das leis do mercado como imperativos específicos do capitalismo, em vez de aceitá-las como inerentes à natureza humana ou às leis da história universal. Esse foco na especificidade do capitalismo, como um momento não eterno, com origens históricas, dotado de uma lógica sistêmica específica, incentivou um sentido verdadeiramente histórico que está ausente da economia política clássica e das ideias convencionais de progresso, e teve também implicações potencialmente valiosas para o estudo histórico de outros modos de produção.

O outro marxismo, acrítico, repudiou efetivamente tudo o que Marx afirmou contra o materialismo metafísico e a-histórico de seus predecessores, a insistência com que ele afirmou a especificidade do capitalismo caracterizado pelo esforço de aprimoramento das forças de produção, os ataques que fez à economia política clássica por sua tendência a tratar as leis do movimento do capitalismo não como o produto histórico de relações sociais específicas, mas como leis naturais trans-históricas. Esse outro marxismo teve várias características notáveis: primeira, uma concepção da "base" econômica em termos não sociais e tecnicistas, incompatíveis com tudo que não fosse a aplicação da metáfora "base/superestrutura"; segunda, uma concepção de história como uma sucessão mecânica, preordenada e unilinear de modos de produção, que teve muito em comum com a economia política clássica e seus "estágios" de civilização; e, terceira, uma concepção não histórica de transições históricas – em particular, a transição do feudalismo para o capitalismo –, cuja premissa é exatamente o que se quer explicar quando se identificam princípios e leis do movimento capitalistas em toda a história. De acordo com essa visão, por exemplo, o capitalismo já existia nos interstícios do feudalismo, deve mesmo ter existido desde sempre; e de alguma forma tornou-se dominante quando rompeu o invólucro do feudalismo, atendendo a alguma necessidade trans-histórica, para cumprir seu destino natural.

Essa visão trans-histórica também aparece na obra de Marx, particularmente em textos ocasionais e polêmicos escritos numa espécie de taquigrafia aforística. Mas junto com ela, e de forma muito mais claramente marxista, existe um materialismo histórico que não admite sequência predefinida e unilinear, no qual a origem do capitalismo – ou de qualquer outro modo de produção – é algo a ser explicado, não pressuposto, explicação a ser buscada não em alguma lei natural trans-histórica, mas em relações sociais, contradições e lutas historicamente específicas.

O marxismo como extensão da ideologia capitalista sempre existiu paralelamente ao materialismo histórico como teoria crítica, mas somente com o advento das ortodoxias stalinistas a versão crítica sofreu a ameaça de eclipse. Por razões específicas das circunstâncias da União Soviética e dos imperativos do rápido desenvolvimento econômico, do desenvolvimento das forças produtivas conforme o modelo de capitalismo industrial, e em resposta às pressões da economia capitalista internacional (sem falar nas pressões geopolíticas e militares), o determinismo tecnológico teve prioridade sobre o materialismo histórico e a história cedeu espaços para leis universais. Ao mesmo tempo, essa visão determinista tendeu a cair em momentos contraditórios de extremo voluntarismo, pois o impulso de passar por cima de estágios de desenvolvimento produzia uma inclinação para o desprezo pelas restrições materiais.

Embora a tradição crítica tenha continuado a se desenvolver à sombra do stalinismo – principalmente entre historiadores marxistas ingleses –, o fim do stalinismo não recuperou a sorte do materialismo histórico. As preocupações filosóficas e culturais do "marxismo ocidental", a partir da década de 1920, já haviam deixado para o stalinismo grande parte do terreno materialista e histórico. O marxismo stalinista representava, para muitos, o próprio materialismo marxista; e a alternativa parecia ser o distanciamento da teoria marxista de sua autodefinição materialista e, em alguns casos, a recusa total de suas preocupações materialistas, particularmente o foco na economia política. Essa tendência foi reforçada pela convicção de que as "massas" nas sociedades capitalistas avançadas, particularmente a classe operária, haviam caído sob o encanto mais ou menos hegemônico do "capitalismo de consumo". De qualquer forma, durante as décadas seguintes, no rastro da ruptura com o stalinismo ocorrida durante o Vigésimo Congresso do Partido, surgiram vários marxismos no Ocidente, os quais – de forma geralmente muito proveitosa – transferiram o marxismo para novos terrenos culturais ou "humanistas", apesar de deixarem sem solução as ambiguidades existentes nas suas relações com o *materialismo* no materialismo histórico. Na verdade, o termo *histórico* da equação também ficou muito ambíguo. Embora um grande volume de história marxista da maior qualidade tenha sido escrito, o determinismo tecnológico do marxismo acrítico, ainda que submetido à crítica humanista, nunca foi substituído por uma alternativa teórica abrangente – e assim, para alguns, a única alternativa viável pareceu ser uma fuga para a contingência histórica pura.

Foi nesse contexto que a última corrente influente do marxismo ocidental, o marxismo de Louis Althusser, entrou no debate. Althusser descreveu a si mesmo como a resposta ao que ele considerava ser a "inflação" de tendências "humanistas" na teoria marxista que se seguiu ao Vigésimo Congresso do Partido. Alegou estar defendendo o rigor científico do materialismo marxista contra a reversão ao idealismo pré-marxista resultante de uma leitura hegeliana de Marx, então em voga, bem como ao empirismo e ao voluntarismo que haviam invadido a teoria socialista à medida que determinações estruturais eram superadas por uma preocupação com a ação humana.

Apesar disso, ele não estava disposto a abrir mão de todos os ganhos da liberação pós-stalinista e procurou outras formas de preservar os impulsos não reducionistas, não deterministas e não economistas daquela emancipação ideológica. Sob esse aspecto, sua maior contribuição foi o conceito de sobredeterminação, que acentuava a complexidade e a multiplicidade da causação social, enquanto relegava a determinação econômica a um distante "caso último". Entretanto, de forma ainda mais fundamental, o efeito não reducionista foi atingido pelo estabelecimento de um rígido dualismo entre teoria e história (sobre o qual falaremos mais no capítulo "Repensar a base e a superestrutura"); e, nesse caso, havia um paradoxo, pois em sua insistência na autonomia da teoria e do conhecimento científico – contra o empirismo, o voluntarismo, o humanismo e o "historicismo" que, segundo ele, relativizavam o conhecimento teórico e científico – Althusser anulou totalmente as determinações estruturais da história. As determinações históricas poderiam ser consideradas o objeto adequado de uma teoria autônoma, mas o mundo histórico real parecia continuar irremediavelmente contingente. Esse dualismo althusseriano permitia aos que o adotaram tanto abandonar o "economicismo cru" quanto manter no plano teórico um determinismo bastante cru; e onde o determinismo mecânico de Stalin havia sido interrompido por momentos de extremo voluntarismo, os althusserianos uniam esses dois momentos contraditórios numa única síntese perturbadora – ou melhor, justaposição.

Essa justaposição teórica teria vida curta. Apesar de nem todos os althusserianos terem tomado o mesmo caminho, surgiu uma corrente significativa que se apoderou de conceitos como sobredeterminação, "autonomia relativa" e "formação social" (a que vou retornar no capítulo "Repensar a base e a superestrutura") como desculpa para efetivamente repudiar por completo a causação, chegando mesmo a censurar Althusser por se prender aos últimos vestígios do "economicismo", pela recusa em renunciar à determinação "como último recurso". No fim, enquanto os "novos movimentos sociais" passaram a ser, para alguns, a principal motivação política para abandonar o marxismo, o althusserianismo se tornou o principal canal teórico por meio do qual o marxismo ocidental percorreu o seu caminho para chegar ao pós-marxismo e ir além.

Veio então o colapso do comunismo. A condição da esquerda parece ser hoje tão diferente de seu estado em 1981, quando publiquei o primeiro dos ensaios em que se baseia este volume, quanto a "nova ordem mundial" difere do mundo antes do colapso. Poucos críticos da direita, além daqueles mais empedernidos, negam que essa ruptura histórica causou uma transformação na cultura intelectual da esquerda, quando as pessoas entraram numa fase de reavaliação e de exame de consciência inédita na história do socialismo.

Ainda assim, mesmo sem pretender questionar o impacto desses acontecimentos históricos no pensamento dos socialistas ocidentais, fiquei impressionada pelas continuidades fundamentais entre a cultura intelectual dominante da esquerda às vésperas do colapso e o estado atual dessa cultura. Não quero com isso afirmar a mesma coisa que os críticos da direita gostam de dizer – ou seja, que mesmo diante de todas as evidências ainda existem pessoas na esquerda que se recusam a enfrentar a realidade e se prendem a ideias velhas e desacreditadas. Pelo contrário, estou pensando nas tendências políticas e teóricas que, já bem antes que o colapso do comunismo e o "triunfo do capitalismo" aparecessem como um brilho distante aos olhos dos neoconservadores, já se afastavam da crítica do capitalismo e permitiam sua dissolução conceitual em fragmentos e contingências pós-modernos. A "nova ordem mundial", junto com a reestruturação da economia capitalista, teve profundos efeitos, mas as modas que hoje prevalecem entre as esquerdas intelectuais estão de certa forma se limitando a esgotar as correntes teóricas e políticas dos anos 1960 e 1970 em vez de começar o confronto dos problemas do final dos anos 1980 e 1990.

Neste momento pós-moderno, a tradição a-histórica e metafisicamente materialista do marxismo teve uma espécie de vitória. A moda mais recente do marxismo acadêmico, a chamada "escolha racional", tem profundas origens no velho determinismo tecnológico (abraçando, ao mesmo tempo, os procedimentos e muitas das premissas da economia convencional); e as teorias pós-marxistas com seus vários sucessores, tendo se definido em relação ao velho tipo de marxismo acrítico, fizeram uma escolha simples entre o determinismo economista e a contingência pós-moderna, sem jamais se engajar na opção mais difícil do materialismo histórico.

Não é de espantar que, para muitos, tenha havido uma passagem mais ou menos direta, com ou sem escala no althusserianismo, do marxismo determinista para o que parece ser o extremo oposto. A história sempre desaponta o determinismo. Em particular, os marxistas tecnológico-deterministas, imbuídos da convicção teleológica de que o desenvolvimento automático das forças produtivas produziria mecanicamente uma classe operária revolucionária, terão se sentido traídos pela classe operária real que não respondeu às profecias de um materialismo metafísico, mas sim às exigências da história. A história intelectual da transição (extremamente rápida) do marxismo estruturalista dos anos 1960 e 1970, passando por um momento breve de "pós-marxismo", até as modas atuais do "pós-modernismo" foi em grande parte a história de um determinismo desiludido.

Hoje é amplamente aceito que o marxismo ocidental foi muito influenciado por uma falha da consciência revolucionária da classe operária e pela resultante separação da prática intelectual de todo e qualquer movimento político. Esse fato parece ter incentivado as pessoas a procurar não apenas programas políticos menos dependentes da classe operária, mas também teorias de transformação social livres das restrições e dos desapontamentos da história. Houve, portanto, uma gama muito ampla de teorias a-históricas, desde as abstrações de diversos marxismos filosóficos e culturais até adaptações ocidentais do maoismo. Os maoistas ocidentais, por exemplo, foram particularmente atraídos por seu voluntarismo e por ele sugerir ser possível fazer revoluções por pura vontade política, desafiando as condições materiais e históricas. Como ilustrou o próprio Althusser, essa atração não era incompatível com um determinismo teórico. Também não resta dúvida de que a autonomia aparentemente concedida à ideologia, à política e à "revolução cultural" foi atraente para os intelectuais por situar a revolução em seu próprio terreno. Hoje, com o declínio até mesmo dessas aspirações revolucionárias a-históricas, restou uma afinidade com qualquer tendência que enfatize a autonomia da cultura e, finalmente, o *discurso*.

Isso sugere que o sabor particular do marxismo ocidental e de seus sucessores seja resultado não apenas do fato negativo de sua separação da política operária, mas também de uma tendência a preencher o vácuo, substituindo a luta de classes pela atividade intelectual. Houve uma espécie de autopromoção dos intelectuais como forças históricas mundiais; e, apesar de essa autoglorificação ter passado por diversas fases desde a década de 1960, em todas as suas manifestações ela reforçou o afastamento da história. Hoje, a construção discursiva substitui a produção material como prática constitutiva da vida social. Talvez nunca ocorra a reconstrução revolucionária da sociedade, mas sempre será possível haver uma violenta desconstrução de textos. Ultrapassamos em muito a saudável e proveitosa atenção às dimensões ideológicas e culturais da experiência humana exemplificadas no melhor da historiografia de Marx ou das teorias de um Gramsci. Este é o verdadeiro vanguardismo.

III

Este volume tenta deslocar o debate sobre a esquerda, bem como entre o socialismo e seus críticos, afastando-o das escolhas estéreis de Hobson que têm há muito ocupado o terreno teórico, e procura ir na direção de um engajamento com o materialismo histórico e sua crítica do capitalismo. Não é um texto técnico de economia. Não é uma crítica da economia neoclássica, nem uma intervenção nos debates infindos sobre a teoria do valor ou sobre a taxa de lucro decrescente. Ao contrário, ele se propõe a definir a especificidade do capitalismo como um sistema de relações sociais e como um terreno político, enquanto reconsidera os fundamentos teóricos do materialismo histórico em geral. É uma crítica no sentido de que tenta quebrar os hábitos conceituais e teóricos que ajudam a obscurecer a especificidade do capitalismo.

As questões abordadas aqui são teóricas e históricas. A principal questão histórica é a tendência generalizada, quase universal nas descrições não marxistas do desenvolvimento capitalista, e que são partilhadas por algumas variedades de marxismo, de descobrir na história os princípios capitalistas e suas leis de movimento e de explicar o surgimento do moderno capitalismo tomando como premissa exatamente o que se pretende demonstrar. O remédio para esse procedimento essencialmente teleológico é colocar a *história* no lugar da teleologia. Teoricamente, as principais questões se referem primeiro, como sugiro no capítulo "Classe como processo e como relação", à diferença entre dois conceitos de teoria: "de um lado, uma visão do conhecimento teórico – o conhecimento das estruturas – como objeto de 'representação conceitual estática', ao passo que movimento e fluxo (assim como a história) pertencem a uma esfera empírica diferente de conhecimento; em oposição a esta, uma visão do conhecimento que não opõe estrutura e história, na qual a teoria acomoda as categorias históricas, 'conceitos adequados ao processo de investigação'".

Mais especificamente, há uma série de questões que se referem à historicidade de certas categorias teóricas. Em particular, nossas concepções atuais do que seja "político" e "econômico" são submetidas aqui a escrutínio crítico para evitar que se tome como inquestionável a delineação e a separação dessas categorias específicas do capitalismo – e apenas dele. Tal separação conceitual, apesar de refletir uma realidade específica do capitalismo, não somente deixa de compreender as realidades muito diferentes das sociedades pré-capitalistas ou não capitalistas, mas também disfarça as novas formas de poder e dominação criadas pelo capitalismo.

O projeto crítico que esboço aqui exige que se trate o capitalismo como um sistema de relações sociais; e isso significa a necessidade de repensar algumas das formas como foram concebidos os conceitos principais do materialismo histórico – forças e relações de produção, classe, base e superestrutura etc. São esses os temas principais da primeira parte. Mas a crítica original do capitalismo não poderia ser executada sem a convicção de que existem alternativas, e isso se realizou a partir do ponto de vista da antítese do capitalismo, o socialismo. Isso exigiu uma crítica não apenas do capitalismo ou da economia política, mas também das *oposições* ao capitalismo então existentes, o que implicou o exame crítico da própria tradição socialista. O objetivo principal dessa crítica foi a transformação da ideia socialista, de uma aspiração a-histórica, num programa político baseado nas condições históricas do capitalismo. Meu próprio ponto de orientação ainda é o socialismo, mas as oposições e resistências são de um tipo diferente e exigem crítica específica. Se existe hoje um tema unificador entre as várias oposições fragmentadas, é a aspiração à *democracia*. Então, a segunda parte explora o conceito de democracia como desafio ao capitalismo e o faz criticamente, ou seja, acima de tudo do ponto de vista histórico.

O livro foi estruturado da seguinte forma: o capítulo "A separação entre o 'econômico' e o 'político' no capitalismo" estabelece o programa de todo o volume. É uma tentativa tanto de identificar o que é característico do capitalismo e do processo histórico que o produziu, quanto de examinar as categorias conceituais associadas a esse padrão histórico específico. No processo, redefinem-se as categorias fundamentais do materialismo histórico – forças e relações de produção, base e superestrutura etc. Se tivesse hoje de começar do zero esse ensaio, enfatizaria mais do que o fiz a especificidade do capitalismo e seu desenvolvimento histórico. Desde quando o escrevi, tenho me preocupado crescentemente com as formas pelas quais a imposição retrospectiva dos princípios capitalistas a toda a história passada afetou nossa compreensão tanto da história em geral quanto do capitalismo em particular. Um dos produtos dessa minha preocupação foi meu livro *The Pristine Culture of Capitalism: A Historical Essay on Old Regimes and Modern States* [A cultura prístina do capitalismo: ensaio histórico sobre os regimes antigos e os Estados modernos] (Londres, 1991), que distingue o desenvolvimento histórico do capitalismo inglês de outros roteiros históricos saídos do feudalismo europeu, especialmente na França, onde o resultado não foi o capitalismo, mas o absolutismo. Repensar assim a história do capitalismo implicou desemaranhar o conjunto convencional de "capitalismo" e sociedade burguesa, e levantar algumas questões relativas à nossa compreensão de progresso e "modernidade". Por trás de tudo isso havia ainda outras questões relativas, de um lado, à ligação entre mercados, comércio e cidades, e, de outro, ao capitalismo – questões que também aparecem com relação à minha discussão de Max Weber no capítulo "História ou teologia? Marx *versus* Weber".

Os outros ensaios da Parte I desenvolvem temas introduzidos no primeiro ensaio, detendo-se sobre as forças e relações de produção, a questão da base e superestrutura, o conceito de classe, o problema do determinismo tecnológico, a antítese de *história* e *teleologia*. Creio ser necessário explicar aqui o papel que atribuo a E. P. Thompson. Nos capítulos "Repensar a base e a superestrutura" e "Classe como processo e como relação", uso sua obra como ponto de partida para reconstruir algumas das categorias fundamentais do materialismo histórico – principalmente a metáfora da "base e superestrutura" e o conceito de classe. Já me disseram várias vezes que encontrei muitas de minhas predisposições teóricas nesses escritos históricos; mas, apesar do fato de que eu realmente gostaria de assumir o crédito pelas ideias que atribuo a ele, parece-me que, por mais alusivos (e ilusivos) que sejam seus pronunciamentos teóricos, ele ainda é o que mais se aproxima de um teórico do materialismo histórico como eu o entendo.

No capítulo "Classe como processo e como relação" falo da concepção de Thompson de classe como *processo* e *relação*, em oposição a classe como localização estrutural; e comparo sua concepção *histórica* com o que chamo de modelo *geológico* das teorias convencionais de "estratificação". Ocorre-me que essa distinção – bem como a diferença epistemológica subjacente entre a concepção de Thompson do conhecimento teórico como algo relacionado a conceitos adequados à investigação de processo" e outros conceitos de teoria como "representação conceitual estática" – é uma boa forma de identificar o que considero serem as características definidoras do materialismo histórico.

Thompson também é para mim exemplo do papel crítico do materialismo histórico como forma de aprender – ou de reaprender – a pensar em termos não capitalistas, desafiando a universalidade de suas categorias constitutivas – os conceitos de propriedade, trabalho, mercado e outros. Sua obra não foi ainda igualada na capacidade de minar as premissas capitalistas por uma espécie de desconstrução histórico-antropológica, refazendo as transformações, contra resistências, que produziram essa forma social única – o mercado contra a resistência da "economia moral"; definições capitalistas de propriedade contra outras definições mais antigas ou alternativas, que refletiam costumes, códigos, práticas e expectativas resistentes à lógica das relações capitalistas de propriedade. Sua genealogia subversiva dos princípios capitalistas, ligando as práticas, os valores e as categorias capitalistas às suas raízes sistêmicas em relações específicas de produção e exploração, restaura não apenas a historicidade do capitalismo, mas também sua contestabilidade. De qualquer forma, minha discussão das categorias fundamentais do materialismo histórico conduz à concepção marxista da história e a uma reconsideração do determinismo tecnológico no capítulo "História ou determinismo tecnológico?". Mais uma vez, uma questão domina essa discussão da história: a antítese entre o materialismo histórico de um lado e, de outro, a tendência teleológica de ver o capitalismo em todos os seus predecessores históricos, assumir sua preexistência para explicar seu aparecimento, e traduzir suas leis específicas do movimento como uma lei geral da história. Essa tendência, afirmo no capítulo "História ou teleologia? Marx *vesus* Weber", está exemplificada até em Max Weber e estabelece acima de tudo a distinção entre ele e Marx.

O capítulo "A separação entre o 'econômico'..." também lança as bases para os capítulos da Parte II, que exploram as implicações políticas das especificidades do capitalismo. Se o caráter definidor do capitalismo como terreno político é a "separação formal entre o econômico e o político", ou a transferência de certos poderes políticos para a "economia" e para a "sociedade civil", quais as consequências para a natureza e o alcance do Estado e da cidadania? Como o capitalismo gera, entre outras coisas, novas formas de dominação e de coerção fora do alcance dos instrumentos criados para controlar as formas tradicionais de poder político, ele também reduz a ênfase na cidadania e o alcance da responsabilização democrática. O capitalismo, em poucas palavras, tem a capacidade de fazer uma distribuição universal de bens políticos sem colocar em risco suas relações constitutivas, suas coerções e desigualdades. Isso tem implicações de grande alcance para a compreensão da democracia e das possibilidades de sua expansão.

Na Parte II, a democracia é examinada sob uma perspectiva histórica. O objetivo é situá-la em contextos históricos específicos em vez de tratá-la como uma abstração socialmente indeterminada. A democracia capitalista é estudada por comparação com outras formas, no contexto de diferentes relações sociais (em particular, os antigos gregos, que criaram o conceito de democracia em si). No capítulo "O trabalho e a democracia...", comparo as implicações de democracia para a situação do trabalho na antiga democracia ateniense e na capitalista moderna; e no capítulo "O *demos* versus 'nós, o povo'..." estudo as mudanças do significado de democracia e cidadania desde a Antiguidade clássica, passando pela redefinição introduzida pelos fundadores da Constituição dos Estados Unidos até chegar à concepção moderna de democracia liberal. Também exploro as formas particulares pelas quais o capitalismo incentiva e inibe a democracia, levantando questões relativas à direção possível de avanços futuros.

A democracia "formal" e a identificação de democracia com *liberalismo* teriam sido impossíveis na prática, e literalmente impensáveis em teoria, em qualquer outro contexto que não as relações sociais específicas do capitalismo. Tais relações sociais resultaram tanto no avanço da democracia quanto na sua estrita inibição, e o maior desafio ao capitalismo seria a extensão da democracia além de seus atuais limites extremamente reduzidos. É nesse ponto que "democracia" se torna sinônimo de socialismo. Portanto, a questão é qual emancipação socialista representará mais além a abolição da exploração de classe. No capítulo "Sociedade civil e política de identidade", estendo a discussão de democracia até as preocupações correntes com a sociedade civil e com a "política da identidade"; e o capítulo "Capitalismo e emancipação humana..." reflete sobre as perspectivas e os limites da emancipação humana na sociedade capitalista e os efeitos do capitalismo sobre os bens "extraeconômicos", que não se limitam à democracia, mas incluem também a igualdade racial e especialmente a de gênero. A conclusão apresenta algumas sugestões relativas aos tipos de questões que deverão agora ser enfrentadas pelo pensamento socialista.

Algumas palavras finais sobre a ligação entre os capítulos desse livro e os ensaios em que se basearam. Embora tenham sido escritos em épocas diferentes e visando vários objetivos, os ensaios, publicados entre 1983 e 1994, me parecem conter um conjunto coerente de ideias. Enfatizei essa coerência ao organizá-los mais temática que cronologicamente, ao integrar textos que se superpunham, e ao introduzir algumas discussões que facilitam a transição. Alguns ensaios sofreram alterações mais profundas do que outros. Os capítulos "História ou determinismo..." e "O *demos versus* 'nós, o povo'..." representam a revisão e integração de vários ensaios ou seções deles extraídas. Em outros pontos, cortei algumas coisas e elaborei ou esclareci outras, modificando alguns textos particularmente pesados, incoerentes ou obscuros, ou amplificando um ou outro ponto que me pareceu pouco claro ou carente de maiores explicações.

Apesar de, vez por outra, ter inserido alguma observação atual num texto antigo, tentei não alterar o texto de forma que me faça parecer mais perspicaz do que realmente era. Evidentemente, esse procedimento levanta questões sobre se ou como as enormes transformações que ocorreram no mundo entre o primeiro e o último dos ensaios teriam me obrigado a "repensar", e por que eu não me envergonho de me agarrar a opiniões tão fora de moda. Gostaria de fazer na conclusão algumas observações sobre a "conjuntura corrente" e a contínua oportunidade das aspirações socialistas; por ora apenas repetirei que, dado que o materialismo histórico representa a mais produtiva das críticas do capitalismo, parece-me que o "triunfo do capitalismo" o tornou mais relevante do que em qualquer época no passado.

PARTE I

O MATERIALISMO HISTÓRICO E A ESPECIFICIDADE DO CAPITALISMO

A SEPARAÇÃO ENTRE O "ECONÔMICO" E O "POLÍTICO" NO CAPITALISMO

A intenção original do materialismo histórico era oferecer fundamentação teórica para se interpretar o mundo a fim de mudá-lo. Isso não era apenas um *slogan*. Tinha um significado muito preciso. Queria dizer que o marxismo procurava um tipo especial de conhecimento, o único capaz de esclarecer os princípios do movimento histórico e, pelo menos implicitamente, os pontos nos quais a ação política poderia intervir com mais eficácia. O que não significa que o objetivo da teoria marxista fosse a descoberta de um programa "científico" ou de uma técnica de ação política. Ao contrário, o objetivo era oferecer um modo de análise especialmente preparado para se explorar o terreno em que ocorre a ação política.

Depois de Marx, muitas vezes o marxismo perdeu de vista esse projeto teórico e seu caráter essencialmente político. Houve, em particular, uma tendência a perpetuar a rígida separação conceitual entre o "econômico" e o "político" que tão bem atendeu à ideologia capitalista desde que os economistas clássicos descobriram a "economia" na teoria e começaram a esvaziar o capitalismo de conteúdo político e social.

Esses artifícios conceituais refletem, ainda que como um espelho distorcido, uma realidade histórica específica do capitalismo, uma diferenciação real da "economia"; e talvez seja possível reformulá-los, para que se tornem mais esclarecedores, pelo reexame das condições históricas que tornaram possíveis e plausíveis essas concepções. O objetivo desse reexame não seria explicar a "fragmentação" da vida social no capitalismo, mas entender exatamente o que aparece, na sua natureza histórica, como uma diferenciação de "esferas", principalmente a "econômica" e a "política".

Evidentemente, essa diferenciação não é apenas um problema teórico, mas também prático. Teve imediata expressão prática na separação das lutas políticas e econômicas que caracterizaram os movimentos operários modernos. Para muitos socialistas revolucionários, ela foi apenas o produto de uma consciência mal orientada, "subdesenvolvida" ou "falsa". Se representasse apenas isso, poderia ser mais fácil superá-la; mas o que tornou tão tenaz o "economicismo" da classe operária é que ele corresponde às realidades do capitalismo, às formas pelas quais a apropriação e a exploração capitalista realmente dividem as arenas de ação política e econômica, e transformam certas questões políticas essenciais – as lutas pela dominação e exploração que no passado sempre estiveram umbilicalmente unidas ao poder político – em questões claramente "econômicas". Na verdade, essa separação "estrutural" talvez seja o mecanismo mais eficiente de defesa do capital.

Portanto, a questão é explicar como e em que sentido o capitalismo enfiou uma cunha entre o econômico e o político – como e em que sentido questões essencialmente políticas, como a disposição do poder de controlar a produção e a apropriação, ou a alocação do trabalho e dos recursos sociais, foram afastadas da arena política e deslocadas para uma outra esfera.

"Fatores" econômicos e políticos

Marx mostrou o mundo no seu aspecto político não apenas nas suas obras explicitamente políticas, mas até mesmo nos seus textos econômicos mais técnicos. Sua crítica da economia política teve, entre outras coisas, o propósito de revelar a face política da economia que havia sido obscurecida pelos economistas políticos clássicos. O segredo fundamental da produção capitalista revelado por Marx – segredo que a economia política ocultou sistematicamente, até tornar-se incapaz de explicar a acumulação capitalista – refere-se às relações sociais e à disposição do poder que se estabelecem entre os operários e o capitalista para quem vendem sua força de trabalho. Esse segredo tem um corolário: a disposição de poder entre o capitalista e o trabalhador tem como condição a configuração política do conjunto da sociedade – o equilíbrio de forças de classe e os poderes do Estado que tornam possível a expropriação do produtor direto, a manutenção da propriedade privada absoluta para o capitalista, e seu controle sobre a produção e a apropriação.

No volume I de *O capital*, Marx desenvolve a evolução da forma de mercadoria passando pela mais-valia até o "segredo da acumulação primitiva", revelando por fim que o "ponto de partida" da produção capitalista "não é outra coisa senão o processo histórico de isolar o produtor dos meios de produção"[1], um processo de luta de classes e de intervenção coercitiva do Estado em favor da classe expropriadora. A própria estrutura do argumento sugere que, para Marx, o segredo último da produção capitalista é *político*. O que radicalmente distingue sua análise da economia política clássica é que ela não cria descontinuidades nítidas entre as esferas econômica e política; e ele é capaz de identificar as continuidades porque trata a própria economia não como uma rede de forças incorpóreas, mas, assim como a esfera política, como um conjunto de relações sociais.

Isso nem sempre foi verdade no marxismo depois de Marx. De uma forma ou de outra e em graus variados, os marxistas adotaram modos de análise que, implícita ou explicitamente, tratam a "base" econômica e a "superestrutura" legal, política e ideológica que a "reflete" ou "corresponde" a ela como coisas qualitativamente diferentes, esferas mais ou menos fechadas e "regionalmente" separadas. Isso é verdade principalmente com relação às teorias ortodoxas de base-superestrutura. Também é verdade no caso de variantes que falam de "fatores", "níveis" ou "casos" econômicos, políticos e ideológicos, por mais que insistam na interação entre fato-

---

[1] MARX, Karl. *Capital* I, Moscou, 1971, p. 668. [Ed. bras.: *O capital*. São Paulo, Nova Cultural, 1985.]

res ou casos, ou na distância remota do "caso último" em que finalmente a esfera econômica passa a determinar todo o resto. Tais formulações conseguem apenas reforçar a separação espacial entre as esferas.

Outras escolas do marxismo defenderam de formas diferentes a abstração e o fechamento das esferas – por exemplo, abstraindo a *economia* ou o *circuito* do capital a fim de construir uma alternativa tecnicamente sofisticada para a economia burguesa, enfrentando-a no seu próprio terreno (e avançando sob esse aspecto bem além do próprio Marx, sem entretanto fundamentar, como ele, suas abstrações econômicas na análise sociológica e histórica). As relações sociais em que se insere esse mecanismo econômico – e que na verdade o constituem – são tratadas como algo externo. No máximo, um poder político espacialmente separado pode *intervir* na economia, mas a economia em si é despolitizada e esvaziada de conteúdo social. Sob esse aspecto, a teoria marxista perpetua as práticas ideológicas que Marx atacava, práticas que confirmavam para a burguesia a naturalidade e a eternidade das relações de produção capitalistas.

A economia política burguesa, de acordo com Marx, universaliza as relações de produção quando analisa a produção abstraindo suas determinações sociais específicas – relações sociais, modos de propriedade e de dominação, formas políticas ou jurídicas específicas. Isso não quer dizer que a "base" econômica se reflita em certas instituições "superestruturais" e por elas seja mantida, mas que a base produtiva em si existe sob o aspecto de formas políticas, sociais e jurídicas – em particular, formas de propriedade e dominação.

Ao separar o sistema de produção de seus atributos sociais específicos, os economistas políticos burgueses são capazes de demonstrar "a eternidade e a harmonia das relações sociais". Para Marx, produção é "não apenas uma produção particular... mas sempre um certo corpo social, um sujeito social, que é ativo numa totalidade maior ou menor de ramos de produção"[2]. Já a economia política burguesa atinge seu objetivo ideológico ao tratar a *sociedade como algo abstrato*, considerando a produção como "encasulada em leis naturais eternas e independentes da história, nas quais a oportunidade das relações *burguesas* são então introduzidas sub-repticiamente como leis naturais invioláveis nas quais está alicerçada a sociedade teórica. Este é mais ou menos o propósito consciente de todo o processo"[3]. Apesar de às vezes reconhecerem que certas formas políticas ou jurídicas facilitam a produção, os economistas burgueses não as tratam como constituintes orgânicos de um sistema produtivo. Transformam assim coisas que se relacionam organicamente numa "relação acidental, numa ligação meramente refletiva"[4].

A distinção entre ligações "orgânicas" e "meramente refletivas" é especialmente significativa. Sugere que qualquer aplicação da metáfora base/superestrutura que acentue a separação e o fechamento das esferas – por mais que insista na ligação

---

[2] Idem, *Grundrisse*. Trad. M. Nicolaus. Harmondsworth, 1973, p. 86.

[3] Idem, ibidem, p. 87.

[4] Idem, ibidem, p. 88.

de uma com a outra, ou mesmo no reflexo de uma na outra – reproduz as mistificações da ideologia burguesa porque não vê a esfera produtiva como definida por suas determinações sociais e, na verdade, trata a sociedade "como abstração". O princípio básico relativo à primazia da produção, a fundação do materialismo histórico, perde a agudeza crítica e é assimilado na ideologia burguesa.

Naturalmente, isso não significa que Marx não reconhecia valor na abordagem da economia política burguesa. Ao contrário, ele adotou suas categorias como ponto de partida porque elas expressavam não uma verdade universal, mas uma realidade histórica na sociedade capitalista, no mínimo uma "aparência real". Ele não se propôs a reproduzir nem a repudiar as categorias burguesas, mas sua elaboração crítica e transcendência.

EM BUSCA DE UMA ALTERNATIVA TEÓRICA: RECONSIDERAÇÃO DE "BASE" E "SUPERESTRUTURA"

Talvez seja possível sustentar um materialismo histórico que respeite a insistência do próprio Marx ao afirmar, em oposição às abstrações ideológicas da economia política burguesa, que (por exemplo) "o capital é uma relação social de produção", que categorias *econômicas* expressam certas relações *sociais* determinadas. Deve haver uma alternativa teórica ao "economicismo vulgar" que tenta preservar a integridade do "modo de produção", enquanto tenta solucionar as implicações do fato de a "base" produtiva existir na forma de processos e relações sociais específicos e de formas jurídicas e políticas particulares. Não existe um relato explícito e sistemático de tal posição teórica (pelo menos depois de Marx ter feito o seu), embora algo semelhante a ela esteja implícita na obra de alguns historiadores marxistas.

Esse ponto de vista teórico que se apresenta aqui talvez seja o que foi chamado – pejorativamente – de "marxismo político". Nas palavras de um crítico marxista, esse marxismo é uma

> reação à onda de tendências economicistas na historiografia contemporânea. Se o papel da luta de classes tem sido amplamente subestimado, por sua vez o [marxismo político] injeta fortes doses dessa luta na explicação histórica. Não passa de uma visão voluntarista da história em que a luta de classes se divorcia de todas as outras contingências objetivas e, no primeiro exemplo, de todas as leis de desenvolvimento peculiares a um modo específico de produção. Seria possível imaginar uma explicação do desenvolvimento do capitalismo durante os séculos XIX e XX que se refira apenas a fatores sociais, sem lançar no quadro a lei da acumulação capitalista e sua mola mestra, ou seja, o mecanismo da mais-valia? Na verdade, o resultado é esvaziar de toda substância o conceito básico do materialismo histórico, a saber, o modo de produção. O erro de tal marxismo político está não apenas no descaso para com o conceito mais operacional do materialismo histórico (o modo de produção). Consiste também no abandono do campo das realidades econômicas.[5]

---

[5] BOIS, Guy. "Against the Neo-Malthusian Orthodoxy". In: T. H. Aston e C. H. E. Philpin (eds.), *The Brenner Debate: Agrarian Class Structure and Economic Development in Pre-Industrial Europe*, Cambridge, 1985, p. 115-6. O autor se refere especificamente ao artigo de Robert Brenner citado mais adiante na nota 9.

O objetivo de minha argumentação aqui é superar a falsa dicotomia em que se baseia essa caracterização do "marxismo político", uma dicotomia que permite a alguns marxistas acusar outros de abandonar o "campo das realidades econômicas" quando estes se interessam pelos fatores políticos e sociais que constituem relações de produção e exploração. A premissa aqui é que o modo de produção não existe *em oposição* aos "fatores sociais", e que a inovação radical de Marx em relação à economia política burguesa foi precisamente a definição do modo de produção e das próprias leis econômicas em termos de "fatores sociais".

O que significa falar de um modo de produção ou de uma economia como se fossem diferentes de fatores sociais, ou mesmo opostos a eles? O que são, por exemplo, "contingências objetivas" como a lei de acumulação capitalista e sua "mola mestra", o "mecanismo da mais-valia"? O mecanismo da mais-valia é uma relação social particular entre apropriador e produtor. Ele opera por meio de uma organização particular de produção, distribuição e trocas e se baseia numa relação particular entre classes, mantida por uma configuração particular de poder. O que é a subjugação do trabalho ao capital, qual é a essência da produção capitalista, senão uma relação social e o produto da luta de classes? E, afinal, o que Marx pretendia dizer ao insistir que o capital é uma relação social de produção; que a categoria "capital" não tinha outro significado que não suas determinações sociais; que dinheiro ou bens de capital em si não são capital, mas se tornam capital apenas no contexto de uma relação social particular entre apropriador e produtor; que a chamada acumulação primitiva de capital, a precondição da produção capitalista, nada mais é do que o processo – ou seja, a luta de classes – por meio do qual se expropria o produtor direto? E assim por diante. E, já que falamos disso, por que o patrono da ciência social burguesa, Max Weber, insistia numa definição puramente econômica de capitalismo sem referência a *fatores sociais* externos (como, por exemplo, a exploração do trabalho), esvaziando o capitalismo de sentido social, em oposição deliberada a Marx[6]?

Levantar essas questões e insistir na constituição social da economia não significa de forma alguma que se queira afirmar que não exista economia, que não existam "leis" econômicas, nem modos de produção, nem "leis de desenvolvimento" num modo de produção, nem a lei da acumulação capitalista; não significa negar que o modo de produção seja "o conceito mais operacional do materialismo histórico". O marxismo político, no sentido em que é entendido aqui, não está menos convencido da importância da produção do que as "tendências economicistas" do marxismo. Ele não despreza a produção, nem lhe estende os limites para abraçar indiscriminadamente todas as atividades. Apenas leva a sério o princípio de que um modo de produção é um fenômeno *social*.

Igualmente importante – e essa é a razão de todo o exercício –, as relações de produção são, desse ponto de vista, apresentadas em seu aspecto *político*, o aspecto em que são realmente *contestadas*, como relações de dominação, como direitos de

---

[6] Ver por exemplo, *Economy and Society*, Nova York, 1968, p. 91 e 94 [Ed. bras.: *Economia e sociedade*. 4ª ed. Brasília, UnB, 2002.], e *The Agrarian Society Sociology of Ancient Civilizations*, Londres, 1976, p. 50-1, de Weber.

propriedade, como o poder de organizar e governar a produção e a apropriação. Em outras palavras, o objetivo dessa postura teórica é prático, iluminar o terreno de luta observando os modos de produção não como estruturas abstratas, mas como eles realmente enfrentam as pessoas que devem *agir* em relação a eles.

O "marxismo político" reconhece a especificidade da produção material e das relações de produção; mas insiste que "base" e "superestrutura", ou os "níveis" de uma formação social, não podem ser vistos como compartimentos ou esferas "regionalmente" separadas. Por mais que se enfatize a interação entre "fatores", essas práticas teóricas são enganosas porque obscurecem não apenas os processos históricos pelos quais os modos de produção são constituídos, mas também a definição estrutural de sistemas produtivos como fenômenos sociais vivos.

O "marxismo político", então, não apresenta as relações entre base e superestrutura como uma oposição, uma separação "regional", entre uma superestrutura econômica básica "objetiva", de um lado, e formas sociais, jurídicas e políticas, de outro, mas, ao contrário, como uma estrutura contínua de relações e formas sociais com graus variáveis de afastamento do processo imediato de produção e apropriação, a começar das relações e formas que constituem o próprio sistema de produção. As ligações entre "base" e "superestrutura" podem então ser identificadas sem grandes saltos conceituais porque não representam duas ordens de realidade essencialmente diferentes e descontínuas.

A discussão começa por um dos primeiros princípios do materialismo de Marx: o de que apesar de os seres humanos trabalharem dentro de limites materiais bem definidos que não foram criados por eles, e que incluem fatores puramente físicos e ecológicos, o mundo material, tal como existe para eles, não é um dado natural; é um modo de *atividade* produtiva, um sistema de relações sociais, um produto histórico. Mesmo a natureza, "a natureza que precedeu a história humana é natureza que já não existe mais em parte alguma..."[7]; "o mundo das sensações não é uma coisa determinada desde a eternidade, sempre imutável, e sim o produto da indústria e o estado da sociedade – na verdade, no sentido de que é um produto histórico, o resultado da atividade de toda uma sucessão de gerações, cada uma apoiada nos ombros da anterior, desenvolvendo sua indústria e suas relações, modificando seu sistema social de acordo com as mudanças de necessidades"[8].

Uma compreensão materialista do mundo é então uma compreensão da atividade social e das relações sociais por meio das quais os seres humanos interagem com a natureza ao produzir as condições de vida; e é uma compreensão histórica que reconhece que os produtos da atividade social, as formas de interação social produzidas por seres humanos, tornam-se elas próprias forças materiais, como o são as naturalmente dadas.

---

[7] MARX, Karl. *German Ideology* in *Collected Works*, vol. V. Nova York, 1976, p. 39. [Ed. bras.: *A ideologia alemã (Feuerbach)*. 6ª ed. São Paulo, Hucitec, 1987.]

[8] Idem, ibidem, p. 40.

Essa descrição do materialismo, com sua insistência no papel desempenhado pelas formas sociais e legados históricos como forças materiais, levanta inevitavelmente a tão debatida questão da "base" e "superestrutura". Se as formas de interação social, e não apenas as forças naturais ou tecnológicas, devem ser tratadas como partes integrantes da base material, onde se deve traçar a linha que separa as formas sociais que pertencem à base e as que podem ser relegadas à superestrutura? Ou a dicotomia base/superestrutura realmente oculta tanto quanto revela acerca da "base" produtiva propriamente dita?

Algumas instituições políticas e jurídicas existem independentemente das relações de produção, ainda que ajudem a sustentá-las e reproduzi-las; e talvez o termo "superestrutura" devesse ser reservado para elas. Mas as relações de produção em si tomam a forma de relações jurídicas e políticas particulares – modos de dominação e coerção, formas de propriedade e organização social – que não são meros reflexos secundários, nem mesmo apoios secundários, mas *constituintes* dessas relações de produção. A "esfera" da produção é dominante não no sentido de se manter afastada das formas jurídico-políticas ou de precedê-las, mas exatamente no sentido de que essas formas são formas de produção, os *atributos* de um sistema produtivo particular.

Um modo de produção é não somente uma tecnologia, mas uma organização social da atividade produtiva; e um modo de exploração é uma relação de poder. Ademais, a relação de poder que condiciona a natureza e a extensão da exploração é uma questão de organização política no interior das classes contendoras e entre elas. Em última análise, a relação entre os apropriadores e produtores se baseia na força relativa das classes, e isso é em grande parte determinado pela organização interna e pelas forças políticas com que cada uma entra na luta de classes.

Por exemplo, como demonstrou Robert Brenner, os padrões variáveis de desenvolvimento em partes diferentes da Europa medieval nos seus últimos tempos podem ser explicados pelas diferenças da organização de classes que caracterizaram as lutas entre senhores e camponeses em lugares diferentes de acordo com sua experiência histórica específica. Em alguns casos, a luta resultou no rompimento da antiga ordem e das formas antigas de extração de excedentes; em outros, houve uma supressão das formas antigas. Esses diferentes resultados do conflito agrário de classes, segundo Brenner,

> tenderam a se reunir em certos padrões de desenvolvimento *historicamente específicos* das classes agrárias em luta e da força relativa de cada uma em diferentes sociedades na Europa: os níveis relativos de solidariedade interna, sua consciência e organização, e seus recursos políticos em geral – especialmente as relações com as classes não agricultoras (em particular, com os aliados urbanos potenciais) e com o Estado (em particular, o caso em que o Estado se desenvolvia como um competidor com características de classe disputando com os senhores a mais-valia dos camponeses).[9]

---
[9] BRENNER, Robert. "Agrarian Class Structure and Economic Development in Pre-Industrial Europe". In: Aston e Philpin, *The Brenner Debate*, p. 55.

Brenner demonstra como a modalidade particular e a força da organização política das classes em luta deram forma às relações de produção: por exemplo, como as instituições da aldeia agiam como uma forma de organização da classe camponesa, e como o desenvolvimento de "instituições políticas independentes na aldeia"[10] – ou a falta delas – afetou as relações de exploração entre senhor e camponês. Em casos como esse, a organização política tem participação importante na *construção* das relações de produção.

Existem então pelo menos dois sentidos em que a "esfera" jurídico-política se confunde com a "base" produtiva. Primeiro, um sistema de produção sempre existe na forma de determinações sociais específicas, os modos particulares de organização e dominação e as formas de propriedade em que se incorporam as relações de produção – que podem ser chamados de "básicos" para distingui-los dos atributos jurídico-políticos "superestruturais" do sistema produtivo. Segundo, do ponto de vista *histórico*, até mesmo as instituições políticas como a aldeia e o Estado entram diretamente na constituição das relações de produção e são de certa forma anteriores a elas (mesmo quando essas instituições não significam instrumentos diretos de apropriação de mais-valia), porque as relações de produção são historicamente constituídas pela configuração de poder que determina o resultado do conflito de classes.

O "ECONÔMICO" E O "POLÍTICO" NO CAPITALISMO

O que significa então dizer que o capitalismo é marcado por uma diferenciação única da esfera "econômica"? Significa muitas coisas: que a produção e a distribuição assumem uma forma completamente "econômica", deixam (como disse Karl Polanyi) de estar envoltas em relações sociais extraeconômicas[11], num sistema em que produção é geralmente produção para troca; que a alocação do trabalho social e a distribuição de recursos são realizadas por meio do mecanismo "econômico" da troca de mercadorias; que as forças "econômicas" dos mercados de mercadorias e de trabalho adquirem vida própria; que, citando Marx, a propriedade "recebe a forma puramente econômica pelo abandono de todos os ornamentos e associações políticos e sociais anteriores"[12].

Significa, acima de tudo, que a apropriação do excedente de trabalho ocorre na esfera "econômica" por meios "econômicos". Em outras palavras, obtém-se a apropriação de mais-valia por meios determinados pela separação completa do produtor das condições de trabalho e pela propriedade privada absoluta dos meios de produção pelo apropriador. Em princípio, não há necessidade de pressão "extraeconômica" ou de coação explícita para forçar o operário expropriado a abrir mão de sua mais-valia. Embora a força de coação da esfera política seja necessária para manter a propriedade privada e o poder de apropriação, a necessidade econômica

---

[10] Idem, ibidem, p. 42.

[11] POLANYI, Karl. *The Great Transformation*, Boston, 1957, p. 57, 69-71. [Ed. bras.: *A grande transformação*. 2ª ed. São Paulo, Campus, 2000.]

[12] MARX, Karl. *O Capital* III, p. 618.

oferece a compulsão imediata que força o trabalhador a transferir sua mais-valia para o capitalista a fim de ter acesso aos meios de produção.

O trabalhador é "livre", não está numa relação de dependência ou servidão; a transferência de mais-valia e a apropriação dela por outra pessoa não são condicionadas por nenhuma relação extraeconômica. A perda da mais-valia é uma condição imediata da própria produção. Sob esse aspecto o capitalismo difere das formas pré-capitalistas porque estas se caracterizam por modos extraeconômicos de extração de mais-valia, a coação política, legal ou militar, obrigações ou deveres tradicionais etc, que determinam a transferência de excedentes para um senhor ou para o Estado por meio de serviços prestados, aluguéis, impostos e outros.

A diferenciação da esfera econômica no capitalismo pode, portanto, ser assim resumida: as funções sociais de produção e distribuição, extração e apropriação de excedentes, e a alocação do trabalho social são, de certa forma, privatizadas e obtidas por meios não autoritários e não políticos. Em outras palavras, a alocação social de recursos e de trabalho não ocorre por comando político, por determinação comunitária, por hereditariedade, costumes nem por obrigação religiosa, mas pelos mecanismos do intercâmbio de mercadorias. Os poderes de apropriação de mais-valia e de exploração não se baseiam diretamente nas relações de dependência jurídica ou política, mas sim numa relação contratual entre produtores "livres" – juridicamente livres e livres dos meios de produção – e um apropriador que tem a propriedade privada absoluta dos meios de produção.

Falar de diferenciação da esfera econômica nesses sentidos não é sugerir que a dimensão política seja, de certa forma, estranha às relações capitalistas de produção. A esfera política no capitalismo tem um caráter especial porque o poder de coação que apoia a exploração capitalista não é acionado diretamente pelo apropriador nem se baseia na subordinação política ou jurídica do produtor a um senhor apropriador. Mas são essenciais um poder e uma estrutura de dominação, mesmo que a liberdade ostensiva e a igualdade de intercâmbio entre capital e trabalho signifiquem a separação entre o "momento" da coação e o "momento" da apropriação. A propriedade privada absoluta, a relação contratual que prende o produtor ao apropriador, o processo de troca de mercadorias exigem formas legais, aparato de coação e as funções policiais do Estado. Historicamente, o Estado tem sido essencial para o processo de expropriação que está na base do capitalismo. Em todos esses sentidos, apesar de sua diferenciação, a esfera econômica se apoia firmemente na política.

Ademais, a esfera econômica tem em si uma dimensão jurídica e política. Num sentido, a diferenciação da esfera econômica propriamente dita quer dizer apenas que a economia tem suas próprias formas jurídicas e políticas, cujo propósito é puramente "econômico". Propriedade absoluta, relações contratuais e o aparelho jurídico que as sustenta são condições jurídicas das relações de produção capitalista; e constituem a base de uma nova relação de autoridade, dominação e subjugação entre apropriador e produtor.

O correlato dessas formas econômicas e jurídico-políticas privadas é uma esfera política pública especializada. A autonomia do Estado capitalista está inseparavelmente ligada à liberdade jurídica e à igualdade entre seres livres, à troca puramente econômica entre produtores expropriados livres e apropriadores privados que têm propriedade absoluta dos meios de produção e, portanto, uma nova forma de autoridade sobre os produtores. É esse o significado da divisão do trabalho em que dois momentos de exploração capitalista – apropriação e coação – são alocados separadamente à classe apropriadora privada e a uma instituição coercitiva pública, o Estado: de um lado, o Estado "relativamente autônomo" tem o monopólio da força coercitiva; do outro, essa força sustenta o poder "econômico" privado que investe a propriedade capitalista da autoridade de organizar a produção – uma autoridade provavelmente sem precedentes no grau de controle sobre a atividade produtiva e os seres humanos nela engajados.

Os proprietários capitalistas recuperaram, no controle direto da produção, os poderes políticos diretos que perderam para o Estado. Embora o poder "econômico" de apropriação possuído pelo capitalista esteja separado dos instrumentos de coação política que o impõem, esse poder de apropriação está mais do que nunca direta e intimamente integrado com a autoridade de organizar a produção. Não apenas a perda da mais-valia é uma condição imediata de produção, mas a propriedade capitalista reúne, num grau provavelmente desconhecido de qualquer outra classe expropriadora anterior, o poder de extração de excedentes e a capacidade de organizar e intensificar diretamente a produção em favor dos objetivos do expropriador. Por mais exploradores que fossem os modos de produção anteriores, por mais eficazes os meios de extração de excedentes à disposição da classe exploradora, em nenhum outro sistema a produção social respondeu de forma tão imediata e universal às demandas do explorador.

Ao mesmo tempo, os poderes do apropriador já não se fazem acompanhar da obrigação de cumprir funções sociais e públicas. Há no capitalismo uma separação completa entre a apropriação privada e os deveres públicos; isso implica o desenvolvimento de uma nova esfera de poder inteiramente dedicada aos fins privados, e não aos sociais. Sob esse aspecto, o capitalismo difere das formas pré-capitalistas, nas quais a fusão dos poderes econômico e político significava não apenas que a extração de mais-valia era uma transação "extraeconômica" separada do processo de produção em si, mas também que o poder de apropriação da mais-valia – pertencesse ele ao Estado ou a algum senhor privado – implicava o cumprimento de funções militares jurídicas e administrativas.

Em certo sentido, então, a diferenciação entre o econômico e o político no capitalismo é mais precisamente a diferenciação das funções políticas e sua alocação separada para a esfera econômica privada e para a esfera pública do Estado. Essa alocação separa as funções políticas imediatamente interessadas na extração e apropriação de mais-valia daquelas que têm um propósito mais geral ou comunitário. Essa formulação, que sugere ser a diferenciação do econômico na verdade uma diferenciação dentro da esfera política, é sob certos aspectos mais adequada para explicar o processo único de desenvolvimento ocidental e o caráter especial do capitalismo. Talvez, então, seja útil esboçar esse processo histórico de diferenciação antes de examinarmos mais atentamente o capitalismo.

O processo histórico de diferenciação: o poder das classes e o poder do Estado

Se a evolução do capitalismo é vista como um processo em que uma esfera "econômica" se diferencia da "política", uma explicação dessa evolução implica uma teoria do *Estado* e seu desenvolvimento. Para os fins dessa discussão, o Estado será definido em termos muito amplos como "o complexo de instituições por meio das quais o poder da sociedade se organiza numa base superior à familiar"[13] – uma organização do poder que significa uma reivindicação de preponderância da aplicação da força bruta aos problemas sociais e que se compõe de "instrumentos de coerção formais e especializados"[14]. Esses instrumentos de coerção podem ou não, desde o início, ser projetados como meios para que um segmento da população possa oprimir e explorar os demais. Em qualquer dos dois casos, o Estado exige o cumprimento de certas funções sociais comuns que outras instituições menos abrangentes – lares, clãs, famílias, grupos etc. – não têm condições de executar.

Sendo ou não verdade que o objetivo essencial do Estado seja manter a exploração, o seu cumprimento das funções sociais implica uma divisão social do trabalho e a apropriação por alguns grupos sociais de excedentes produzidos por outros. Parece razoável supor então que, não importa como esse "complexo de instituições" tenha passado a existir, o Estado surgiu como um meio de apropriação do produto excedente – talvez mesmo como um meio de intensificar a produção para aumentar os excedentes – e, de uma forma ou de outra, como um modo de distribuição. De fato, pode ser que o Estado – sob uma forma de poder público ou comunitário – tenha sido o primeiro meio sistemático de apropriação de excedentes e talvez mesmo o primeiro organizador de produção excedente[15].

Apesar de essa concepção de Estado implicar que a evolução de uma autoridade pública coercitiva especializada gera necessariamente uma divisão entre produtores e apropriadores, ela não significa que a apropriação privada seja uma precondição necessária para o surgimento de tal autoridade. As duas se desenvolvem juntas, e um longo processo histórico às vezes intervém antes que a apropriação privada possa se dissociar claramente do poder público. Portanto, deve-se usar de cautela ao se formular proposições relativas à relação entre classe e Estado. Pode então ser enganadora a sugestão, frequentemente feita por marxistas em suas argumentações, de que existe uma sequência universal de desenvolvimento em que a *classe* precede o Estado.

O que *talvez* seja possível afirmar é que, não importa qual tenha chegado primeiro, a existência do Estado sempre implicou a existência de classes – embora essa proposição exija uma definição de classe capaz de abranger todas as divisões entre os produtores diretos e os apropriadores de sua mais-valia, mesmo nos casos

---

[13] FRIED, Morton. *The Evolution of Political Society*, Nova York, 1968, p. 229.
[14] Idem, ibidem, p. 230.
[15] Ver Marshall Sahlins, *Stone Age Economics*, Londres, 1974, capítulos 2 e 3, para algumas sugestões esclarecedoras sobre como a autoridade pública surge como um meio de intensificação da produção.

em que o poder econômico mal se diferencie do político, em que a propriedade privada seja ainda pouco desenvolvida e em que classe e Estado sejam efetivamente uma só entidade[16]. O ponto fundamental é o reconhecimento de que algumas das principais divergências entre os vários padrões históricos se relacionam com a natureza e a sequência das relações entre poder público e apropriação privada.

Esse ponto é especialmente importante para identificação das características distintivas da trajetória histórica que leva ao capitalismo, com seu grau inédito de diferenciação entre o econômico e o político. O longo processo histórico que resultou no capitalismo pode ser visto como uma diferenciação crescente – e incomparavelmente bem desenvolvida – do poder de *classe* como algo diferente do poder de *Estado*, um poder de extração de excedentes que não se baseia no aparato coercitivo do Estado. Seria também um processo em que a apropriação privada se separa cada vez mais do desempenho de funções comunitárias. Portanto, se quisermos entender o desenvolvimento sem precedentes do capitalismo, teremos de entender como as relações de propriedade e de classe, bem como as funções de apropriação e de distribuição de excedentes, separam-se – apesar de continuarem a se servir delas – das instituições coercitivas que constituem o Estado, e continuam a se desenvolver autonomamente.

Os fundamentos dessa argumentação são encontrados na discussão de Marx sobre as formações pré-capitalistas e o caráter distintivo do capitalismo nos *Grundrisse* e em *O capital*, especialmente no volume III. Nos *Grundrisse*, Marx discute a natureza do capitalismo em comparação com formas pré-capitalistas, e como desenvolvimento delas, em termos de separação gradual do produtor direto das condições naturais de trabalho. É característica das formas pré-capitalistas que os produtores estejam, de uma forma ou de outra, diretamente relacionados às condições de trabalho, pelo menos como os possuidores, quando não proprietários, dos meios de produção. O principal caso em que o produtor direto é completamente expropriado – o caso da escravidão – é em si determinado pela relação geralmente direta do produtor com as condições naturais de trabalho, já que o escravo é preso como acessório à terra conquistada, perde sua propriedade por meios militares e se transforma numa simples condição de produção.

Onde a divisão entre apropriadores e produtores evoluiu, a apropriação de excedentes assume formas extraeconômicas – seja a coação explícita do senhor sobre o escravo, seja, onde o trabalhador continua possuidor das condições de trabalho, outras formas de relação entre senhor e servo. Num dos principais casos pré-capitalistas, que Marx denomina "asiático", o próprio Estado é o apropriador da mais-valia dos produtores que continuam na posse da terra em que trabalham. A característica especial do capitalismo é o fato de que a apropriação de excedentes e a relação entre produtores diretos e apropriadores de sua mais-valia não assumem a forma de dominação política direta nem de servidão legal; e a autoridade que

---

[16] De uma definição tão abrangente de classe podem resultar problemas, entre os quais estão as implicações para análise dos Estados de tipo soviético, que já foram analisados como sociedades sem classes ou como uma forma particular de organização de classes.

enfrenta a massa de produtores diretos aparece apenas "como personificação das condições de trabalho diante do trabalho e não, como em formas anteriores de produção, como dominadores políticos ou teocráticos"[17].

Foi nos *Grundrisse* e em *O capital,* ao discutir as formas pré-capitalistas e seus modos "políticos" de extração de excedentes, que surgiu a infeliz concepção marxista das sociedades asiáticas. Este não é o melhor local para o debate de questão tão polêmica. Por enquanto, o importante é ser o Estado o meio direto e dominante de apropriação de excedentes. Nesse sentido, o tipo "asiático" representa o oposto direto do caso capitalista, no sentido de que são minimamente diferenciados o econômico e o extraeconômico, o poder de classe e o do Estado, as relações de propriedade e as políticas:

> Se os produtores diretos não se confrontam com um proprietário privado, mas, como acontece na Ásia, subordinam-se diretamente a um Estado que está acima deles como proprietário da terra e como soberano, então, aluguéis e impostos são coincidentes, ou melhor, não existe imposto que seja diferente desse aluguel da terra. Sob tais circunstâncias, não é necessário que exista pressão econômica ou política mais forte do que a que é comum a toda subjugação àquele Estado. Nesse sentido, o Estado é o senhor supremo. Aqui, soberania consiste na propriedade privada da terra concentrada em escala nacional. Mas, por outro lado, não existe propriedade privada da terra, embora haja tanto a posse quanto o uso privado da terra.[18]

Mesmo que não haja um representante perfeito desse tipo social – por exemplo, que nunca tenha havido um Estado apropriador e redistributivo bem desenvolvido na completa ausência da propriedade privada da terra – esse conceito deve ser respeitado. O Estado como apropriador principal e direto de mais-valia com certeza existiu; e há uma certa evidência de que esse modo de apropriação de excedentes tenha sido um padrão dominante, se não universal, de desenvolvimento social – por exemplo, na Grécia durante a Idade do Bronze, bem como nas economias "redistributivas" maiores, dominadas pela realeza, que existiram na Antiguidade no Oriente Próximo e na Ásia. Independentemente de quaisquer outras características que Marx tenha atribuído à forma "asiática", esta, a qe gerou a maior controvérsia, deve ser explorada em busca do que possa revelar acerca do processo de diferenciação que nos interessa aqui. A argumentação de Marx implica que a divisão entre apropriadores e produtores – divisão gerada por qualquer forma de Estado – pode assumir formas diversas, formas às quais só se pode aplicar, ainda assim com grande cautela, a noção de "classe" quando não existir poder "econômico" claramente diferenciado. É verdade que somente na sociedade capitalista o poder econômico de classe se diferencia completamente dos poderes extraeconômicos; e não se tem aqui a intenção de provar que classe só exista em formações sociais capitalistas. Mas parece importante reconhecer os extremos polares: o modo capitalista em que ocorre

---

[17] MARX, Karl. *Capital* III, p. 881.
[18] Idem, ibidem, p. 791.

diferenciação e o modo em que – como em certos Estados burocráticos distributivos dominados pelo palácio existentes na Antiguidade – o próprio Estado, como o maior apropriador de produto excedente é, ao mesmo tempo, classe e Estado.

Marx parece às vezes sugerir que, no segundo caso, se propriedade e classe não se libertam e se desenvolvem autonomamente a partir do Estado "hipertrofiado", a dinâmica da história foi inibida. Mas falar aqui de um processo histórico "inibido" pode ser enganoso, caso se pretenda que o curso do desenvolvimento que levou ao capitalismo – que Marx acompanha desde a civilização greco-romana antiga, passando pelo feudalismo ocidental até chegar ao capitalismo – tenha sido a regra, e não a exceção, na história do mundo, e que todas as outras experiências históricas foram aberrações. Como o objetivo principal de Marx é explicar o desenvolvimento único do capitalismo no Ocidente, e não a incapacidade de ele evoluir espontaneamente em outras partes, esse projeto implica que – a despeito de algumas premissas aparentemente etnocêntricas – ele considera necessário explicar o sucesso, e não o insucesso.

De qualquer forma, a dinâmica particular da forma "asiática", como sugere a argumentação de Marx, pode ser mais comum do que o movimento iniciado pela forma greco-romana antiga. Se o Estado primitivo era o controlador dos recursos econômicos e o principal apropriador e distribuidor do excedente de produto, o Estado "asiático" avançado talvez represente um desenvolvimento mais ou menos natural daquela forma primitiva – o poder público apropriador e distribuidor em seu estágio máximo de desenvolvimento. Visto sob essa luz, não é tanto a "hipertrofia" do Estado "asiático" que precisa ser explicada. O que exige explicação é o desenvolvimento anormal, excepcionalmente "autônomo" da esfera econômica que resultou afinal no capitalismo[19].

FEUDALISMO E PROPRIEDADE PRIVADA

A organização capitalista de produção pode ser considerada o resultado de um longo processo em que certos poderes *políticos* se transformaram gradualmente em poderes *econômicos* e foram transferidos para uma esfera independente[20]. A organização da produção sob a autoridade do capital pressupõe a organização da pro-

---

[19] Ernest Mandel criticou escritores como Maurice Godelier por incluírem no significado do "modo de produção asiático" tanto as formações sociais do processo de transição de uma sociedade sem classes para um Estado de classes quanto os impérios burocráticos avançados com Estados "hipertrofiados" (Mandel, *The Formation of the Economic Thought of Karl Marx*, Londres, 1971, p. 124 e segs.). [Ed. bras.: *A formação do pensamento econômico de Karl Marx*. Rio de Janeiro, Zahar, 1968.] Embora Mandel tenha razão ao advertir sobre os riscos de se ocultar as diferenças entre, digamos, reinos africanos simples e Estados complexos como o Egito Antigo, a formulação de Godelier pretendia enfatizar as continuidades entre as formas iniciais de autoridades públicas apropriativas e redistributivas e o Estado avançado "hipertrofiado" para acentuar que este é o caso ocidental, com seu desenvolvimento "autônomo" de propriedade privada e classes, que ainda precisa ser explicado. Mandel geralmente se refere ao desenvolvimento do capitalismo como se fosse um processo natural, ao passo que outras trajetórias históricas teriam sido deformadas ou interrompidas.

[20] Gostaria agora de enfatizar muito mais a especificidade do desenvolvimento capitalista do que o fiz quando escrevi este ensaio. Apesar de ainda afirmar que as características particulares do feudalismo ocidental que esboço aqui tenham sido condições necessárias do capitalismo, enfatizo agora sua insuficiência. Para mim, o capitalismo é apenas uma das muitas trajetórias possíveis que se originaram a partir do feudalismo ocidental (muito diferentes das variações no âmbito do feudalismo), que ocorreram, no primeiro caso, na Inglaterra, em contraste, por exemplo, com a cidade-república italiana ou o absolutismo francês. São temas que espero retomar no futuro, mas para uma discussão do contraste entre o capitalismo inglês e o absolutismo francês sugiro a leitura do meu livro *The Pristine Culture of Capitalism: A Historical Essay on Old Regime and Modern States*, Londres, 1991.

dução e a reunião de uma força de trabalho sob a autoridade de formas anteriores de propriedade privada. O processo pelo qual essa autoridade da propriedade privada se afirmou pela reunião nas mãos do proprietário privado, e para seu próprio benefício, do poder de apropriação e da autoridade para organizar a produção, pode ser visto como a privatização do poder político. A supremacia da propriedade privada absoluta parece ter se estabelecido em grande parte por meio da *devolução* política, a apropriação pelos proprietários privados de funções originalmente investidas na autoridade pública ou comunitária.

Mais uma vez, a oposição entre o modo "asiático" de produção num extremo e o modo capitalista no outro ajuda a colocar em perspectiva esse processo de devolução. Desse ponto de vista, a questão crucial não é haver ou não a propriedade privada da terra como tal. Na China, por exemplo, desde um estágio muito inicial, a propriedade privada da terra já era uma característica bem estabelecida; e, de qualquer maneira, alguma forma de propriedade na terra era geralmente um pré-requisito do exercício de função política no Estado "asiático". O importante aqui é a relação entre propriedade privada e poder político, e suas consequências para a organização da produção e para a relação entre apropriador e produtor. Sob esse aspecto, a característica ímpar do desenvolvimento ocidental é ser ele marcado pelas primeiras e mais completas transferências de poder político para a propriedade privada e, portanto, também a mais completa, generalizada e direta subserviência da produção às exigências de uma *classe* apropriadora.

As peculiaridades do feudalismo ocidental lançam luz sobre todo o processo. O feudalismo é, em geral, descrito como uma fragmentação ou "parcelização" do poder do Estado; mas, mesmo identificando uma característica essencial, essa descrição não é suficientemente específica. As formas de poder do Estado variam, e formas diferentes de poder de Estado geralmente se fragmentam de forma diferente. O feudalismo ocidental resultou da fragmentação de uma forma muito particular de poder político. Não se trata aqui simplesmente de fragmentação ou parcelização, mas também de *privatização*. O poder de Estado cuja fragmentação produziu o feudalismo ocidental já havia sido substancialmente privatizado e investido na propriedade privada. A forma de administração imperial que precedeu o feudalismo no Ocidente, construída sobre as bases de um Estado já apoiado na propriedade privada e no governo de classe, foi única no sentido de que o poder imperial era exercido não tanto por meio de uma hierarquia de funcionários burocráticos, como no Estado "asiático", mas por meio do que foi descrito como uma confederação de aristocracias locais, um sistema municipal dominado por proprietários privados locais, cuja propriedade lhes oferecia a autoridade política assim como o poder de apropriação de excedentes.

Esse modo de administração estava associado a um tipo particular de relação entre apropriadores e produtores, especialmente no império ocidental, no qual já não havia vestígios da antiga organização do Estado distributivo-burocrático. A relação entre apropriadores e produtores era, em princípio, uma relação entre indivíduos, os donos da propriedade privada e os indivíduos de cujo trabalho eles se apropriavam, os últimos submetidos diretamente aos primeiros. Até mesmo os impostos do Estado central eram mediados pelo sistema municipal; e a aristocracia imperial se notabilizara pelo grau em que dependia não da propriedade privada, mas do poder do Estado para a acumulação de grande riqueza. Se na prática o controle do proprietário da terra sobre a produção era indireto e sutil, ainda assim ele representava um contraste significativo em relação às primeiras formas burocráticas nas quais os produtores eram em geral submetidos mais diretamente a um Estado apropriador que agia por meio de seus funcionários.

Com a dissolução do Império Romano (e o fracasso repetido dos Estados sucessores), o Estado imperial foi na verdade transformado em fragmentos nos quais os poderes político e econômico ficaram unidos nas mãos dos senhores privados cujas funções políticas, jurídicas e militares eram ao mesmo tempo instrumentos de apropriação privada e de organização da produção. A descentralização do Estado imperial foi seguida pelo declínio da escravidão e de sua substituição por novas formas de trabalho dependente. Escravos e camponeses anteriormente independentes começaram a convergir para condições de dependência, nas quais a relação econômica entre o apropriador privado individual e o produtor individual era ao mesmo tempo uma relação política entre um "fragmento" do Estado e seu súdito. Em outras palavras, cada "fragmento" básico do Estado era ao mesmo tempo uma unidade produtiva em que a produção se organizava sob a autoridade e para o benefício de um proprietário privado. Embora o poder do senhor feudal de dirigir a produção tenha permanecido incompleto, em comparação com os desenvolvimentos posteriores do capitalismo, um passo considerável havia sido dado em direção à integração da extração de excedentes com a organização da produção[21].

O fato de a propriedade do senhor feudal não ser "absoluta", mas "condicional", não altera o fato de representar o feudalismo um grande avanço na autoridade da propriedade privada. De fato, a natureza condicional da propriedade feudal foi em certo sentido uma indicação de sua força, não um sinal de fraqueza, pois a condição para que o senhor mantivesse sua terra era ser ele o obrigado a se transformar num fragmento do Estado investido exatamente das funções que lhe dava o poder de extração de excedentes. A coincidência da unidade política com a unidade de propriedade significava também uma coincidência maior entre a unidade de apropriação e a unidade de produção, de forma que a produção pudesse se organizar mais diretamente no interesse do apropriador privado.

---

[21] Conforme a discussão proposta por Rodney Hilton sobre o controle limitado exercido na prática pelos senhores feudais sobre o processo produtivo em "A crise do feudalismo", *Past and Present*, nº 80 (agosto de 1978), p. 9-10. Devemos observar, no entanto, que ao enfatizar a natureza limitada dos senhores feudais, Hilton não está comparando o feudalismo a outras formações pré-capitalistas, mas, ao menos implicitamente, ao capitalismo, em que o controle direto de produção pelo apropriador é mais completo por causa da expropriação do produtor direto e da natureza coletiva e concentrada da produção capitalista.

A fragmentação do Estado, o fato de serem as relações feudais a um só tempo um método de governo e um modo de exploração, significou também que muitos fazendeiros *livres* passavam a se tornar, junto com suas propriedades, súditos de senhores privados, abrindo mão de trabalho excedente em troca de proteção pessoal, numa relação de dependência que era política e econômica. Como muitos produtores independentes tornaram-se dependentes, uma parcela maior de produção caiu sob o controle da exploração direta e pessoal e das relações de classe. Evidentemente, a natureza particular da relação de exploração no feudalismo e a fragmentação do Estado afetaram também a configuração do poder de classe, tornando mais desejável – sob alguns aspectos, até mesmo necessário – e mais possível que os apropriadores privados expropriassem os produtores diretos.

A característica essencial do feudalismo foi, portanto, a privatização do poder político que significou uma integração crescente da apropriação privada com a organização autoritária da produção. O desenvolvimento do capitalismo a partir do sistema feudal aperfeiçoou essa privatização e essa integração – pela expropriação completa do produtor direto e pelo estabelecimento da propriedade privada absoluta. Ao mesmo tempo, esses desenvolvimentos tiveram como condição necessária uma forma nova e mais forte de poder público centralizado. O Estado tomou das classes apropriadoras o poder político direto e os deveres não imediatamente associados à produção e à apropriação, deixando-as com poderes privados de exploração depurados de funções públicas e sociais.

Capitalismo como privatização do poder político

Pode parecer perverso sugerir que o capitalismo representa a privatização última do poder político. Essa proposição se opõe diretamente à descrição do capitalismo como sistema caracterizado unicamente pela diferenciação entre o econômico e o político. A intenção dessa descrição é, entre outras coisas, estabelecer o contraste entre o capitalismo e a "parcelização" do poder do Estado que une os poderes político e econômico privados nas mãos do senhor feudal. Afinal o capitalismo é marcado não somente por uma esfera econômica especializada e por modos econômicos de extração de excedentes, mas também por um Estado central com um caráter *público* sem precedentes.

O capitalismo tem a capacidade única de manter a propriedade privada e o poder de extração de excedentes sem que o proprietário seja obrigado a brandir o poder político direto no sentido convencional. O Estado – que é separado da economia, embora *intervenha* nela – pode aparentemente pertencer (por meio do sufrágio universal) a todos, apropriador e produtor, sem que se usurpe o poder de exploração do apropriador. A expropriação do produtor direto simplesmente torna menos necessário o uso de certos poderes políticos diretos para a extração de excedentes, e é isso exatamente o que significa dizer que o capitalista tem poderes econômicos, e não extraeconômicos, de exploração.

Superar a "privatização" do poder político, característica distintiva do capitalismo, pode até ser uma condição essencial de transformação do processo de trabalho e das forças de produção. Por exemplo, como argumentou Robert Brenner, quando a aplicação direta da força é a condição para a extração de excedentes por parte da classe dominante, as próprias dificuldades de aumentar o potencial produtivo pelo aprimoramento das forças produtivas podem encorajar o gasto de excedentes para aumentar precisamente a capacidade de aplicação da força. Dessa forma, a classe dominante pode aumentar, por métodos militares, a sua capacidade de explorar os produtores diretos, ou adquirir meios adicionais de produção (terra, trabalho, ferramentas). Em vez de ser acumulado, o excedente econômico é aqui sistematicamente desviado da reprodução para o trabalho improdutivo.[22]

Em compensação, há outro sentido em que o poder "político" privado é a condição essencial da produção capitalista e, na realidade, a forma assumida pela "autonomia" da esfera econômica. O capitalista está, evidentemente, sujeito aos imperativos da acumulação e da competição que o obrigam a expandir o valor excedente; e o trabalhador está preso ao capitalista não apenas pela sua autoridade pessoal, mas pelas leis do mercado que determinam a venda do poder de trabalho. Nesses sentidos, são as leis "autônomas" da economia e do capital "em abstração" que exercem o poder, e não a imposição voluntária pelo capitalista de sua autoridade pessoal sobre o trabalhador.

Mas as leis "abstratas" da acumulação capitalista impõem ao capitalista – e as leis impessoais do mercado de trabalho lhe dão a capacidade de fazê-lo – precisamente o exercício de um grau sem precedentes de controle sobre a produção. "A lei da acumulação capitalista, metamorfoseada pelos economistas numa pretensa [sic] lei da natureza, na verdade afirma apenas que a própria natureza da acumulação exclui completamente a diminuição do grau de exploração"[23] – isso significa um comando firme do processo de trabalho, e mesmo um código legal interno que garanta a redução do tempo de trabalho necessário e a produção do valor excedente máximo durante o período fixo de trabalho. A necessidade de uma "autoridade diretora", como explica Marx, é intensificada na produção capitalista tanto pela natureza altamente socializada e cooperativa da produção – uma condição de sua alta produtividade – como pela natureza antagônica de uma relação de exploração baseada na exigência de extração máxima da mais-valia.

Segundo Marx, a produção *capitalista* começa de fato

quando cada capital individual emprega ao mesmo tempo um número comparativamente grande de trabalhadores; quando o processo de trabalho é executado numa escala ampla e rende quantidades relativamente grandes de produtos. Um número maior de trabalhadores trabalhando ao mesmo tempo, num lugar (ou, se se desejar, no mesmo campo de trabalho), para produzir o mesmo tipo de mercadoria sob o comando de um capitalista, constitui, do ponto de vista histórico e lógico, o ponto de partida da produção capitalista.[24]

---

[22] BRENNER, Robert. "The Origins of Capitalism", *New Left Review*, 104, 1977, p. 37.

[23] MARX, Karl. *O Capital* I, p. 582.

[24] Idem, ibidem. p. 305. Entretanto, a *produção* capitalista pressupõe *relações sociais* capitalistas. Ver nota 35, p. 136.

Uma condição fundamental para essa transformação é o controle do processo de trabalho pelo capital. Em outras palavras, a forma especificamente capitalista de produção começa quando o poder "político" direto é introduzido no processo de produção como condição básica de produção:

> Pela cooperação de inúmeros trabalhadores assalariados, a influência do capital se transforma num requisito para a execução do próprio processo de trabalho, num requisito real de produção. Que haja um capitalista no comando no campo de produção é hoje tão indispensável quanto haver um general em comando no campo de batalha.[25]

Nas sociedades pré-capitalistas, a produção cooperativa era simples e esporádica, embora, como expressa Marx, às vezes tivesse "efeitos colossais", por exemplo, sob o comando de reis asiáticos e egípcios ou teocratas etruscos. A característica especial do capitalismo é a produção cooperativa contínua e sistemática. O significado político desse desenvolvimento na produção é assim expresso por Marx: "*esse poder dos reis asiáticos e egípcios, teocratas etruscos etc. transferiu-se na sociedade moderna para o capitalista*, esteja ele isolado ou em sociedades anônimas, um capitalista coletivo"[26].

A questão aqui não é saber se o controle capitalista é mais "despótico" do que o autoritarismo pessoal duro do feitor de escravos com chicote na mão; nem saber se a exploração capitalista é mais opressiva do que as exigências do senhor feudal ganancioso. O grau de controle exercido pelo capital sobre a produção não é necessariamente dependente do seu grau de "despotismo". Até certo ponto, o controle é imposto não pela autoridade pessoal, mas pelas exigências impessoais da produção mecanizada e da integração tecnológica do processo de trabalho (embora isso possa ser exagerado, e, de qualquer forma, a necessidade de integração técnica em si é imposta pela pressão da acumulação capitalista e pela exigência do apropriador).

Apesar de o capital, com a propriedade absoluta dos meios de produção, ter à sua disposição novas formas de coação puramente econômicas – como o poder de demitir empregados ou fechar fábricas –, a natureza desse controle do processo de trabalho é em parte condicionada pela *ausência* de força coercitiva direta. O uso de organização e supervisão difíceis e hierárquicas do processo de trabalho como meio de aumentar o excedente produzido é um sucedâneo do poder coercitivo de *extração* de excedentes. A natureza da classe trabalhadora livre é tal que novas formas de organização e de resistência dos trabalhadores são também embutidas no processo de produção.

De qualquer forma, em diferentes circunstâncias, o controle capitalista pode ser exercido de várias formas, que variam desde a organização mais "despótica" (o "taylorismo", por exemplo) até graus variáveis de "controle dos trabalhadores" (embora não se deva subestimar as pressões contra essa forma de controle inerentes à estrutura de acumulação capitalista). Mas, quaisquer que sejam suas formas específicas, permanece a condição essencial do controle capitalista: em nenhum outro

---

[25] Idem, ibidem, p. 313.
[26] Idem, ibidem, p. 316. Destaque acrescentado.

sistema de produção o trabalho é tão completamente disciplinado e *organizado,* e nenhum outro modo de organização da produção responde tão diretamente às exigências da apropriação.

Existem, portanto, dois pontos críticos relativos à organização da produção capitalista que ajudam a explicar o caráter peculiar do "político" na sociedade capitalista e a situar a *economia* na arena política: primeiro, o grau sem precedentes de integração da organização da produção com a organização da apropriação; e segundo, o alcance e a generalidade dessa integração, a extensão praticamente universal a que a produção no conjunto da sociedade se mantém sob o controle do apropriador capitalista[27]. O corolário desses desenvolvimentos na produção é que o apropriador prescinde do poder político direto no sentido público convencional, e perde muitas das formas tradicionais de controle pessoal sobre a vida dos trabalhadores fora do processo imediato de produção, que antes estavam ao alcance dos apropriadores pré-capitalistas. Novas formas de controle direto de classe passam para as mãos "impessoais" do Estado.

Simultaneamente, se o capitalismo – com sua classe trabalhadora juridicamente livre e seus poderes econômicos impessoais – remove muitas esferas da atividade pessoal e social do controle direto de classe, a vida humana é em geral atraída para uma órbita do processo de produção. Direta ou indiretamente, a disciplina da produção capitalista, imposta pelas exigências da apropriação capitalista, pela competição e acumulação, traz para sua esfera de influência – e dessa forma, sob o controle do capital – uma gama enorme de atividades e exerce um controle sem precedentes sobre a organização do *tempo,* dentro e fora do processo de produção.

Esses desenvolvimentos indicam a existência de uma esfera econômica e de leis econômicas diferenciadas, mas seu pleno significado pode ser obscurecido quando visto apenas sob essa luz. É, pelo menos, tão importante considerá-los como uma transformação da esfera *política*. Num sentido, a integração da produção e da apropriação representa a "privatização" final da política, pois funções antes associadas a um poder político coercitivo – seja ele centralizado ou "parcelizado" – estão agora firmemente alojadas na esfera privada como funções de uma classe apropriadora privada, isentas das obrigações de atender a propósitos sociais mais amplos. Em outro sentido, representa a *expulsão* da política das esferas em que sempre esteve diretamente envolvida.

---

[27] Escravidão é a forma pré-capitalista de exploração de classe sobre a qual se poderia dizer que o explorador exerce um controle contínuo e direto sobre a produção; mas, deixando de lado as muitas questões relativas à natureza e ao grau de controle do proprietário de escravos sobre o processo de trabalho, uma coisa fica clara: mesmo entre as muito poucas sociedades em que a escravidão se generalizou na produção, ela nunca se aproximou da generalização do trabalho assalariado nas sociedades capitalistas avançadas, mas foi sempre acompanhada, talvez superada, por outras formas de produção. Por exemplo, no Império Romano, em que a escravidão atingiu o apogeu nos latifúndios escravos, o número de camponeses produtores era superior ao de escravos. Ainda que os produtores independentes fossem submetidos a várias formas de *extração* de excedentes, grandes parcelas da produção permaneceram fora do alcance do controle direto da classe exploradora. Pode-se também argumentar que isso não aconteceu por acidente; que a natureza da produção escravista tornava impossível sua generalização; que um dos obstáculos à sua expansão foi a dependência da coerção direta e do poder militar; e que, pelo contrário, o caráter universal exclusivo da produção capitalista e sua capacidade de subordinar virtualmente toda a produção às exigências da exploração estão intimamente ligados à diferenciação entre o econômico e o político.

A coação política direta foi excluída do processo de extração de excedentes e removida para um Estado que em geral intervém apenas indiretamente nas relações de produção, e a extração de excedentes deixa de ser uma coação política imediata. Isso quer dizer que se muda necessariamente o foco da luta de classes. Como sempre, dispor do trabalho excedente continua a ser a questão central do conflito de classes; mas agora essa questão não se distingue da organização de produção. A luta pela apropriação aparece não como uma luta política, mas como uma batalha em torno dos termos e das condições de trabalho.

A localização da luta de classes

Durante a maior parte do período histórico, as questões centrais relativas à luta de classes giraram em torno da extração e da apropriação de excedentes, e não da produção. O capitalismo é notável por concentrar a luta de classes "no ponto de produção", porque é somente no capitalismo que a organização da produção e da apropriação coincidem tão completamente. É também notável por transformar as lutas em torno da apropriação em disputas aparentemente não políticas. Por exemplo, embora a luta por salários no capitalismo possa ser percebida como simplesmente "econômica" ("economicismo"), isso não é válido para a luta de aluguéis empreendidas pelos camponeses medievais, apesar de, nos dois casos, a questão se referir à forma de se dispor da mais-valia e à sua distribuição relativa entre os produtores diretos e os apropriadores exploradores. Por mais feroz que seja a luta por salários, a relação salarial em si, como bem observou Marx, permanece intacta: a base do poder de extração do apropriador – sua condição de proprietário e a de não proprietário do trabalhador – não está em disputa imediata. As lutas em torno de arrendamentos, sempre que a apropriação se baseia em poderes "extraeconômicos", têm implicações imediatas nos direitos de propriedade, nos poderes políticos e nas jurisdições.

O conflito de classes no capitalismo tende a se encapsular no interior da unidade individual de produção, o que dá à luta de classes um caráter especial. Cada fábrica, uma unidade altamente organizada e integrada, com sua própria hierarquia e estrutura de autoridade, contém as principais fontes de conflito de classes. Ao mesmo tempo, a luta de classes entra diretamente na organização da produção: ou seja, a administração de relações antagônicas de produção é inseparável da administração do processo de produção em si. Apesar de continuar a ser parte integrante do processo de produção, que ela não pode interromper, a luta de classes deve ser *domesticada*.

Em geral, somente quando sai para a rua, o conflito de classes se transforma em guerra aberta, principalmente porque o braço coercitivo do capital está instalado fora dos muros da unidade produtiva. O que significa que confrontações violentas, quando acontecem, não se dão geralmente entre capital e trabalho. Não é o capital, mas o Estado, que conduz o conflito de classes quando ele rompe as barreiras e assume uma forma mais violenta. O poder armado do capital geralmente permanece nos bastidores; e, quando se faz sentir como força coercitiva pessoal e direta, a dominação de classe aparece disfarçada como um Estado "autônomo" e "neutro".

A transformação de conflitos políticos e econômicos, e a localização das lutas no ponto de produção tendem também a tornar *local* e *particularizada* a luta de classes no capitalismo. Sob esse aspecto, a própria organização da produção capitalista resiste à unidade da classe operária que, supõe-se, o capitalismo deveria encorajar. De um lado, a natureza da economia capitalista – seu caráter nacional, ou mesmo supranacional, a independência de suas partes constituintes, a homogeneização do trabalho produzido pelo processo capitalista de trabalho – torna a um só tempo necessárias e possíveis uma classe operária consciente e uma organização de classe em escala de massa. Este é o aspecto dos efeitos do capitalismo sobre a consciência de classe que a teoria marxista tantas vezes enfatizou. De outro lado, o desenvolvimento dessa consciência e dessa organização deve ocorrer contra a força centrífuga da produção capitalista e da privatização das questões políticas.

As consequências desse efeito centrífugo, ainda que não bem explicadas pelas teorias de consciência de classe, têm sido observadas por especialistas em relações industriais que notaram uma importância crescente, e não decrescente, das lutas "domésticas" no capitalismo contemporâneo. Apesar de ter a capacidade de reduzir seu caráter político e universal, a concentração das batalhas da classe operária no *front* doméstico não implica necessariamente uma militância em declínio. O efeito paradoxal da diferenciação entre o econômico e o político, feita pelo capitalismo, é que a militância e a consciência política se tornam questões separadas.

Vale a pena considerar, em comparação, que as revoluções modernas tenderam a ocorrer onde o modo capitalista de produção era menos desenvolvido; onde ele coexistia com formas mais antigas de produção, principalmente a produção camponesa; onde foi maior o papel desempenhado pela compulsão "extraeconômica" na organização da produção e na extração da mais-valia; e onde o Estado agia não apenas no apoio às classes apropriadoras, mas como algo parecido a um apropriador pré-capitalista em seu próprio benefício – resumindo, onde não foi possível separar a luta econômica do conflito político e onde o Estado, como classe inimiga mais visivelmente centralizada e universal, foi o foco de uma luta de massa. Até mesmo nas sociedades capitalistas mais desenvolvidas, a militância de massa tende a surgir em resposta a uma compulsão "extraeconômica", particularmente sob a forma de ação opressiva do Estado, e também varia proporcionalmente ao envolvimento do Estado nos conflitos em torno dos termos e das condições de trabalho.

Mais uma vez, essas considerações levantam questões relativas ao sentido em que seria adequado ver o "economicismo" da classe operária nas sociedades capitalistas desenvolvidas como um reflexo de um estado subdesenvolvido de consciência de classe, como o fazem muitos socialistas. Visto da perspectiva do processo histórico, pode-se dizer que ele representa um estágio mais, e não menos, avançado de desenvolvimento. Se, por sua vez, esse estágio puder ser superado, é importante reconhecer que o chamado "economicismo" das atitudes da classe operária reflete não tanto uma falta de consciência política quanto uma mudança objetiva na localização da política, uma mudança de arena e dos objetivos da luta política inerente à própria estrutura da produção capitalista.

Essas são algumas das formas em que a produção capitalista tende a transformar em "políticas" as lutas "econômicas". É verdade que existem certas tendências no capitalismo contemporâneo que operam para se contrapor a essas tendências. A integração nacional e internacional da economia capitalista avançada transfere os problemas da acumulação capitalista da empresa individual para a esfera "macroeconômica". É possível que os poderes de apropriação do capital, que o Estado até agora deixou intactos – melhor dizendo, que ele reproduziu e reforçou –, venham a ser subvertidos pela necessidade crescente que o capital tem da presença do Estado – não apenas para facilitar o planejamento capitalista, para assumir responsabilidades ou para conduzir e conter o conflito de classes, mas também para cumprir as funções sociais abandonadas pela classe expropriadora e para compensar os efeitos antissociais gerados por esse abandono. Ao mesmo tempo, se o capitalismo, levado pela crise crescente, exigir e obtiver a cumplicidade do Estado nos seus objetivos antissociais, o próprio Estado pode se tornar um alvo de importância cada vez maior para a resistência nos países capitalistas avançados, como o foi em todas as revoluções modernas vitoriosas. O efeito disso pode ser a superação do particularismo e do "economicismo" impostos à luta de classes pelo sistema capitalista de produção, com a diferenciação entre o econômico e o político.

De qualquer forma, a lição estratégica a ser aprendida da transferência das questões "políticas" para a "economia" não é que as lutas de classes devam se concentrar principalmente na esfera econômica ou "no plano da produção". Da mesma forma, dividir as funções "políticas" entre classe e Estado não significa que o poder no capitalismo venha a ser de tal forma difundido na sociedade civil a ponto de o Estado perder o papel específico e privilegiado como sede de poder e alvo de ação política, nem, no extremo oposto, que o Estado passe a *ser* tudo. Na verdade, deverá ocorrer o contrário. A divisão de trabalho entre classe e Estado significa não que o poder esteja diluído, mas, ao contrário, que o Estado, que representa o "momento" coercitivo da dominação de classe no capitalismo, corporificado no monopólio mais especializado, exclusivo e centralizado de força social, é, em última análise, o ponto decisivo de concentração de todo o poder na sociedade.

Assim, as lutas no plano da produção, mesmo quando encaradas pelos seus aspectos econômicos como lutas em torno dos termos de venda da força de trabalho ou das condições de trabalho, permanecem incompletas, pois não se estendem até a sede do poder sobre a qual se apoia a propriedade capitalista, que detém o controle da produção e da apropriação. Ao mesmo tempo, batalhas puramente "políticas" em torno do poder de governar e dominar continuarão sem solução enquanto não implicarem, além das instituições do Estado, os poderes políticos que foram privatizados e transferidos para a esfera econômica. Nesse sentido, a própria diferenciação entre o econômico e o político no capitalismo – a divisão simbiótica de trabalho entre classe e Estado – é precisamente o que torna essencial a unidade das lutas econômicas e políticas, e o que é capaz de tornar sinônimos socialismo e democracia.

Repensar a base e a superestrutura

A metáfora base/superestrutura sempre gerou mais problemas do que soluções. Embora o próprio Marx a tenha usado muito raramente e apenas nas formas mais aforísticas e alusivas, ela passou a suportar um peso teórico muito superior à sua limitada capacidade. Até certo ponto, os problemas já inerentes ao seu uso restrito foram agravados pela tendência de Engels de usar uma linguagem que sugeria a compartimentação de esferas ou "níveis" fechados – econômicos, políticos ou ideológicos –, cujas relações que mantinham entre si eram externas. Mas os problemas de fato começaram com o estabelecimento das ortodoxias stalinistas que elevaram – ou reduziram – a metáfora à condição de primeiro princípio do dogma marxista-leninista, afirmando a supremacia de uma esfera econômica independente sobre outras esferas passivamente subordinadas e reflexivas. Em particular, tendia-se a ver a esfera econômica mais ou menos como sinônimo para as forças técnicas de produção, operando de acordo com leis naturais intrínsecas ao progresso tecnológico, e assim a história se tornou um processo mais ou menos mecânico de desenvolvimento tecnológico.

Essas deformações das ideias histórico-materialistas originais de Marx fixaram os termos do debate marxista desde então. Durante as últimas décadas, os dois lados das várias disputas entre marxistas estiveram efetivamente presos a essa grade teórica. Por vezes, a tendência foi tratar essas deformações como uma bíblia marxista, e a aceitar ou rejeitar coerentemente o marxismo. Qualquer um (E. P. Thompson, por exemplo) que trabalhasse nas fissuras entre as alternativas oferecidas por essa estrutura teórica seria provavelmente mal compreendido tanto por críticos quanto por seguidores, ou desconsiderado como uma anomalia, uma impossibilidade teórica.

As objeções à metáfora da base/superestrutura se referiam geralmente ao seu "reducionismo", tanto a negação da ação humana quanto sua incapacidade de atribuir um lugar adequado a fatores "superestruturais", à consciência tal como incorporada na ideologia, na cultura ou na política. As correções a esse reducionismo assumiram geralmente a forma de um chamado "humanismo" marxista, ou, então, de uma ênfase na "autonomia relativa" dos "níveis" da sociedade, sua interação mútua, e de um adiamento da determinação pelo "econômico" até "a última instância".

Um dos mais importantes desenvolvimentos da teoria marxista ocidental contemporânea, o marxismo estruturalista de Althusser, rejeitou a opção humanista e elaborou a outra de diversas formas peculiares e teoricamente sofisticadas.

Postos diante da escolha entre, de um lado, um modelo base/superestrutura simplista e mecânico, e de outro, uma "ação humana" aparentemente desestruturada, Althusser e seus seguidores descobriram uma solução inteligente: redefinir as relações entre base e superestrutura de forma que excluíssem *rigorosamente* da ciência da sociedade os vagares da ação humana, insistindo em determinações completamente "estruturais", admitindo ao mesmo tempo a especificidade imprevisível da realidade histórica. Para consegui-lo, tiveram de se valer de alguns truques conceituais; pois, enquanto um rígido determinismo prevalecia no domínio da estrutura social, esse domínio pertencia, para todos os fins práticos, à esfera da teoria pura, enquanto o mundo real, empírico – de pouco interesse para a maioria dos teóricos althusserianos – permaneceu efetivamente contingente e irredutivelmente particular.

A distinção crítica entre "modo de produção" e "formação social" ilustra bem essa questão. O modo de produção com estrutura determinada não existe empiricamente, como conformação social realmente existente é particular, "conjuntural", e capaz de combinar os vários modos de produção, e até mesmo vários níveis estruturais "relativamente (absolutamente?) autônomos", num número infinito de formas indeterminadas. As consequências desse dualismo simples entre o determinismo da teoria estruturalista e a contingência a que a história foi relegada foram disfarçadas pelo fato de os althusserianos terem escrito muito pouca história e também pelo rigor enganoso de suas incursões no mundo empírico, no qual a simples descrição era apresentada como explicação causal teoricamente rigorosa pelo uso de categorias taxonômicas passíveis de expansão infinita, derivadas da teoria da estrutura.

O marxismo althusseriano, portanto, pouco fez para afastar decisivamente os termos do debate teórico marxista do terreno estabelecido pela ortodoxia stalinista. O modelo base/superestrutura manteve seu caráter mecânico e sua conceituação da estrutura social em termos de "fatores", "níveis" ou "casos" discretos, descontínuos e com relações externas, mesmo que a relação mecanicamente determinista entre a base e os seus reflexos superestruturais se tornasse efetivamente inoperante no mundo real pela separação rígida entre estrutura e história, e pelo adiamento indefinido da determinação econômica até um imprevisível "último caso". O aparelho conceitual estruturalista também tendia a encorajar uma espécie de separação entre "econômico", "social" e "histórico", que geralmente implica a identificação do "econômico" com a tecnologia; e não é nenhuma surpresa encontrar marxistas de convicções estruturalistas buscando no determinismo tecnológico o dinamismo histórico ausente de sua visão do mundo caracterizada por uma série de estruturas estáticas descontínuas e fechadas em si mesmas.

E assim, por algum tempo, sem abandonar as falsas alternativas em discussão nos debates sobre o stalinismo, os marxistas puderam fazer a cama e deitar-se nela. Puderam evitar o "economicismo cru" ou o "reducionismo vulgar" sem abandonar o modelo cruamente mecânico de base e superestrutura. Bastava adotar o dualismo agudo de Althusser entre estrutura e história, determinismo absoluto e contingência irredutível. E, apesar do desprezo althusseriano pelo "empirismo" – ou precisamente por causa dele (melhor dizendo, precisamente por causa do dualismo conceitual em que ele se baseava) –, a princípio era até mesmo possível engajar-se ao mesmo tempo na mais pura teoria e no mais puro empirismo.

Ainda assim foi apenas uma questão de tempo até o desmoronamento dessa difícil síntese. Logo se tornou evidente que o althusserianismo havia simplesmente introduzido novas alternativas falsas para substituir ou complementar as antigas. Aos marxistas foram oferecidas as escolhas entre estrutura e história, entre determinismo absoluto e contingência irredutível, entre teoria e empirismo puros. Portanto, não surpreende que os teóricos mais puros da escola althusseriana tenham se tornado, pelo menos em teoria, os mais puros empiristas da geração pós-althusseriana. Na obra de escritores como Hindess e Hirst, que foram antes visceralmente anti-"historicistas" e anti-"empiristas", as determinações absolutas e incondicionais da estrutura deram lugar à contingência absoluta e irredutível da "conjuntura" particular[1]. Eis o outro lado da moeda althusseriana: a afirmação "pós-marxista" da "não correspondência" entre o econômico e o político – bem como o abandono da política de classe que ela implica –, a rejeição não apenas do grosseiro modelo base/superestrutura, mas também das complexas ideias materialistas que aquela metáfora infeliz deveria substituir.

O resultado foi uma estrutura completamente distorcida de debate que ameaça excluir o próprio Marx do alcance da possibilidade teórica. De acordo com o quadro de referência "pós-marxista", é simplesmente impossível, por exemplo, rejeitar o "economicismo cru" – em geral entendido como determinismo tecnológico – e ainda assim acreditar na política de classes, na centralidade do conflito de classes na história, ou na primazia da classe trabalhadora na luta pelo socialismo. Se uma classe trabalhadora unida e revolucionária não surgir pronta do desenvolvimento natural das forças produtivas do capitalismo, não existe ligação orgânica ou "privilegiada" entre a classe trabalhadora e o socialismo, nem entre as condições econômicas e as forças políticas. Em outras palavras, mais uma vez, onde não existir determinação mecânica simples e absoluta, existe a contingência absoluta. E era uma vez Marx e o materialismo histórico.

E também era uma vez Edward Thompson, pois ele, talvez mais do que qualquer outro, perdeu-se nas fissuras do debate marxista dos últimos anos por não se ajustar a nenhuma das alternativas reconhecidas. Isso não quer dizer que ele tenha sido ignorado, depreciado ou desvalorizado, apenas que tanto seus críticos como seus admiradores o representaram mal ao forçá-lo em uma das categorias existentes. Na oposição entre "economicismo cru" e "humanismo marxista", ele seria um comunista para quem as leis econômicas dão lugar à vontade e à ação humana arbitrárias. No debate entre althusserianos e culturalistas, ele é um culturalista – talvez o primeiro deles – para quem determinações estruturais se dissolvem na "experiência". E nos debates atuais ele talvez seja da mesma forma erroneamente apropriado pelos filósofos do "discurso", relegado ao campo dos "reducionistas da classe" ou então ignorado como uma anomalia teórica que, apesar de mostrar um

---

[1] Estas afirmações concisas sobre Hindess e Hirst et alii são desenvolvidas no meu livro *The Retreat from Class*, Londres, 1986.

desprezo saudável pelo "economicismo cru" e o gosto pela ideologia e pela cultura, ainda assim retém uma crença irracional na centralidade do conceito de classe. Até certo ponto, Thompson incentivou essas classificações distorcidas quando se deixou confundir pelos termos do debate em curso; mas nos seus pronunciamentos explícitos sobre assuntos teóricos, e ainda mais em sua prática historiográfica, encontram-se os fios perdidos de uma tradição marxista que essas falsas opções sistematicamente ocultaram.

Modos de produção e formações sociais

Vamos abordar essa questão pela retaguarda, com as críticas controversas de Thompson a Althusser e, em particular, suas observações sobre as concepções althusserianas do modo de produção e da formação social. Em *The Poverty of Theory*, Thompson acusou Althusser de identificar o modo de produção com a formação social – por exemplo, o modo capitalista de produção com o capitalismo –, de forma que uma explicação abstrata embora não grosseiramente economicista passasse a representar uma "formação social na totalidade de suas relações"[2]. Em outras palavras, Althusser, assim como Marx em seu "lado *Grundrisse*", foi acusado por Thompson de tratar capital como uma ideia hegeliana que se desenvolve na história e incorpora em si mesma toda a sociedade capitalista, "capital na totalidade de suas relações".

Essa crítica, tal como colocada, foi um erro de julgamento; pois, como mostrou Perry Anderson, Althusser e Balibar tomaram o conceito de formação social, distinguindo-o deliberadamente de "modo de produção", para corrigir a "constante confusão na literatura marxista entre formação social e sua infraestrutura econômica"[3]. O conceito de "formação social" foi adotado pelos althusserianos em preferência a "sociedade" – um conceito que "sugere uma simplicidade e uma unidade enganosas (...) a noção hegeliana de uma totalidade expressiva circular" –

> como um lembrete insistente de que a diversidade das práticas humanas em qualquer sociedade é irredutível à própria prática econômica. A questão em debate era precisamente a que gera as ansiedades de Thompson sobre base e superestrutura: a diferença entre as estruturas nuas do "capital" e o tecido intricado da vida social, política e moral do capitalismo (francês, inglês ou americano).[4]

Em outras palavras, de acordo com Anderson, Thompson havia "tentado acusar seus adversários de um erro que eles haviam denunciado primeiro".

Ainda assim, Thompson tinha razão num sentido importante, porque a própria forma em que a distinção entre modo de produção e formação social foi definida por Althusser e Balibar reforçou a confusão, em vez de esclarecê-la. Em parte, a correção proposta pelos dois simplesmente reproduziu na metáfora base/supe-

---

[2] THOMPSON, E. P. *The Poverty of Theory*, Londres, 1978, p. 346. [Ed. bras.: *A miséria da teoria ou um planetário de erros*: uma crítica ao pensamento de Althusser. Rio de Janeiro, Zahar, 1981.]

[3] ANDERSON, Perry. *Arguments Within English Marxism*, Londres, 1980, p. 67.

[4] Idem, ibidem, p. 68.

restrutura os mesmos erros que deveria ter corrigido; em parte, eles roubaram da metáfora exatamente as valiosas ideias que ela deveria ter traduzido.

O "modo de produção", como entendido pelos althusserianos, traz inscrito em si toda uma estrutura social que contém vários "níveis" econômicos, políticos e ideológicos. No caso de Althusser e Balibar, pode não ter ficado bem claro que o conceito de "modo de produção" é realmente sinônimo daquela totalidade, mas ele certamente constitui a base de onde se pode teoricamente gerar uma totalidade social – "capitalismo" na totalidade de suas relações econômicas, políticas e ideológicas. Na obra de outros proeminentes teóricos de origem althusseriana – entre eles Nicos Poulantzas –, o modo de produção representa explicitamente essa totalidade:

> Por *modo de produção* vamos designar não o que em geral se entende por econômico (ou seja, relações de produção em sentido estrito), mas uma combinação específica de várias estruturas e práticas que, combinadas entre si, surgem como muitos casos ou níveis, isto é, como muitas estruturas regionais desse modo. Um modo de produção, de acordo com a definição esquemática de Engels, compõe-se de diferentes níveis ou casos, o econômico, o político, o ideológico e o teórico.[5]

O conceito de "formação social" não é usado por esses teóricos para negar essa relação entre o modo de produção e a totalidade social neles incorporada – por exemplo, ele não foi proposto para negar que o modo capitalista de produção (MCP) equivale a capitalismo na totalidade de suas relações. Ao contrário, o conceito de formação social implica apenas que nenhuma sociedade historicamente existente é "pura"; por exemplo, não existe uma sociedade que represente o MCP puro e simples. Ou, dito de outra forma, "o modo de produção constitui um objeto abstrato-formal que não existe na realidade no sentido forte"[6]. Só existem no mundo real "formações sociais" impuras, e essas sempre contêm vários modos de produção com todos os seus "níveis" constituintes, ou até vários fragmentos "relativamente autônomos" de modos de produção. Os vários elementos que compõem uma formação social podem mesmo estar defasados entre si.

Relações estruturais tão rigidamente determinadas e monolíticas entre os níveis econômico e superestrutural continuam a existir num modo de produção teoricamente construído, mas no mundo histórico esse bloco estrutural pode se fragmentar e se recombinar num número infinito de formas. É como se formações sociais históricas "reais e concretas" fossem compostas de elementos cuja lógica estrutural interna fosse teoricamente determinada, enquanto os processos históricos apenas quebram e combinam esses elementos de várias formas (arbitrárias e contingentes?). A análise histórica pouco pode fazer além de descrever e classificar

---

[5] POULANTZAS, Nicos. *Political Power and Social Classes*, Londres, 1973, p. 15. [Ed. bras.: *Poder político e classes sociais*. São Paulo, Martins Fontes, 1986.] Aliás, há pouca justificativa para o apelo de Poulantzas à autoridade de Engels para essa concepção de modo de produção. A referência feita por Engels a "fatores" ou "elementos" – por mais que tenha contribuído para o tratamento do "econômico", "político" etc., como esferas ou níveis espacialmente separados e fechados em si mesmos – se aplica a várias forças que determinam juntas a história de qualquer todo social; mas não aparece na definição do "modo de produção" mesmo.

[6] Idem, ibidem.

as combinações de modos de produção e de fragmentos de modos de produção que constituem uma dada formação social qualquer.

As consequências práticas dessa estrutura teórica são vivamente ilustradas pela abordagem de Poulantzas sobre o problema da política na sociedade capitalista. Depois de estabelecer o princípio de que uma estrutura social inteira – com níveis econômicos, políticos, ideológicos e teóricos – está incorporada no modo "abstrato--formal" de produção, ele passa a construir teoricamente o "caso político" do MCP e a produzir um "tipo" de Estado estruturalmente ajustado a esse modo de produção. Isso envolve a construção teórica de ligações entre o Estado e níveis diferentes do modo de produção, bem como uma elaboração das características específicas desse "tipo" de Estado capitalista.

O efeito desse argumento é paradoxal. Pode-se aparentemente inferir que a ligação entre "níveis" de um modo de produção, e especificamente a correspondência entre o MCP e o "tipo" capitalista de Estado, é "abstrato-formal" e não "real-concreto", que os componentes de um modo de produção podem se relacionar "estruturalmente", mas a relação entre eles não é necessariamente histórica. De um lado, então, a lógica estrutural supera o fato histórico. De outro, parece que as relações que realmente prevalecem entre o Estado e o modo de produção nas sociedades historicamente existentes pouco têm a ver com essa lógica estrutural e parecem quase acidentais. As partes de um modo de produção que se relacionam por uma lógica estrutural inelutável no domínio "abstrato-formal" separam-se facilmente umas das outras na realidade histórica.

Portanto, um Estado é capitalista não em virtude de suas ligações com relações capitalistas de produção, mas em virtude de certas características estruturais derivadas da construção teórica autônoma de um MCP abstrato-formal. Assim, é possível dizer que uma formação social em que relações capitalistas de produção ainda não são generalizadas pode, apesar disso, ser caracterizada como um Estado "capitalista".

Na verdade, é assim que Poulantzas descreve o absolutismo europeu[7]. O Estado absolutista é designado como um tipo capitalista de Estado não por qualquer relação real que ele tenha com relações ocultas de produção (Poulantzas se apressa a enfatizar que as relações capitalistas são muito rudimentares neste estágio), mas porque mostra certas características estruturais formais que ele, mais ou menos arbitrariamente, estabeleceu como correspondentes em teoria a um MCP[8].

---

[7] Idem, ibidem, p. 157-67.

[8] Ao tratar o absolutismo como, de certa forma, uma prelibação do capitalismo ou como um reflexo de um equilíbrio temporário entre uma classe feudal em declínio e uma burguesia em ascensão, foi prática comum entre marxistas que têm uma tendência a explicar a transição do feudalismo para o capitalismo pela presunção da existência de capitalismo nos interstícios do feudalismo à espera do instante de ser libertado. Esse procedimento de postular exatamente o que se quer provar é especialmente pronunciado no marxismo estruturalista, em que pedaços de qualquer ou de todos os modos de produção podem, sempre que necessário, ser considerados preexistentes, sem explicação e sem processo, em qualquer formação social, esperando simplesmente o momento de se tornar "dominantes". Pode-se explicar a ascensão do capitalismo apenas pela afirmação tautológica de que o MCP, ou alguma parte significativa dele (como um "tipo" capitalista de Estado?) já estava presente na combinação de modos de produção que constituíam as formações sociais relevantes. Para uma crítica vigorosa desse aspecto do althusserianismo e da tradição marxista de que ele se origina, acompanhada de uma argumentação poderosa que demonstra as origens dessa visão da história na historiografia e na ideologia "burguesas", ver George Comninel, *Rethinking the French Revolution*, Londres, 1987.

Há nesses princípios teóricos tanto um determinismo excessivamente rígido quanto um excesso de contingência e arbitrariedade – ou seja, um excesso de determinação abstrata, quase idealista, e muito pouca causalidade histórica. De um lado, simplificações mecânicas do modelo base/superestrutura ficam intactas; de outro, desconsideram-se simplesmente as questões críticas indicadas por aquela metáfora sobre os efeitos das condições materiais e das relações de produção nos processos históricos. De fato, permitiu-se que correspondências teóricas apriorísticas escondessem relações históricas reais.

Tudo isso contrasta nitidamente com o relato de Marx sobre as ligações entre relações de produção e formas políticas:

> A forma econômica específica em que a mais-valia não paga é arrebatada dos produtores diretos determina a relação entre governantes e governados, pois nasce diretamente da própria produção e, por sua vez, reage sobre ela como elemento determinado... É sempre a relação direta entre os donos das condições de produção e os produtores diretos que revela o segredo mais recôndito, a base oculta de toda a estrutura social e, com ela, a forma política das relações de soberania e dependência, a forma específica correspondente de Estado. Isso não evita que a mesma base econômica – mesma do ponto de vista de suas condições principais –, devido a inumeráveis condições empíricas diferentes, apresente infinitas variações e gradações de aparência que só podem ser identificadas pela análise das circunstâncias empiricamente dadas.[9]

Embora partes desse trecho sejam muito citadas por Poulantzas et alii, ele revela uma estrutura conceitual muito diferente da distinção althusseriana entre "modo de produção" e "formação social". Não transmite a ideia do determinismo mecânico do "modo de produção" althusseriano, nem a contingência arbitrária da "formação social". Ao contrário, sugere tanto a complexa variabilidade da realidade empírica quanto a operação nela de uma lógica derivada das relações de produção.

A diferença é ainda mais bem ilustrada pelo uso que Marx faz do conceito a que os althusserianos dão o nome de "formação social", substancialmente diferente do uso que dele fazem Althusser, Balibar ou Poulantzas (sem falar se esse conceito viria a suportar a carga teórica que adquiriu recentemente). Numa passagem que tem importância central na teoria althusseriana, Marx escreve:

> Em toda forma de sociedade [que nesse contexto é uma tradução menos enganosa de *Gesellschaftsformen* do que "formação social"], existe um tipo específico de produção que predomina sobre os outros, cujas relações atribuem valor e influência aos outros. É uma luz geral que banha todas as outras cores e modifica suas particularidades. É um éter particular que determina a gravidade específica de todo ser que se materializou dentro dele.[10]

---

[9] MARX, Karl. *O Capital* III, Moscou, 1971, p. 701-3.
[10] Idem. *Grundrisse*, Trad. M. Nicolaus, Harmondsworth, 1073, p. 108-7.

É importante observar o que ele quer dizer com a expressão "forma de sociedade". Encontram-se entre elas os "povos pastorais", a "antiguidade", a "ordem feudal", a "sociedade burguesa moderna". A despeito de tudo o que se possa entender dessa passagem – e dos problemas que possam surgir das formulações de Marx –, ela significa que:

1. "forma de sociedade" se refere a algo como o feudalismo (a ordem feudal) ou o capitalismo (a sociedade burguesa), não apenas a um fenômeno concreto, individual e único como "a Inglaterra durante a Revolução Industrial" (um dos exemplos de Poulantzas de uma "formação social"), mas uma classe de fenômenos concretos que têm alguma espécie de lógica sócio-histórica comum; e

2. essa passagem pretende enfatizar a unidade, não a "heterogeneidade", de uma "formação social".

Não se trata de vários modos de produção dominados por um deles, mas, por exemplo, de ramos diferentes de produção assimilados ao caráter específico do ramo predominante naquela forma social: a natureza particular de agricultura na sociedade feudal – caracterizada pela produção camponesa e apropriação feudal – afeta a natureza da indústria; a natureza particular da indústria da "sociedade burguesa" – indústria dominada pelo capital – afeta a natureza da agricultura. O uso que Marx faz do conceito tem uma aplicação muito limitada e estreita, mas não é inconsistente com suas ideias posteriores, mais bem desenvolvidas, esboçadas no volume III de *O capital*.

Tomadas em conjunto, essas passagens de *O capital* e dos *Grundrisse* informam a existência nas relações de produção de uma lógica unificadora que se impõe através da sociedade, na complexa variedade de sua realidade empírica, de uma forma que nos permite falar de uma "ordem feudal" ou "sociedade capitalista", mas sem tirar das sociedades capitalistas ou feudais individuais o seu "complicado tecido de vida social, política, cultural e moral".

O próprio Thompson, a despeito de suas reservas com relação à "fantasia dos *Grundrisse*" de Marx, estabelece uma distinção que resume bem a abordagem de Marx. A "intuição profunda" do materialismo histórico tal como foi entendido por Marx, argumenta Thompson, não é o fato de serem as sociedades capitalistas apenas "capital na totalidade de suas relações", mas, ao contrário, "que a lógica do processo capitalista encontrou expressão em todas as atividades de uma sociedade e exerceu uma pressão determinante sobre o seu desenvolvimento e forma: podemos, portanto, falar de capitalismo ou de sociedades capitalistas"[11]. Existe uma diferença crítica, continua ele, entre estruturalismo, que sugere a "ideia de capitalismo que se desdobra", e materialismo histórico, que tem a ver com "um processo histórico real".

Portanto, Thompson estava no mínimo quase certo na sua crítica a Althusser, não porque Althusser tenha dissolvido a história na sua estrutura, mas, ao contrário, porque, apesar de aderir a uma espécie de estruturalismo que identificava MCP com capitalismo, ele reservou suas operações para a esfera da teoria pura, esquecendo, de certa forma, a história. De fato, o próprio Thompson formulou

---

[11] THOMPSON. *Poverty of Theory*, p. 254.

suas críticas a Althusser quase exatamente nesses termos num ensaio muito menos conhecido que *The Poverty of Theory,* mas datado mais ou menos da mesma época: na teoria althusseriana, escreve ele, "com sua ênfase na 'autonomia relativa' e na 'determinação do caso último', os problemas do materialismo histórico e cultural não são resolvidos, mas ocultos ou evitados; uma vez que a hora solitária do último caso nunca soa, podemos em uníssono e ao mesmo tempo cantar loas à teoria para em seguida ignorá-la na nossa prática"[12].

A verdade que pode existir na sugestão de que a distinção althusseriana entre modo de produção e formação social destinava-se a tornar os marxistas educados à sombra do modelo grosseiramente economístico e reducionista da base/superestrutura mais sensível à especificidade histórica e à complexidade da vida social não passa de meia verdade; pois a distinção atingiu seu fim mediante a simples inserção de uma cunha entre estrutura e história, criando um dualismo rígido entre determinação e contingência que deixou as determinações estruturais mais ou menos impotentes na esfera da explicação histórica e, na verdade, tornou sem efeito o materialismo histórico como meio de explicação do processo histórico. Foi apenas uma forma de evadir o desafio proposto por Marx: como abranger a especificidade histórica, bem como a ação humana, enquanto se reconhece dentro delas a lógica dos modos de produção.

Materialismo histórico *versus* determinismo econômico

Foi precisamente este o desafio que Edward Thompson procurou combater em seus escritos históricos. Seus pronunciamentos teóricos nem sempre ajudam a esclarecer sua prática histórica – em parte porque às vezes ele se permite cair na armadilha das falsas alternativas oferecidas pelos termos dominantes no debate marxista[13]. Mesmo aqui, entretanto, há uma riqueza muito grande a ser garimpada para emancipar a teoria marxista dessas opções hobsonianas e colocá-la de novo nos trilhos produtivos traçados pelo próprio Marx. Há uma ou duas coisas que merecem atenção especial nas observações explícitas feitas por Thompson ao longo dos anos sobre a metáfora base/superestrutura. É fato bem conhecido que ele sempre procurou resgatar a ação e a consciência humanas das mãos mortas dos economicismos cruamente reducionistas, e

---

[12] Idem. "Folklore, Anthropology, and Social History", *Studies in Labour History Pamphlet,* 1979, p. 19 (publicado originalmente em *Indian Historical Review,* 3 [2] [1978], p. 247-66).

[13] Mais que em qualquer outro local, isso está vivamente ilustrado na aversão de Thompson pela "fantasia de *Grundrisse*" de Marx e na sua análise da economia política marxista. É difícil explicar a incapacidade de Thompson de perceber que é exatamente na crítica da economia política que Marx estabelece os princípios completamente desenvolvidos de seu materialismo histórico. De fato, pode-se argumentar que foi exatamente nesse ponto que Marx lançou os princípios que Thompson considerou os mais importantes de sua própria obra histórica. Em comparação, *German Ideology,* apesar de todas as suas contribuições vitais para o materialismo histórico, ainda mostra traços de uma adesão relativamente acrítica à historiografia burguesa. (Essa discussão, relativa à diferença entre a historiografia acrítica de Marx e sua crítica da economia política na qual suas visões mais características recebem completa elaboração, aparece em *Rethinking the French Revolution,* de Comninel.) Uma explicação possível para essa cegueira de Thompson é ter ele aceitado com tanta facilidade as dicotomias resultantes da teoria stalinista, que parecem nos forçar a escolher entre economicismo cruamente reducionista e o completo abandono da face "político-econômica" de Marx.

não há necessidade de repassarmos esta questão. Sua preocupação com a "experiência" já recebeu atenção mais que necessária, mesmo que seus efeitos tenham sido sempre enganosos[14]. O que tende a se perder nessa ênfase no "humanismo" de Thompson é que o seu corolário é, muitas vezes, uma avaliação das determinações estruturais nos processos históricos bem mais esclarecedora do que a de seus críticos estruturalistas.

O modelo mecânico base/superestrutura, com seus "níveis" entendidos como caixas fechadas, espacialmente separadas e descontínuas, permite apenas duas opções inaceitáveis: ou aderimos ao reducionismo simplista "ortodoxo", de acordo com o qual a caixa "econômica" básica está simplesmente "refletida" nas caixas superestruturais; ou evitamos o "economicismo cru" adiando a determinação pelo "econômico" para algum "caso último" infinitamente distante, um efeito que se consegue quando se tornam inoperantes na história as rígidas determinações da estrutura. Entre esses dois extremos, há pouco espaço para determinações "econômicas" que, apesar de admitirem toda a gama de complexidade e especificidade histórica, estão (citando Thompson) "sempre lá" – e não apenas "no caso último", não "empurradas para uma área de causa última [que] pode ficar esquecida no seu empíreo", não "operacional apenas num sentido de época", mas todo o tempo[15]. É essa a difícil dialética entre especificidade histórica e a sempre presente lógica do processo histórico que o materialismo histórico pede que entendamos. Ela exige, como Thompson sempre o entendeu, uma concepção do "econômico", não como uma esfera "regionalmente" separada que é de certa forma "material" por oposição a "social", mas que é em si irredutivelmente social – de fato, uma concepção de lei "material" como algo constituído de relações e práticas sociais. Ademais, a "base" – o processo e as relações de produção – não é apenas "econômica", mas também resulta, e nelas é corporificada, em formas e relações jurídico-políticas e ideológicas que não podem ser relegadas a uma superestrutura espacialmente separada.

Se a metáfora base/superestrutura incluir essas ideias, está tudo bem; mas ela é, de acordo com Thompson, uma metáfora ruim porque obscurece a natureza da relação que deve denunciar. "Devemos dizer", sugere Thompson a respeito dessa metáfora infeliz, "que o sinal na estrada apontava na direção errada, apesar de, ao mesmo tempo, termos de aceitar a existência do lugar que ele indicava"[16]. Esse lugar é o "núcleo de relações humanas" incorporado num modo de produção, um núcleo de relações que impõe a sua lógica a todos os "níveis" da sociedade. Ao comentar *The Long Revolution*, de Raymond Williams, Thompson escreve:

---

[14] Ver Harvey J. Kaye, *The British Marxist Historians*, Oxford, 1984, para uma excelente discussão geral de Thompson e, especificamente, da relação dele com a tradição historiográfica anglo-marxista de Dobb, Hilton e Hill et alii.
[15] THOMPSON. "The Peculiarities of the English", em *The Poverty of Theory*, p. 81-2.
[16] Idem. "An Open Letter to Leszek Kolakowski", em *The Poverty of Theory*, p. 120.

Quando falamos do modo capitalista de produção pelo lucro, indicamos ao mesmo tempo um "núcleo" de relações humanas características – de exploração, dominação e aquisição – que são inseparáveis desse modo, e que encontram expressão simultânea em todos os "sistemas" do sr. Williams. Dentro dos limites da época, existem tensões e contradições características que não podem ser transcendidas, a menos que transcendamos a própria época: existe uma lógica econômica e uma lógica moral e é inútil discutir para qual daremos prioridade, uma vez que as duas são expressões diferentes do mesmo "núcleo de relações humanas". Podemos então reabilitar a noção de cultura capitalista ou burguesa (...).[17]

Existem algumas armadilhas ocultas na fórmula que fala que as relações de produção "encontram expressão simultânea" em todos os "níveis" da sociedade, não em ordem e sequência ascendente a partir de uma "base" econômica determinativa até uma superestrutura epifenomenal. Determinação "simultânea" pode ser entendida como nenhuma determinação ou, mesmo, nenhuma causalidade. Mas a concepção de Thompson de "simultaneidade" é muito mais sutil[18]. Como vimos, sua argumentação contraria tanto concepções reducionistas de causalidade que dissolvem a especificidade histórica *quanto* concepções de determinação econômica em que se adia indefinidamente a determinação. A primeira mistura causa e efeito, a segunda abre um abismo intransponível entre os dois. Nenhuma exige investigação da *relação* entre causa e efeito nem o *processo* de determinação. O que interessa a Thompson são as relações do processo em que as relações de produção – relações de exploração, dominação e apropriação – dão forma a todos os aspectos da vida social em conjunto e o tempo todo, ou exercem pressão sobre eles.

O processo e as relações de produção que constituem um modo de produção são expressos por uma lógica "moral" e por uma lógica "econômica", por valores e modos de pensar característicos, assim como por padrões característicos de acumulação e de troca. Somente no modo capitalista de produção é possível distinguir instituições e práticas que são pura e distintivamente "econômicas" (no sentido estrito da palavra, que é, ela própria, derivada da experiência do capitalismo); e mesmo aqui o modo de produção é expresso simultaneamente naquelas instituições e práticas "econômicas" e em certas normas e valores auxiliares que sustentam os processos e as relações de produção e o sistema de poder e dominação em torno do qual se organiza. Esses valores, normas e formas culturais, argumenta Thompson, não são menos "reais" do que as formas especificamente "econômicas" pelas quais se exprime o modo de produção.

O argumento de Thompson sobre a simultaneidade das expressões "econômicas" e "culturais" de qualquer modo de produção tem dois lados inseparáveis e igualmente importantes. O primeiro, geralmente ressaltado tanto por seus críticos quanto por seus admiradores, insiste que ideologia e cultura têm uma "lógica"

---

[17] Idem. "The Long Revolution, II", *New Left Review* 10, 1961, p. 28-9.

[18] A noção de "simultaneidade" também é discutida em "Folklore", de Thompson, p. 17-8.

própria que constitui um elemento "autêntico" nos processos sociais e históricos. "Podemos legitimamente analisar ideologia não apenas como produto, mas também como processo", diz ele na sua apreciação crítica de Christopher Caudwell, na qual não só aprova o entendimento de Caudwell da "autenticidade" da cultura, mas também o censura por atribuir à lógica da ideologia uma autonomia que sugere "uma ideia que se impõe à história"[19]. E ele continua:

> tem sua própria lógica que é, em parte, autodeterminada, no sentido de que certas categorias tendem a se reproduzir em formas consecutivas. Apesar de não podermos substituir a história real pela lógica da ideologia – a evolução capitalista não é a realização de uma ideia burguesa básica –, essa lógica é um componente autêntico daquela história, uma história inconcebível e indescritível independentemente da "ideia".

O outro lado do argumento é que, dado que os efeitos determinativos do modo de produção operam simultaneamente na esfera "econômica" e na "não econômica", eles são também ubíquos. O argumento não pretende negar nem reduzir a importância dos efeitos determinativos do modo de produção, mas, ao contrário, reforçar a proposição de que eles são "operacionais o tempo todo" e em toda parte. Em outras palavras, é possível que o materialismo de Thompson atinja seu ápice no exato momento em que ele se recusa a privilegiar a "economia" em relação à "cultura". Na verdade, a insistência na "simultaneidade" se apresenta não como afastamento ou correção do materialismo clássico marxista, mas como um polimento das palavras do próprio Marx. Ao comentar a passagem citada acima da "luz geral" dos *Grundrisse*, por exemplo, Thompson escreve:

> O que isso enfatiza é a simultaneidade da expressão das relações produtivas características de *todos* os sistemas e áreas da vida social, de preferência a qualquer noção de primazia (mais "real") do "econômico", em que as normas e a cultura são vistas como um "reflexo" secundário do primário. O que estou colocando em discussão não é centralidade do modo de produção (e as consequentes relações de poder e de propriedade) para um entendimento materialista qualquer da história. Estou colocando em discussão (...) a noção de que é possível descrever um modo de produção em termos "econômicos", deixando de lado como secundários (menos "reais") as normas, a cultura, os conceitos críticos, em torno dos quais se organiza esse modo de produção.[20]

Poderíamos esperar indicações mais precisas das fronteiras entre o "modo de produção" e o que por ele é determinado, e talvez um pouco menos de uma tendência a fugir da proposição de que o modo de produção é "expresso" simultaneamente tanto na esfera econômica quanto na não econômica, para a sugestão muito diferente de que o modo de produção *é* ao mesmo tempo todas as coisas sociais. Mas resta pouca dúvida de que a intenção desse argumento seja não apenas enfatizar a "autenticidade" da cultura, mas também afastar a compreensão materialista da

---

[19] THOMPSON, E. P. "Caudwell", *Socialist Register*, 1977, p. 265-6.
[20] Idem, "Folklore", p. 17-8.

história das formulações em que os "níveis" sociais são separados de uma forma que efetivamente isola a "superestrutura" dos efeitos da "base" material.

É também um esforço para resgatar a concepção marxista original de "modo de produção" da identificação com a "economia" capitalista, corporificada nas relações de mercado e numa "tecnologia" abstratamente autônoma. Trata-se de uma identificação que a ortodoxia stalinista tinha em comum com a ideologia burguesa; que a teoria althusseriana perpetuou no seu delineamento de "níveis" ou "casos", no processo de tentar se separar do "economicismo vulgar"; e que hoje os críticos "pós-marxistas" do marxismo – muitos deles formados na escola althusseriana – vêm repetindo, enquanto, de certa forma, repudiam seu próprio arremedo de marxismo ao reproduzir suas distorções nas suas próprias concepções pós-marxistas da esfera "econômica".

Pode ser verdade que Thompson nem sempre mantém a clareza de sua concepção "unitária" e que, por vezes, parece permitir que o "modo de produção" se estenda até uma totalidade indeterminada de relações humanas. Mas há uma diferença significativa entre a alegação de que "base" é também ao mesmo tempo "superestrutura" e a proposição de Thompson segundo a qual

> Produção, distribuição e consumo não são apenas colher, transportar e comer, são também planejamento, organização e fruição. As faculdades imaginativas intelectuais não se resumem a uma "superestrutura" erigida sobre uma "base" de coisas (inclusive homens-coisa); estão implícitas no ato criativo do trabalho que faz um homem ser homem.[21]

Outra ilustração poderia ser o argumento de que o direito não se "atém educadamente" a um "nível" superestrutural, mas aparece "em *todos* os níveis" e está "imbricado no modo de produção e nas próprias relações produtivas (como direitos de propriedade, definições de prática agrária etc.)"[22]. Essas proposições não significam que a base inclua toda superestrutura, nem que as relações de produção sejam sinônimas de todas as relações sociais estruturadas pelos antagonismos de classe. (Isso não é apenas uma forma diferente de dizer que o modo de produção é equivalente à formação social, uma concepção a que Thompson se opõe frontalmente?) Significam que uma chamada "superestrutura" pertence à "base" produtiva e é a forma em que as relações de produção são organizadas, vividas e contestadas. Nessa formulação, a especificidade, a integridade e a força determinativa das relações de produção são preservadas; e, em certo sentido, estabelece-se a distância necessária entre a esfera de produção e todos os outros "níveis" que tornam a causalidade possível, enquanto, ao mesmo tempo, indica-se o princípio de ligação e continuidade entre essas esferas separadas quando se trata a própria "economia" como um fenômeno *social*.

O que nos traz outra razão, especialmente sutil, para Thompson rejeitar a metáfora convencional base/superestrutura; e mais uma vez o objetivo é não enfraquecer,

---

[21] Idem. "Socialist Humanism", *New Reasoner*, I, 1957, p. 130-1.
[22] Idem. *The Poverty of Theory*, p. 288.

mas sim reforçar o materialismo da teoria marxista da história. Thompson sugeriu que a metáfora não leva em conta as diferentes formas em que diferentes classes se relacionam com o modo de produção, ou as formas diferentes em que suas respectivas instituições, ideologias e culturas "expressam" o modo de produção[23]. Apesar de o modelo base/superestrutura ter talvez algum valor para descrever as instituições e ideologias a serviço da classe dominante, bem como as estruturas de apoio à dominação e o "senso geral de poder", ele não se presta bem a descrever a cultura dos dominados.

De acordo com Thompson, os costumes, rituais e valores das classes subordinadas podem "geralmente ser vistos como intrínsecos ao modo de produção", de uma forma em que a cultura dominante não pode ser, porque são essenciais aos próprios processos de reprodução da vida e suas condições materiais. Em resumo, são em geral as práticas que constituem a atividade produtiva. Ao mesmo tempo, embora a cultura dos dominados se mantenha em geral "congruente" com o sistema predominante de produção e poder, é pelo fato de as relações de produção serem vividas à sua própria maneira pelas classes subordinadas que elas entram em contradição com o "senso comum de poder"; e são tais contradições que produzem as lutas que determinam a reorganização e a transformação dos modos de produção.

Transformações históricas desse tipo, argumenta Thompson, não ocorrem simples nem espontaneamente porque mudanças (autônomas) na base produzem sempre mudanças na superestrutura (como, por exemplo, no determinismo tecnológico). Elas ocorrem porque mudanças na vida material passam a ser o terreno de luta. Pode-se no mínimo afirmar – embora Thompson não o diga com tantas palavras, preferindo evitar a linguagem da base e superestrutura – que, se as transformações históricas são produzidas por contradições entre base e superestrutura, não é no sentido de que tais contradições representem oposições entre, de um lado, a experiência das relações de produção vividas pela classe subordinada e, de outro, as instituições e o "senso comum" de poder. Mas colocá-lo dessa forma já é reconhecer que o modelo único de relações entre a "base" material e a "superestrutura" ideológica sugerido pela metáfora convencional não é suficiente. Esse modelo induz ao erro porque universaliza a cultura dominante ou, mais precisamente, a relação entre a cultura dominante e o modo de produção, e faz desaparecer conceitualmente o tipo diferente de relação que gera o movimento histórico.

Talvez a visão de Thompson possa ser mais bem resumida como uma tentativa de reafirmar a visão do próprio Marx do materialismo histórico como contrário ao materialismo mecânico da filosofia "burguesa". Ele, assim como Marx, deu ênfase à "atividade e à prática humana sensoriais"(como Marx que formula seu materialismo no famoso ataque aos materialismos anteriores nas "Teses sobre Feuerbach"), e não a alguma "matéria" abstrata ou "matéria em movimento". E, tal como Marx, Thompson

---

[23] Ver especialmente "Folklore", de Thompson, p. 20-2.

reconhece que o materialismo mecânico nada mais é do que outro idealismo, ou o outro lado da moeda idealista. Reconhece também que a estrutura do debate marxista atual é reproduzida de muitas maneiras nas mesmas falsas dicotomias do pensamento burguês, do qual o materialismo histórico destinava-se a nos libertar:

> talvez tenhamos testemunhado no próprio coração da tradição marxista uma reprodução do fenômeno que Caudwell diagnosticou na cultura burguesa: a geração dos pseudo-antagonistas, materialismo e idealismo mecânicos. O mesmo dualismo sujeito/objeto, ao entrar no marxismo, deixou-nos com os gêmeos do determinismo econômico e do idealismo althusseriano, cada um regenerando o outro: a base material determina a superestrutura, independentemente da idealidade, enquanto a superestrutura da idealidade se retira para a autonomia de uma prática teórica autodeterminante.[24]

Não se trata, é preciso que se esclareça, da simples busca de um "interacionismo", nem do que Thompson chama de "oscilação estéril" entre determinantes num processo de "determinação mútua". Como Thompson sabe muito bem, "interação mútua não chega a ser determinação"[25]; e, tal como Marx, ele não tem intenção de fugir assim da questão da indeterminação. Sua formulação é apenas uma forma de levar a sério o entendimento de Marx sobre a "base material" como algo que se corporifica na atividade prática humana, que, por mais que isso possa violar a sensibilidade dos marxistas "científicos", exige de nós enfrentarmos o fato de ser a atividade de produção material uma atividade *consciente*.

Base e superestrutura na história

O significado de tudo isso só se torna evidente na prática histórica de Thompson, e o valor de suas discordâncias com a linguagem de base e superestrutura pode ser testado pelo simples exame do que ele percebe através de seu prisma conceitual e que não é tão claramente percebido por outros através de seus próprios prismas. Dois aspectos de sua obra histórica se destacam especialmente: um profundo senso de processo, expresso numa capacidade inigualável de identificar as emaranhadas interações entre continuidade e mudanças; e uma habilidade de revelar a lógica das relações de produção não como uma abstração, mas como um princípio histórico operacional visível nas transações diárias da vida social, nas instituições e nas práticas concretas que existem fora da esfera da própria produção. Essas duas competências estão em operação na "decodificação" que ele faz da evidência que indica a presença de forças de classe e modos de consciência estruturados por classe nas situações históricas em que não se percebe clara e explicitamente a consciência de classe como prova sem ambiguidade da presença de classe.

O tema que perpassa *The Making of The English Working Class*, por exemplo, é a forma como uma tradição contínua de cultura popular foi transformada numa cultura de classe operária à medida que o povo resistia a lógica das relações

---

[24] THOMPSON. "Caudwell", p. 244.

[25] Idem, ibidem, p. 246-7.

capitalistas e à intensificação da exploração associada aos modos capitalistas de expropriação. Os críticos de Thompson preferiram focalizar as continuidades nesse processo, sugerindo que sua insistência na continuidade das tradições populares indica uma preocupação com fatores culturais e "superestruturais" em detrimento das determinações objetivas, movimentos na "base" em que ocorre a acumulação capitalista – uma crítica que vou retomar no próximo capítulo.

Entretanto, o objetivo do argumento de Thompson é demonstrar as *mudanças* das continuidades para mostrar a lógica das relações de produção capitalistas em operação na "superestrutura". Onde o marxista estruturalista, que tende a ver a história como uma série de pedaços descontínuos, veria nada mais que um "nível" ideológico fora de fase com o econômico, um fragmento residual superestrutural de outro modo de produção, uma justaposição de caixas estruturais, Thompson vê – e descreve – uma dinâmica histórica de mudança da continuidade (que é, afinal, a forma como a história geralmente evolui, mesmo durante os momentos revolucionários), estruturada pela lógica das relações capitalistas. O estruturalista, para quem correspondências teóricas aprioristicas tornariam invisíveis as ligações históricas reais (como no caso de Poulantzas e o Estado absolutista), ficaria desarmado diante dos historiadores não marxistas que desprezam o conceito de classe como uma categoria teórica imposta com base em evidências exteriores, ou daqueles que negam a existência de uma classe trabalhadora nessa sociedade "pré-industrial" ou "de classe única", citando como evidência a continuidade dos padrões "pré--industriais" de pensamento. Thompson, pelo contrário, é capaz de identificar os significados sociais das tradições populares em mutação, traçando as operações de classe nessas mudanças da continuidade. É capaz de descrever a emergência das formações operárias, instituições e tradições intelectuais que, a despeito de sua presença visível na história do período, têm a existência conceitualmente negada por seus adversários.

Vale a pena acrescentar que, para quem considera a "base" como alguma coisa "material" por *oposição* a "social" – o que geralmente significa que a base consiste nas forças técnicas de produção e que a história é um determinismo tecnológico –, é impossível explicar a existência de formações operárias que unem os trabalhadores "industriais" e os "pré-industriais". A estrutura conceitual do determinismo tecnológico força-nos a atribuir um valor adicional ao processo técnico do trabalho como determinante de classe, e não nas relações de produção e de exploração que, para Thompson (e para Marx), são os fatores críticos e os únicos que explicam a experiência comum imposta pela lógica da acumulação capitalista sobre os trabalhadores engajados em diferentes processos de trabalho.

Os princípios subjacentes aos processos de "decodificação" estão mais explícitos em "Eighteenth-century English Society: Class Struggle without Class?". Neste caso, seu objetivo é, entre outras coisas, demonstrar que a luta de classes opera como força histórica mesmo quando ainda não existem consciência e noções completamente desenvolvidas de classe, que "o fato de se poder observar em outros lugares e períodos formações de classe 'maduras' (ou seja, conscientes e historicamente desenvolvidas), dotadas de expressão ideológica e institucional não significa que não seja classe tudo o que ocorrer de forma menos decisiva"[26]. Esse projeto exige a "decodificação" da evidência que para outros historiadores indica uma sociedade "tradicional", "paternalista" ou "de classe única", na qual as classes trabalhadoras carecem de consciência de classe e as divisões sociais são verticais, e não horizontais.

Significativamente, Thompson aqui evoca mais uma vez a passagem "da luz geral" de *Grundrisse*, que os althusserianos citam para apoiar suas opiniões sobre modos de produção e formações sociais. E também significativamente, tal como Marx, mas ao contrário dos althusserianos, ele enfatiza a unidade, não a heterogeneidade das formas sociais que entram no "campo de força" de um modo de produção particular:

> parece-me que a metáfora de um campo de força coexiste proveitosamente com um comentário de Marx em *Grundrisse* de que: "em todas as formas de sociedade". O que Marx descreve por metáforas como "níveis e influência", "luz geral" e "tonalidades" seriam hoje apresentados numa linguagem estruturalista mais sistemática: termos que às vezes são duros e têm aparência de objetividade de forma a disfarçar o fato de que são, ainda assim, metáforas que se oferecem para congelar um processo social fluente. Prefiro a metáfora de Marx; e a prefiro, para todos os efeitos, às suas metáforas subsequentes sobre "base" e "superestrutura". Mas o que coloco em discussão neste texto é (no mesmo grau que no de Marx) um argumento estrutural. Fui forçado a reconhecê-lo ao considerar a força das objeções óbvias a ele. Pois todas as características das sociedades do século XVIII que atraíram minha atenção podem ser encontradas, em forma mais ou menos desenvolvida, em outros séculos. O que então é específico do século XVIII? Qual é a "luz geral" que modifica as "tonalidades específicas" de sua vida social e cultural?[27]

Thompson passa então a responder a essas perguntas ao examinar "(1) a dialética entre o que é e o que *não* é cultura – as experiências formadoras do ser social, e como elas eram manipuladas culturalmente, e (2) as polaridades dialéticas – antagonismos e reconciliações – entre as culturas plebeias e sofisticadas da época"[28]. Embora talvez fosse útil ter uma descrição mais clara do que "não é cultura", o resultado é uma argumentação complexa e sutil que revela como os padrões "tradicionais" de cultura, que aparentemente continuam os mesmos, adquirem um novo significado social quando entram no "campo de força" do "processo capitalista" e dos modos capitalistas de exploração. Thompson demonstra como comportamentos usuais e a cultura plebeia são formados pelas novas experiências de classe, citando como exemplo particularmente evocativo as lutas pela posse dos corpos dos enforcados em Tyburn, "decodificadas" por Peter Linebaugh em *Albion's Fatal Tree*:

---

[26] THOMPSON, E. P. "Eighteenth-century English Society: Class Struggle without Class?", *Social History* 3 (2), 1978, p. 150.

[27] Idem, ibidem, p. 150-2. Thompson usa uma tradução diferente da citada acima. Assim, a palavra que ele usa como "tonalidades" aparece como "cores" na tradução citada acima.

[28] Idem, ibidem, p. 152.

não podemos apresentar o agitador como uma figura arcaica, motivada pelo "restolho" de padrões antigos de pensamento e deixar morrer o assunto com uma referência a superstições sobre a morte e *les rois thaumaturges*. O código que informa esses motins, sejam eles em Tyburn em 1731 ou em Manchester em 1832, não pode ser compreendido apenas em termos de crenças sobre a morte e seu tratamento adequado. Envolve também a solidariedade de classe e a hostilidade da plebe à crueldade psíquica da lei e ao marketing de valores primários. Também não se trata, no século XVIII, apenas de um tabu ameaçado: no caso da dissecação de corpos ou do ato de pendurar os corpos em correntes, uma classe estava, deliberadamente e sob a forma de um ato de terror, rompendo e explorando os tabus da outra. É então dentro desse campo de força de classes que os gestos fragmentados de antigos padrões são revivificados e reintegrados.[29]

O que torna o século XVIII um caso especialmente complicado é que comportamentos e rituais costumeiros adquirem um significado particular porque a lógica do capitalismo estava geralmente sendo vivida pela plebe como um ataque aos direitos de uso costumeiros e aos padrões de trabalho e de lazer tradicionais – um processo vividamente descrito por Thompson em várias de suas obras. Rebeliões contra os processos de acumulação capitalista, portanto, assumiram em geral a forma de "rebelião em defesa do costume", criando o paradoxo característico do século XVIII, "uma cultura tradicional rebelde"[30]. Então, o conflito de classes tendia a assumir a forma de "confrontações entre uma economia de mercado inovadora e a economia moral costumeira da plebe"[31].

Se existe um perigo nas formulações de Thompson, talvez seja o de que, como já sugeriram seus críticos, ele tem a tendência a ver oposição e rebelião nas tradições e nos costumes populares, e o seu relato deixa pouco espaço para os impulsos regressivos da consciência popular ou para a frequência com que essa consciência é invadida por ideias da classe dominante. Mas sua estrutura conceitual não exige otimismo excessivo, e ela tem claras vantagens sobre os sistemas teóricos que reconhecem apenas o "atraso" nas tradições populares.

Essa discussão pertence ao seu projeto maior de resgatar a ação das classes subordinadas de uma análise que efetivamente as relega à subordinação permanente, subjugação à hegemonia da classe dominante, antigas superstições e irracionalidades. Mas a ênfase que ele dá à transformação criativa de antigas tradições para atender a novas circunstâncias e para resistir a novas opressões representa também a reafirmação dos princípios materialistas contra as teorias da história que negam sua eficiência na explicação do processo histórico. Sua análise sutil, por exemplo, tira todo o sentido do tratamento histórico que vê nessas tradições e nesses costumes nada mais que um restolho cultural, ou que encaram sua persistência como uma prova de que classe não tem relevância para essas sociedades "tradicionais", "pré-

---

[29] Idem, ibidem, p. 157.
[30] Idem, ibidem, p. 154.
[31] Idem, ibidem, p. 155.

-industriais", ou mesmo que a cultura é completamente autônoma em relação às condições materiais.

É preciso que se diga, também, que sob esse aspecto Thompson realiza algo que está fora do alcance dos estruturalistas com suas versões da metáfora base/superestrutura. Estes pouco têm a dizer para responder aos advogados da teoria do "restolho", que parece ter notável congruência com a concepção althusseriana de "formação social" – ou aos que negam a eficácia de classes (ou condições materiais em geral) em sociedades nas quais as "superestruturas" ideológicas aparentemente deixam de corresponder à "base" econômica. Tais argumentos só podem ser enfrentados quando se reconhece que a história não se compõe de pedaços estruturais discretos e descontínuos, com superestruturas separadas e distintas correspondentes a cada base; ao contrário, ela se move em *processos* nos quais as relações de produção exercem suas pressões pela transformação de realidades herdadas.

Já há muito tempo, Thompson tem um projeto para responder aos historiadores que negam a existência de classe, ou pelo menos sua importância histórica, no modelo do capitalismo industrial, nos casos em que instituições de classe claramente definidas ou linguagens conscientes de classe não estão presentes na evidência. Críticos e, até mesmo com frequência, seus admiradores se confundem com formulações que parecem sugerir que, para ele, não existe classe na ausência de consciência de classe. Mas isso contraria diretamente sua intenção de demonstrar os efeitos determinativos de "situações" de classes até mesmo nos casos em que ainda não existam classes "maduras".

É possível que ele tenha adotado essas formas ambíguas por sempre se ter visto como quem luta em duas frentes ao mesmo tempo: contra as negativas antimarxistas de classe e contra os marxismos que negam à classe operária sua própria atividade ao postular para ela uma consciência ideal predeterminada. Em todo caso, suas ações historiográficas falam – ou deveriam falar – mais alto que suas palavras teóricas; e é preciso que se diga que, em lugar das demonstrações eficazes de forças de classe em operação na ausência de consciência "madura" de classe, seus críticos estruturalistas pouco podem oferecer além de afirmações teóricas segundo as quais a classe pode existir por definição, mas sem implicações para os processos históricos.

É instrutivo o contraste entre a abordagem de Thompson e a de Gareth Stedman Jones em seu recente estudo sobre o cartismo[32]. Renegando explicita-

---

[32] JONES, Gareth Stedman. "Rethinking Chartism", em *Languages of Class: Studies in English Working Class History, 1832-1982*, Cambridge, 1983. Examino detalhadamente esse argumento em *The Retreat from Class*. Stedman Jones se distancia muito mais explicitamente da tradição do materialismo histórico na introdução de *Language and Class* do que nos artigos compilados naquele volume. Num breve levantamento de seu próprio desenvolvimento, que esboça na introdução, ele identifica "Rethinking Chartism" como o ponto que marca uma "reorientação do seu pensamento", não apenas com relação ao tema do cartismo, "mas também sobre a abordagem sócio-histórica em si" (p. 16-17). É possível que quando escreveu o artigo em 1981 e o publicou em versão resumida como "The Language of Chartism" em J. Epstein e D. Thompson (eds.), *The Chartist Experience*, Londres, 1982, não tivesse a intenção de avançar tanto na renúncia ao marxismo que afirmou mais tarde, e uma leitura de "Rethinking Chartism" sem o benefício da alteração posterior poderia não ser suficiente para revelar a verdadeira extensão de seu movimento de se afastar do materialismo histórico; mas em *Languages of Class* ele certamente optou por interpretar suas próprias intenções daquela forma.

mente sua crença marxista anterior na ligação entre política e condições materiais, Stedman Jones insiste que as políticas do cartismo eram autônomas em relação à situação de classe dos cartistas. A principal evidência dessa autonomia é o fato de haver uma continuidade fundamental entre a ideologia e uma tradição radical mais antiga, nascida em condições sociais muito diferentes. Ele parece, entre outras coisas, atribuir pouco significado às mudanças a que aquela tradição radical foi submetida ao entrar no "campo de força" das relações capitalistas. Mudanças certamente existiram, como ele próprio reconhece, mas não tiveram evidentemente nenhuma implicação para a autonomia da política cartista nem para a ausência de correspondência entre política e classe.

Em outras palavras, a leitura de Stedman Jones das evidências é o oposto exato da leitura de Thompson em circunstâncias semelhantes: onde um vê autonomia da ideologia em relação à classe na continuidade das tradições populares, outro vê a força magnética de classes na transformação de uma cultura popular contínua. É como se Stedman Jones abrisse mão do materialismo histórico por ter descoberto que a história se move em processos contínuos, frustrando sua expectativa de que cada nova base, pelo menos a princípio, devesse ter uma nova superestrutura que lhe correspondesse, o que talvez esteja relacionado ao fato de, conforme seu próprio testemunho, ele ter sido, no seu passado marxista, fortemente influenciado pela teoria althusseriana. Seria um exemplo de mais uma virada da moeda althusseriana?

A tentativa de Thompson de refinar a metáfora base/superestrutura não é simplesmente uma questão de suplementar o velho modelo mecânico com o reconhecimento de que, mesmo que superestruturas sejam erigidas sobre uma base, "bases precisam de superestruturas"[33]. Essa proposição não transmite adequadamente, por exemplo, as ideias que informam o seu estudo do direito. Thompson compara sua própria "antiga posição marxista" com um "marxismo altamente sofisticado, mas (em última análise) altamente esquemático", segundo o qual o direito é quintessencial e simplesmente "superestrutural", "adaptando-se às necessidades de uma infraestrutura de forças e relações produtivas", servindo sem ambiguidades como instrumento da classe dominante[34]. Sua resposta a esse marxismo "esquemático", entretanto, não é apenas reafirmar que o direito, assim como outras superestruturas, é "relativamente autônomo", no sentido de que ele "interage" com a base, ou mesmo de que ele age como condição indispensável da base. Sua argumentação é mais complexa, tanto mais histórica quanto mais materialista.

Ao aceitar de início as "funções de mistificação e manutenção dos privilégios de classe do direito", ele continua:

---

[33] COHEN, G. A. *Karl Marx's Theory of History: A Defense*, Oxford, 1978. É importante acrescentar que se o determinismo tecnológico de Cohen representou realmente uma descrição precisa das ideias de Marx sobre base e superestrutura então Thompson não deve estar tão errado na sua avaliação da "fantasia de *Grundrisse*" de Marx.

[34] THOMPSON, E. P. *Whigs and Hunters*, Londres, 1975, p. 259. [Ed. bras.: *Senhores e caçadores*. Rio de Janeiro, Paz e Terra, 1987.]

Primeiro, a análise do século XVIII (e talvez de outros séculos) levanta a questão da validade de se separar o direito como um todo e colocá-lo em alguma superestrutura tipológica. O direito, quando considerado como instituição (os tribunais, com seu teatro de classe e procedimentos de classe) ou como pessoal (juízes, advogados, juízes de paz), pode facilmente ser assimilado pelos da classe dominante. Mas nem todas as consequências do "direito" estão incluídas nessas instituições.

Ademais, se examinarmos com cuidado esse contexto agrário, torna-se cada vez mais indefensável a distinção entre, de um lado, o direito, concebido com o elemento da "superestrutura", e, de outro, as realidades das forças e relações produtivas. Pois o direito foi sempre a definição da prática agrária atual, como se tivesse perdurado desde tempos imemoriais.

Portanto, "o direito" sempre esteve profundamente imbricado na própria base das relações de produção, que teriam sido inoperantes sem ele. E, em segundo lugar, esse direito, como definição ou como regras (imperfeitamente impostas pelas formas legais institucionais), foi endossado por normas transmitidas com insistência para toda a comunidade. Havia normas alternativas; disso não há dúvida; esse era um lugar não de consenso, mas de conflito.[35]

A noção da "imbricação" do direito na "própria base das relações produtivas" (que aliás ilustram a argumentação de Thompson sobre a diferença entre as ideias, os valores e as normas "intrínsecas" a um modo de produção, e as que constituem um aparelho de dominação e o "senso geral de poder"), apesar de não negar o caráter "superestrutural" de algumas partes do direito e de suas instituições, é diferente da ideia, e maior que ela, de que "bases precisam de superestrutura". É uma forma diferente de entender a própria base, pois ela está corporificada nas práticas e relações sociais reais. Também não é apenas uma questão de extinguir de forma analítica a base material das formas sociais em que ela inevitavelmente se corporifica no mundo real. A concepção de Thompson é, primeiro, a recusa de toda a distinção analítica que oculta o caráter social do "material" (e que é constituído não apenas pelo substrato "natural", mas também pelas relações e práticas sociais geradas pela atividade produtiva humana) – uma recusa indispensável para o materialismo histórico; mas, além disso, é uma forma de desencorajamento de procedimentos analíticos que tendem a obscurecer as relações históricas.

Como já mostrou Perry Anderson, a principal objeção feita por Thompson e outros contra a metáfora da base/superestrutura é o fato de a distinção analítica entre os vários "níveis" ou "casos" poder encorajar a ideia de que eles "existem substantivamente como objetos separados, fisicamente divisíveis uns dos outros no mundo real", criando uma confusão entre "procedimentos epistemológicos" e "categorias ontológicas"[36]. Ele sugere que Althusser tentou evitar essas confusões quando insistiu numa distinção entre "objeto de conhecimento e objeto real".

---

[35] Idem, ibidem, p. 260-1.
[36] ANDERSON, Perry. *Arguments within English Marxism*, Londres, 1980, p. 72.

Ainda assim, há um sentido em que os althusserianos conseguiram ficar com o que havia de pior nas duas alternativas; pois, apesar de seus "casos" e "níveis" tenderem consistentemente em cair em "categorias ontológicas" fisicamente separadas umas das outras no mundo real, as *relações* entre esses níveis tenderam a continuar no domínio da teoria pura, como "objetos de conhecimento" que pouca ligação têm com "categorias ontológicas". Para Thompson, importantes são as relações; e, se ocasionalmente ele erra ao permitir que relações "ontológicas" se tornem misturas analíticas, esse erro é muito menos danoso do que o outro para a compreensão da história.

CLASSE COMO PROCESSO E COMO RELAÇÃO

Teoricamente, existem apenas duas formas de pensar em classe: como um *local* estrutural ou como uma *relação* social. A primeira e mais comum das duas trata classe como uma forma de "estratificação", uma camada numa estrutura hierárquica diferenciada por critérios "econômicos" como renda, "oportunidades de mercado" ou ocupação. Em contraste com esse modelo geológico, existe a concepção sócio-histórica de classe como uma relação entre apropriadores e produtores, determinada pela forma específica em que, citando Marx, "se extrai a mais-valia dos produtores diretos".

Se a segunda concepção é especificamente marxista, a primeira cobre um espectro mais amplo que vai da sociologia clássica até algumas variedades de marxismo. Assim, por exemplo, classe definida como uma "relação com os meios de produção" pode assumir uma forma não muito diferente da diferenciação de renda da teoria convencional de estratificação; e algumas das teorias de classe mais influentes e recentes, elaboradas sob a rubrica do "marxismo da escolha racional" mudaram deliberadamente o foco de classe das relações sociais da *extração de mais-valia* para a distribuição de "ativos" e "rendas". Neste caso, assim como nas teorias de estratificação, o princípio operacional é a vantagem relativa, ou *desigualdade*, não as relações sociais diretas entre apropriadores e produtores, mas as relações indiretas de *comparação* entre pessoas diferentemente situadas numa hierarquia estrutural[1]. Para efeito de comparação, para o marxismo "clássico", o foco está na relação social em si, na dinâmica da relação entre apropriadores e produtores, nas contradições e nos conflitos que explicam os processos históricos e sociais; e a *desigualdade*, como medida simples de comparação, não tem valor teórico.

Essa concepção de classe claramente marxista foi muito pouco elaborada tanto pelo próprio Marx quanto pelos teóricos posteriores da tradição do mate-

---

[1] Discuti exaustivamente o "marxismo de escolha racional" e sua concepção de classe num artigo que pensei em incluir neste volume: "Rational Choice Marxism: Is the Game Worth the Candle?", *New Left Review*, 177, 1989, p. 41-88. Ao final, decidi incluir apenas uma seção pequena (no próximo capítulo), em parte por ele já estar sendo incluído num volume dedicado ao marxismo da escolha racional editado por Paul Thomas e Terrell Carver, a ser publicado pela MacMillan, mas também porque o debate com essa escola teórica tende a levar a discussão para tangentes que não me parecem muito frutíferas fora de seu universo jogo-teórico fechado.

rialismo histórico. A exceção mais notável foi E. P. Thompson; mas, apesar de ter exemplificado essa concepção na sua obra teórica, ele nunca enunciou uma teoria sistemática de classe nesses termos. Umas poucas observações alusivas e provocativas feitas por ele geraram muita controvérsia, mas pouco fizeram para esclarecer as questões entre o modelo geológico dominante e a teoria histórico-materialista de classe.

O que procurei fazer quando escrevi este ensaio foi tentar extrair da obra de Thompson uma teoria de classe mais elaborada do que as que ele esboçou explicitamente, mesmo sabendo que assumia o risco de atribuir a ele algumas de minhas próprias ideias sobre classe, mas convencida – como ainda estou – de que não estava traindo as dele. Comecei por responder a críticos marxistas que consideravam a concepção de classe de Thompson insuficientemente "estrutural"; e, apesar de essa contestação parecer um tanto fora de moda nesses dias pós-marxistas, quando é maior a probabilidade de ele ser criticado por ser *excessivamente* economicista ou reducionista de classe, ela ainda me parece capturar as questões mais gerais em discussão na teoria de classe.

Há também mais uma razão para deixar essa discussão mais ou menos como estava. Houve uma curiosa convergência entre os críticos marxistas de Thompson e as modas antimarxistas da esquerda. Quando escrevi pela primeira vez este capítulo, Thompson era também criticado por pessoas que já adotavam uma direção "pós-marxista". Segundo os mesmos críticos, depois de admitir que não existe identidade entre posições "estruturais" de classe e formações conscientes de classe, ele teria avançado pouco. Thompson foi acusado de não enfrentar as consequências do seu marxismo "não reducionista". Ao abrir as comportas ao renunciar ao "reducionismo", aparentemente, nada restou entre ele e a contingência pós-marxista.

Essa crítica, como veremos, harmonizava-se com a objeção marxista de que ele era culpado de dissolver estruturas "objetivas" na "experiência" subjetiva, de identificar classe com consciência de classe, de dissolver determinações objetivas na experiência subjetiva – embora alguns o censurassem por ver classe onde não havia consciência de classe, e outros o acusassem de ver classe por toda parte, completa e "em prontidão", em todas as manifestações de cultura popular. Essas duas críticas aparentemente antitéticas tinham como ponto de partida o que considero ser uma visão a-histórica do mundo, onde nada existe entre necessidade estrutural e contingência empírica, não há espaço para determinações *históricas*, processos estruturados com ações humanas.

A DEFINIÇÃO ESTRUTURAL DE CLASSE: E. P. THOMPSON E SEUS CRÍTICOS

Thompson já foi acusado de crer erroneamente que, uma vez que as "relações de produção não determinam a consciência de classe", "classe não pode ser definida puramente em termos de relações de produção"[2]. Em oposição a Thompson, Gerald

---

[2] COHEN, G. A. *Karl Marx's Theory of History: A Defence*, Princeton, 1978, p. 75.

Cohen argumenta que classe pode ser definida "estruturalmente", "com mais ou menos precisão (se não com precisão "matemática") pela referência das relações de produção"[3]. Thompson, sugere ele, rejeita a definição estrutural de classe e define classe "por referência a" consciência de classe e cultura, em vez das relações de produção. "O resultado", afirma Perry Anderson, concordando com Cohen e acusando Thompson de desprezar as determinações objetivas ou estruturais, "é uma definição de classe excessivamente voluntarista e subjetiva ..."[4].

Nem Anderson nem Cohen pretendem sugerir que relações de produção determinem "mecanicamente" a consciência de classe ou a formação de organizações de classe. Pelo contrário, Cohen critica Thompson por abandonar com excessiva facilidade a definição estrutural de classe baseado na premissa errada de que ela implica necessariamente essa espécie de determinismo mecânico. Os dois críticos insistem que, para Thompson, não existe classe na ausência de consciência de classe. Sua concepção de classe, em outras palavras, não admite as distinções de Marx entre uma "classe em si" e uma "classe para si", entre uma classe que existe "objetivamente" e uma classe que existe como sujeito histórico ativo e autoconsciente em oposição às outras classes. De acordo com esse argumento, se chega a admitir a existência de classe, Thompson a identifica com a segunda. Antes de existir nessa forma, não existe classe.

Como já sugeri no capítulo anterior, pode-se afirmar que a verdade é exatamente o contrário: a grande força da concepção de classe de Thompson é ser capaz de reconhecer e explicar as operações de classe na ausência da consciência de classe; e os que adotam o tipo de definição estrutural que seus críticos parecem ter em mente não têm meios de demonstrar a eficácia da classe na ausência de formações conscientes de classe claramente visíveis, nem de oferecer uma resposta efetiva à alegação de que classe é nada mais que um constructo teórico, ideologicamente motivado e imposto sobre a evidência histórica. Neste capítulo, pretendo elaborar esse argumento, mas também sugerir que a incapacidade de ver esse aspecto da obra de Thompson está menos relacionada com o fato de ele próprio negar as estruturas objetivas do que com a compreensão de seus críticos do que seja uma determinação estrutural.

Onde os críticos de Thompson veem estruturas *por oposição* a processos, ou estruturas que *são submetidas* a processos, Thompson vê processos estruturados. Essa distinção reflete uma diferença epistemológica: de um lado, uma visão de conhecimento teórico – o conhecimento das estruturas – como uma questão de "representação conceitual estática", enquanto movimento, fluxo (além de história) pertencem a uma esfera empírica de conhecimento diferente; de outro, uma visão de conhecimento que não opõe estrutura à história em que a teoria acomoda as categorias *históricas*, "conceitos adequados à investigação de processo"[5].

---

[3] Idem, ibidem.

[4] ANDERSON, Perry. *Arguments within English Marxism*, Londres, 1980, p. 40.

[5] THOMPSON, E. P. *The Poverty of Theory*, Londres, 1978, p. 237.

Pode ser verdade que Thompson nos diga muito pouco sobre as relações de produção e se esqueça de defini-las com especificidade suficiente, que ele aceite coisas demais sem discussão. Mas acusá-lo de definir classe "por referência a" ou "em termos de" consciência de classe em vez de "relações de produção" é simplesmente não entender nada. Não é de forma alguma evidente que a concepção de classe de Thompson seja incompatível com, por exemplo, a seguinte afirmação de Perry Anderson, embora Anderson a tenha proposto como uma réplica a Thompson, um ataque à sua definição excessivamente voluntarista e subjetiva de classe, e como uma ampliação da crítica de Cohen:

> Ela é, e deve ser, o modo de produção dominante que confere unidade fundamental à formação social, alocando as posições objetivas às classes em seu interior, e distribuindo os agentes entre as classes. O resultado é um processo objetivo de luta de classes (...) luta de classes não é uma precondição causal de sustentação da ordem, pois *classes são constituídas pelos modos de produção, e não o inverso.*[6]

Ora, a menos que a afirmação "classes são constituídas pelos modos de produção" signifique – o que é claramente falso no caso de Anderson (ou mesmo no de Cohen) – que modos de produção constituam imediatamente formações de classe ativas ou que o processo de formação de classe seja mecânico e não problemático, Thompson (com certas reservas estilísticas óbvias) poderia aceitá-la imediatamente. Seu projeto histórico pressupõe que relações de produção distribuam as pessoas em situações de classe, que essas situações geram antagonismos essenciais e conflitos de interesses, e que elas criam assim condições de luta. As *formações* de classe e a descoberta da consciência de classe se desenvolvem a partir do processo de luta, à medida que as pessoas "vivem" e "trabalham" suas situações de classe. É nesse sentido que a luta de classes precede a classe. Dizer que a exploração é "vivida nas formas de classe e só então gera formações de classe" é dizer exatamente que as condições de exploração, as relações de produção existem objetivamente para serem vividas[7].

Entretanto, determinações objetivas não se impõem sobre matéria-prima vazia e passiva, mas sobre seres *históricos* ativos e conscientes. As formações de classe surgem e se desenvolvem "à medida que homens e mulheres *vivem* suas relações produtivas e *experimentam* suas situações determinadas, no interior do *conjunto* das relações sociais, com a cultura e esperanças que herdaram, e à medida que trabalham de formas culturais suas experiências"[8]. Isso certamente quer dizer que nenhuma definição estrutural de classe pode por si só resolver o problema da formação de classe, e que "nenhum modelo pode nos dar o que deveria ser a 'verdadeira' formação de classe para um certo 'estágio' do processo"[9].

---

[6] Idem, ibidem, p. 55.

[7] Idem, "Eighteenth Century English Society: Class Struggle without Class?" *Social History* 3 (2), maio de 1978, n. 36, p. 149.

[8] Idem, ibidem, p. 150.

[9] Idem, ibidem.

Ao mesmo tempo, se as formações de classe são geradas pelo "viver" e pela "experiência", no interior de uma totalidade complexa de relações sociais e legados históricos, elas pressupõem o que é vivido e experimentado: as relações de produção e as situações determinadas "em que os homens nascem ou nas quais entram involuntariamente"[10]. Para experimentar as coisas "nas formas de classe" as pessoas devem ser "objetivamente distribuídas" em situações de classe; mas isso é o início, não o final, da formação de classe. Não se trata de uma questão menor, nem teoricamente trivial, distinguir a constituição das classes pelos modos de produção do processo de formação de classe. Nem é insignificante sugerir que, por mais completo que seja o nosso sucesso em situar dedutivamente as pessoas num mapa de locações de classe, a questão problemática da formação de classe vai continuar existindo e oferecendo respostas teórica e politicamente mais significativas. A questão fundamental é que o peso de uma teoria marxista de classe deve recair menos na identificação das "localizações" de classe do que na explicação dos processos de formação de classe.

Com efeito, Thompson é acusado de voluntarismo e de subjetivismo não porque desprezem as determinações objetivas e estruturais de classe, mas, pelo contrário, porque se recusa a relegar o processo de formação de classe, de importância central, a uma esfera de mera contingência e subjetividade, isolada da esfera da determinação material "objetiva", como parecem fazer seus críticos. Ele não parte de um dualismo teórico que opõe *estrutura* e *história* e identifica a explicação "estrutural" de classe com um mapa de localizações objetivas e estáticas, reservando o processo de formação de classe para uma forma aparentemente menor de explicação empírica e histórica. Ao contrário, respeitando os princípios do materialismo histórico e sua concepção de processos históricos materialmente estruturados, trata o processo de formação de classe como um processo *histórico* formado pela "lógica" das determinações materiais.

Ele poderia mesmo virar a mesa contra seus críticos. Um de seus maiores objetivos ao se recusar a definir classe como uma "estrutura" ou "coisa", como explica em *The Making of the English Working Class*, foi recuperar o conceito de classe contra aqueles cientistas sociais, especialmente os burgueses, que negam sua existência a não ser como um "constructo teórico pejorativo imposto sobre a evidência"[11]. Rejeitou essas negativas, insistindo no conceito de classe como relação e processo a serem observados ao longo do tempo como um padrão nas relações, nas instituições e nos valores sociais. Em outras palavras, classe é um fenômeno visível apenas no processo.

A negação de classe, especialmente quando não há clareza histórica para impor sua realidade à nossa atenção, não pode ser respondida por uma simples repetição da definição "estrutural" de classe. Na verdade, isso não é melhor que reduzir classe a um constructo teórico imposto sobre a evidência. O que é necessário é uma forma

---

[10] Idem. *The Making of the English Working Class*, Hammondsworth, 1968, p. 10

[11] Idem, ibidem.

de demonstrar como a estruturação da sociedade nas "formas de classe" realmente afeta as relações sociais e os processos históricos. A questão é, então, ter uma concepção de classe que nos convide a descobrir como as situações objetivas de classe formam a nossa realidade, e não simplesmente afirmar e reafirmar a proposição tautológica de que "classe é igual a relação com os meios de produção".

O conceito de classe como *relação* e *processo* enfatiza que relações objetivas com os meios de produção são significativas porque estabelecem antagonismos e geram conflitos e lutas; que esses conflitos e lutas formam a experiência social em "formas de classe", mesmo quando não se expressam como consciência de classe ou em formações claramente visíveis; e que ao longo do tempo discernimos como essas relações impõem sua lógica e seu padrão sobre os processos sociais. Concepções de classe puramente "estruturais" não exigem que procuremos as formas em que a classe realmente impõe a sua lógica, pois as classes, por definição, simplesmente *existem*.

Contudo, Thompson foi atacado porque, ao se recusar a definir classe em termos puramente "estruturais", teria tornado esse conceito inaplicável a todos os casos históricos em que não se discerne consciência de classe[12]. Ainda assim, a ênfase na definição de classe como relação e processo é muito importante no tratamento de casos em que não se dispõe de expressões de consciência de classe para oferecer sua evidência incontestável. Isso se aplica em particular às formações sociais anteriores ao capitalismo industrial, que na Inglaterra do século XIX, pela primeira vez na história, produziram formações de classe claramente visíveis, forçando os observadores a reconhecer a existência de classe e oferecer instrumentos conceituais para entendê-la.

Na verdade, Thompson é o único marxista que, em vez de evitar a questão ou de aceitá-la sem discussão, tentou dar uma explicação para classe que pode ser aplicada a esses casos ambíguos. Seu objetivo não era negar a existência de classe, mas, ao contrário, responder às negativas mostrando como os determinantes de classe dão forma aos processos sociais, como as pessoas se comportam em "formas de classe", mesmo antes, e como precondição, de formações maduras de classe com suas instituições e valores conscientemente definidos por classe[13].

Assim, por exemplo, com a fórmula "luta de classes sem classe", que Thompson propõe para descrever a sociedade inglesa do século XVIII, pretende-se transmitir os efeitos de relações sociais estruturadas em classes sobre os agentes sem consciência de classe e como precondição de suas formações conscientes. A luta de classes, portanto, precede classe, tanto no sentido de que formações de classe *pressupõem* uma experiência de conflito e de luta que surge das relações de produção, quanto no sentido de que há conflitos e lutas estruturados nas "formas de classe" mesmo nas sociedades em que suas formações ainda não são conscientes.

Argumentar que uma definição puramente estrutural é necessária para resgatar a aplicabilidade universal de "classe" é sugerir que, na ausência de sua consciência,

---

[12] Por exemplo, *Marx' Theory*, p. 76; Anderson, *Arguments*, p. 40.
[13] THOMPSON. "Eighteenth Century English Society", p. 147.

classes existam "apenas" como "relações objetivas com os meios de produção", sem consequências práticas para a dinâmica do processo social. Assim, portanto, talvez não seja Thompson, mas seus críticos, quem efetivamente reduz classe a consciência de classe. Thompson, pelo contrário, parece argumentar que as "relações objetivas de produção" sempre são importantes, sejam ou não expressas por uma consciência de classe bem definida – embora sejam importantes de formas diferentes em diferentes contextos históricos e produzam *formações* de classe somente como resultado dos processos históricos. A questão é ter uma concepção de classe que chame nossa atenção para como, e de que maneiras diferentes, as situações objetivas de classe são importantes.

Portanto, Thompson realmente afirma que as classes surgem ou "acontecem" porque pessoas em "relações produtivas determinativas", que consequentemente compartilham uma experiência comum, identificam seus interesses comuns e passam a pensar e atribuir valor conforme as "formas de classe"[14], mas isso não quer dizer que classes, em qualquer sentido significativo, não existam para ele como realidades objetivas antes da consciência de classe. Ao contrário, a consciência de classe só é possível porque já existem situações objetivas de classe. Sua principal preocupação é, evidentemente, concentrar a atenção nos processos históricos complexos e, em geral, contraditórios pelos quais, em determinadas condições históricas, *situações* de classe geram *formações* de classe. Quanto às definições puramente estruturais de classe, uma vez que elas não definem formações completas, ou são propostas para indicar as mesmas pressões determinantes exercidas pelas distribuições objetivas de classe sobre processos históricos variáveis – e assim a diferença entre Thompson e seus críticos é principalmente uma questão de ênfase –, ou não se referem a coisa alguma significativa.

A formação da classe trabalhadora na Inglaterra

A proposição de que Thompson despreza as determinações objetivas em favor de fatores subjetivos foi praticamente testada por Perry Anderson numa crítica bastante incisiva de sua obra, *The Making of the English Working Class*. Anderson argumenta que, nessa obra, as condições objetivas de acumulação de capital e de industrialização são tratadas como secundárias e exteriores na formação do proletariado inglês:

> Não são as transformações estruturais – econômicas, políticas e demográficas – os objetos de sua investigação, mas sim seus precipitados na experiência subjetiva daqueles que viveram aqueles "anos terríveis". O resultado é a desintegração do complexo de determinações objetivo-subjetivas cuja totalização realmente gerou a classe operária inglesa numa dialética simples entre sofrimento e resistência, cujo movimento inteiro é interno à subjetividade da classe.[15]

---

[14] Ver, por exemplo, THOMPSON, *English Working Class*, p. 9-10. Ver também THOMPSON, *The Poverty of Theory*, p. 298-9.

[15] ANDERSON. *Arguments*, p. 39.

Como sugere Anderson, o advento do capitalismo industrial passa a ser apenas um momento num processo longo e muito "subjetivo" que recua até o tempo dos Tudor, em que a formação da classe operária inglesa aparece como um desenvolvimento gradual numa tradição contínua da cultura popular[16]. De acordo com Anderson, não existe

> tratamento real de todo o processo histórico pelo qual grupos heterogêneos de artesãos, pequenos proprietários, trabalhadores do campo, empregados domésticos e os pobres casuais foram gradualmente reunidos, distribuídos e reduzidos à condição de trabalho subordinado ao capital, primeiro na dependência formal do contrato assalariado, e, por fim, na dependência real da integração dos meios mecânicos de produção.[17]

Portanto, Anderson argumenta que Thompson não nos oferece os meios de testar sua proposição de que "a classe operária inglesa tanto se formou quanto foi formada", pois ele não nos dá a medida da relação proporcional entre "ação" e "necessidade". Seria necessária pelo menos uma "exploração conjunta da reunião e da transformação objetivas da força de trabalho pela Revolução Industrial e da germinação subjetiva de uma cultura de classe em resposta a elas"[18]. Ao se concentrar na "experiência imediata dos produtores, e não no modo de produção em si", Thompson nos oferece apenas os elementos subjetivos da equação[19].

Corretamente, Anderson isola dois dos temas mais característicos e problemáticos da argumentação de Thompson: a ênfase na continuidade das tradições populares que atravessa a irrupção "catastrófica" da Revolução Industrial; e sua insistência em situar historicamente os momentos críticos da formação do proletariado inglês de forma tal que o momento de realização chega no período entre 1790 e 1832, ou seja, antes que a real transformação da produção e da força de trabalho pelo capitalismo industrial estivesse muito adiantada e pudesse justificar as tremendas mudanças posteriores da classe operária[20].

Como sugere Anderson, neste ponto com certeza surgem dificuldades. A ênfase na continuidade das tradições populares – tradições mais antigas e não especificamente proletárias, mas artesanais e "democráticas" – pode, à primeira vista, dificultar o entendimento do que é novo na classe operária do período 1790-1832, o que é especificamente proletário, ou exclusivo, no capitalismo industrial nessa formação de classe. O que, exatamente, foi formado, e qual o papel da nova ordem do capitalismo industrial nessa formação? Os parâmetros temporais podem também apresentar problemas. Dar por finalizado o processo de formação em 1832, quando a transformação ainda estava longe de se completar, pode implicar que os desenvolvimentos de consciência, instituições e valores de classe esboçados por

---

[16] Idem, ibidem, p. 34.
[17] Idem, ibidem, p. 33.
[18] Idem, ibidem, p. 32.
[19] Idem, ibidem, p. 33.
[20] Idem, ibidem, p. 45.

Thompson teriam ocorrido independentemente das transformações "objetivas" do modo de produção.

Não resta dúvida de que existem muitas questões historiográficas a serem contestadas sobre a natureza e o desenvolvimento da classe operária inglesa. Mas a questão imediata é saber se a insistência de Thompson na continuidade das tradições populares e sua periodização aparentemente idiossincrática da formação da classe operária refletem uma preocupação com fatores subjetivos em prejuízo de determinações objetivas. Seria intenção de Thompson colocar desenvolvimentos "subjetivos" (a evolução da cultura popular) em oposição a fatores "objetivos" (os processos de acumulação de capital e industrialização)?

O primeiro ponto notável na argumentação de Thompson é que, apesar de toda a sua insistência na continuidade da cultura popular, ele considera seu argumento não uma negativa, mas uma reafirmação da visão de que o período da Revolução Industrial representa um marco histórico significativo, na verdade "catastrófico", caracterizado pela emergência de uma classe suficientemente nova para representar uma "nova raça de seres". Em outras palavras, seu objetivo não é afirmar a continuidade subjetiva da cultura da classe operária por oposição às radicais transformações objetivas do desenvolvimento capitalista, mas, ao contrário, revelar e explicar as mudanças no interior das continuidades.

Em parte, as ênfases de Thompson são formadas para se ajustar aos termos específicos dos debates em que ele se engajou, debates sobre os efeitos da Revolução Industrial, como a discussão sobre o "padrão de vida", controvérsias entre análises "catastróficas" e "anticatastróficas" ou "empiristas" e outras. Ele está, entre outras coisas, respondendo a uma variedade de ortodoxias históricas – e ideológicas – recentes, que questionam a importância dos deslocamentos e rupturas criados pelo capitalismo industrial ou, caso admitam a existência de privações nas tendências gerais progressivas e aperfeiçoadoras da industrialização, atribuem-nas a causas externas ao sistema de produção – por exemplo, a "ciclos de comércio". Tais argumentos são às vezes acompanhados de negativas de que *a* classe trabalhadora, vista como diferente das várias classes trabalhadoras, tenha realmente existido.

Uma ênfase na diversidade da experiência da classe operária, em diferenças entre a experiência "pré-industrial" dos trabalhadores domésticos ou artesãos e a dos operários da indústria completamente absorvidos na nova ordem industrial, pode ser particularmente útil para a ideologia capitalista. Ela é muito útil, por exemplo, nas discussões que confinam as privações e os deslocamentos engendrados pelo capitalismo industrial aos trabalhadores "pré-industriais" ou tradicionais. Segundo essas interpretações, a degradação desses trabalhadores passa a ser simplesmente a consequência inevitável e impessoal do "deslocamento por processos mecânicos", do "progresso" e de métodos industriais aperfeiçoados, ao passo que o operário moderno sempre avança para frente e para o alto.

Thompson defende a visão "catastrófica", bem como a noção de *a* classe operária, ao confrontar a evidência oferecida por seus críticos. Uma de suas tarefas é explicar por que, embora por certas indicações estatísticas possa ter ocorrido uma pequena melhoria dos padrões materiais médios no período 1790-1840, essa melhoria foi vivida pelos operários como uma "catástrofe", que eles enfrentaram criando novas formações de classe, "instituições conscientes e de base forte – sindicatos, sociedades cooperativas, movimentos religiosos e educacionais, organizações políticas, jornais" paralelamente a "tradições intelectuais operárias, padrões comunitários operários e uma estrutura de sentimentos operária"[21]. Essas instituições e formas de consciência são testemunho tangível da existência de uma nova formação de classe operária, apesar da aparente diversidade da experiência; e suas expressões em termos de agitação popular testemunham contra a visão "otimista" da Revolução Industrial.

Ainda assim, Thompson enfrenta o problema de explicar vários fatos: o de sua formação de classe já estar visivelmente montada antes que o novo sistema de produção estivesse desenvolvido; o de os inúmeros operários que constituíam essa formação de classe, e que, na verdade, implantaram suas instituições características, aparentemente não pertencerem a uma "nova raça de seres" produzidos pela industrialização, mas de ainda estarem engajados em formas ostensivamente pré-industriais de trabalho doméstico ou artesanal; e o de os operários da indústria provavelmente não constituírem o "núcleo do movimento operário" antes da década de 1840[22]. À luz desses fatos, seria difícil insistir em que a nova classe operária tivesse sido criada pelas novas formas de produção características do capitalismo industrial. Para justificar a presença incontestável das formações de classe que unem as tradicionais e as novas formas de trabalho – artesãos, empregados domésticos e operários – torna-se necessário identificar uma experiência unificadora, que também explique por que o impacto "catastrófico" da Revolução Industrial foi sentido em setores até então aparentemente intocados pela transformação da produção industrial.

Quanto a esse ponto, os críticos de Thompson poderiam argumentar – como sugere a crítica de Anderson – que ele se apoia demais nas experiências "subjetivas", no sofrimento e na continuidade da cultura popular para superar a diversidade objetiva de artesãos e operários de fábrica sem descrever os processos que real e objetivamente uniram os dois grupos numa única classe. De fato, esses críticos poderiam demonstrar que, para Thompson, a unidade não é necessária para identificar a classe operária, desde que se possa defini-la em termos de uma unidade de consciência.

Mas críticas como essa fazem muita concessão aos adversários antimarxistas de Thompson. Por exemplo, os argumentos "otimistas" e "empiristas" se baseiam, pelo menos implicitamente, no estabelecimento de uma oposição entre "fatos" e "valores", entre seus próprios padrões "objetivos" e os meramente "subjetivos" relacionados com a "qualidade de vida". Essa oposição pode ser usada para obscurecer as questões ao relegar os problemas de exploração, relações de produção e luta de classes – que são o centro da argumentação de

---

[21] THOMPSON. *English Working Class*, p. 213, 231.
[22] Idem, ibidem, p. 211.

Thompson – para a esfera da subjetividade, enquanto identificam objetividade com fatores "duros" e "impessoais": ciclos de comércio, tecnologia, índices de preços e salários. Thompson, apesar de certamente se interessar pela "qualidade de vida", define suas condições não apenas em termos subjetivos, mas em termos das realidades objetivas das relações de produção capitalistas e suas expressões na organização da vida.

Determinações "objetivas"

A condição objetiva mais importante vivida em comum por diversos tipos de operários durante o período em questão foi a intensificação da exploração; e Thompson dedica a segunda seção de *The Making of the English Working Class*, introduzida por um capítulo intitulado "Exploração", a uma descrição de seus efeitos[23]. Ele não se interessa apenas por seus efeitos em "sofrimento", mas pela distribuição e organização do trabalho (e também do lazer), especialmente pelas suas consequências para a disciplina e a intensificação do trabalho, por exemplo, com a extensão das horas de trabalho, a especialização crescente, a quebra da economia familiar etc.[24] Ele também estuda a maneira pela qual a relação de exploração foi expressa em "formas correspondentes de propriedade e poder do Estado", em formas jurídicas e políticas, e como a intensificação da exploração foi composta com a repressão política contrarrevolucionária[25]. São fatores que não podem, do ponto de vista marxista, ser desprezados como "subjetivos"; e Thompson os coloca em oposição aos "fatos secos" do argumento "empírico", não como subjetividade contra objetividade, mas como determinações objetivas reais que se escondem atrás dos "fatos":

> Por meio de que alquimia social os inventos para economizar trabalho se tornaram agentes de empobrecimento? O fato bruto – uma colheita ruim – parece estar além da eleição humana. Mas a forma como esse fato evoluiu foi em termos de um complexo particular de relações humanas: direito, propriedade, poder. Quando encontramos frases sonoras como "as fortes marés do ciclo do comércio" devemos nos acautelar. Pois por trás desse ciclo de comércio existe uma estrutura de relações sociais, favorecendo alguns tipos de expropriação (aluguéis, juros, lucro), e proibindo outros (roubo, obrigações feudais), legitimando certos tipos de conflito (competição, guerra armada) e inibindo outros (sindicalismo, agitações por pão, organizações políticas populares) (...)[26]

---

[23] Ver, por exemplo, Idem, ibidem, p. 217-8, 226. A estrutura do livro merece um comentário. A "Parte Um" descreve a cultura política e as tradições de luta que as pessoas traziam consigo para a experiência transformadora da "industrialização". A "Parte Dois" descreve em grande detalhe aquela experiência propriamente dita, a nova relação de exploração e suas múltiplas expressões em todos os aspectos da vida, no trabalho e no lazer, na vida familiar e comunitária. A "Parte Três" descreve a nova consciência de classe operária, a nova cultura política e as novas formas de luta que emergiram daquela transformação. A "Parte Dois" é a seção central, que explica as influências objetivas (como o próprio Thompson as descreve), as transformações pelas quais a antiga tradição popular foi reformada como uma nova cultura da classe operária.

[24] Ver, por exemplo, THOMPSON, *English Working Class*, p. 221-3, 230.

[25] Idem, ibidem, p. 215-8.

[26] Idem, ibidem, p. 224-5.

As determinações objetivas ocultas que afetam os acontecimentos de 1790-
-1832 foram então o desenvolvimento dos modos capitalistas de expropriação, a
intensificação da exploração implicada por eles, e a estrutura de relações sociais,
formas legais e poderes políticos pelas quais a exploração era sustentada. Um ponto
importante é que esses fatores afetaram *tanto* as formas tradicionais de trabalho
quanto as novas; e sua experiência comum bem como as lutas dela resultantes –
num período de transição que produziu um momento de transparência particular
nas relações de exploração, uma clareza aumentada pela repressão política – fun-
damentaram o processo de formação de classe.

O significado e a sutileza extraordinários do argumento de Thompson estão na
demonstração de que a aparente continuidade das formas "pré-industriais" pode
ser enganosa. Ele afirma que as produções doméstica e artesanal foram transformadas – mesmo quando não foram deslocadas – pelo mesmo processo e pelo mesmo
modo de exploração que criou o sistema de fábricas. Na realidade, foi sempre nas
indústrias baseadas no trabalho externo que as novas relações de exploração foram
mais transparentes. É assim, por exemplo, que ele responde aos argumentos que
atribuem as privações da "industrialização" apenas ao "deslocamento dos processos
mecânicos":

> não basta minimizar as dificuldades dos tecelões ou daqueles que faziam roupas baratas
> como "casos de declínio de antigas atividades deslocadas pelo processo mecânico";
> não podemos também aceitar a afirmação, em seu sentido pejorativo, de que "não foi
> entre os empregados de fábrica, mas entre os trabalhadores domésticos, cujas tradições
> e métodos eram os do século XVIII, que os salários chegaram ao fundo do poço".
> A sugestão implícita nessas afirmações é que essas condições podem de certa forma
> ser segregadas em nossas mentes a partir do verdadeiro impulso de desenvolvimento
> da Revolução Industrial – pertencem a uma ordem "mais antiga", pré-capitalista, ao
> passo que as características autênticas da nova ordem capitalista são vistas onde estão
> o vapor, os operários de fábrica e os maquinistas que comem carne. Mas o número
> de empregados externos cresceu muito entre 1780 e 1830; e geralmente o vapor e a
> fábrica foram os multiplicadores. Eram as fiações e as fundições que empregavam os
> trabalhadores externos. A ideologia pode querer exaltar uma e condenar a outra, mas
> os fatos nos levam a dizer que as duas eram componentes complementares de um
> único processo. Ademais, a degradação dos trabalhadores externos raramente era tão
> simples quanto faz parecer a frase "deslocado por um processo mecânico"; chegou-se
> a ela por métodos de exploração semelhantes aos usados nas atividades desprestigiadas
> e muitas vezes precedeu a competição mecânica. De fato, podemos dizer que o trabalho
> externo em grande escala era tão intrínseco a essa revolução quanto o foi a produção
> em fábricas e o vapor.[27]

Thompson destrói aos poucos os fundamentos ideológicos de seus adversários
antimarxistas ao apenas deslocar o foco de análise da "industrialização" para o

---

[27] Idem, ibidem, p. 288-9. Ver também p. 222-3.

capitalismo[28]. Em outras palavras, ele desvia a nossa atenção dos fatores puramente "tecnológicos", do ciclo de comércio e das relações de mercado – refúgios típicos da ideologia capitalista – para as relações de produção e exploração de classe. Dessa perspectiva (marxista), Thompson consegue explicar a presença histórica das formações de classe nos estágios iniciais da industrialização, com base no fato de que as relações de produção e exploração capitalistas essenciais já existiam, e, na verdade, eram precondição para a industrialização propriamente dita.

Por muitas razões, então, Thompson não aceita a proposição simples de que o sistema de fábricas produziu, de um tecido inteiro, uma nova classe operária, nem a sugestão de que a "reunião, distribuição e transformação" objetivas da força de trabalho tinham de preceder a emergência, "em resposta a elas", da consciência e da cultura de classe. Não aceita que a formação da classe operária a partir de "grupos heterogêneos" tivesse de esperar que se completasse o processo em que eles eram "reunidos, distribuídos e reduzidos à condição de trabalho subordinada ao capital, primeiro sob a dependência formal do contrato de salário, e mais tarde na dependência real da integração nos meios mecanizados de produção". Em primeiro lugar, se as relações de produção e exploração são os fatores objetivos críticos na constituição de um modo de produção, e se são elas que fornecem o impulso para a transformação dos processos de trabalho, então a "sujeição formal" do trabalho ao capital assume um significado e uma primazia especiais.

A "sujeição formal" representa o estabelecimento da relação capitalista entre o apropriador e o produtor, e a precondição, na verdade a força motivadora, da subsequente transformação "real" da produção, geralmente chamada de "industrialização". Ela age como força determinante sobre vários tipos de trabalhadores e como experiência unificadora entre eles, mesmo antes que o processo de "subjugação real" os incorpore a todos e os "reúna" em fábricas.

Num sentido muito importante, então, é de fato a "experiência", e não simplesmente a "reunião" objetiva, que reúne esses grupos heterogêneos numa classe – embora "experiência" nesse contexto se refira aos efeitos das determinações objetivas, as relações de produção e de exploração de classe. Na verdade, é possível que a ligação entre relações de produção e formação de classe não possa ser concebida de nenhuma outra forma, pois as pessoas nunca são realmente reunidas diretamente durante o processo de produção. Mesmo quando a "reunião e transformação" da força de trabalho está completa, as pessoas, na melhor das hipóteses, são reunidas apenas em unidades produtivas, fábricas etc. Sua reunião em formações de classe que transcendam essas unidades individuais é um processo diferente, que depende tanto de sua consciência de uma experiência e de interesses comuns quanto de sua disposição de agir sobre eles. (Voltaremos a esse assunto mais tarde.)

---

[28] Em outra parte, Thompson questiona explicitamente o conceito de "suspeito" do "industrialismo", que obscurece as realidades sociais do capitalismo industrial tratando-as como se pertencessem a um "processo supostamente neutro, tecnologicamente determinado, conhecido como 'industrialização'(...)"; "Time, Work-Discipline and Industrial Capitalism" já está disponível na sua coletânea de ensaios, *Customs in Common*, Londres, 1991. [Ed. bras.: "Tempo, disciplina de trabalho e o capitalismo industrial". *Costumes em comum*. São Paulo, Cia. das Letras, 1998.]

Thompson talvez esteja sendo criticado por se concentrar na sujeição formal em detrimento da real. Há pontos fracos na sua argumentação resultantes do foco que ele concentra na força determinante e unificadora da exploração capitalista e de seus efeitos sobre os trabalhadores "pré-industriais", e o relativo descaso pela especificidade da "industrialização" e da produção mecânica, a catástrofe adicional ocasionada pela "sujeição real" quando se completou. Perry Anderson, por exemplo, faz referência a profundas mudanças na organização industrial e política e na consciência de classe da classe operária depois de 1840, quando a transformação mais ou menos se completou – mudanças que, sugere ele, os argumentos de Thompson não podem explicar[29]. Mas isso não é a mesma coisa que acusar Thompson de se concentrar nas determinações subjetivas em vez de nas objetivas – a menos que seja dito do ponto de vista das ortodoxias "otimistas" ou "empiristas" ou da ideologia capitalista para as quais as premissas da teoria de Marx, cujo foco está nas relações de produção e na exploração de classe, podem ser desprezadas como "subjetivistas".

Há outras razões mais gerais, de ordem política e teórica, para se negar que a classe operária inglesa tenha sido criada pela "geração espontânea do sistema de fábricas". O princípio teórico e metodológico básico do projeto histórico de Thompson é que as determinações objetivas – a transformação das relações de produção e das condições de trabalho – jamais se impõem sobre "alguma indefinida e indiferenciada matéria-prima da humanidade", impõem-se, pelo contrário, sobre seres históricos, os portadores dos legados históricos, das tradições e dos valores[30]. Isso quer dizer, entre outras coisas, que há necessariamente continuidades que perpassam todas as transformações históricas, até as mais radicais, e que, de fato, as transformações radicais só são reveladas e substanciadas com precisão – somente? – quando são descobertas no interior das continuidades. Mais uma vez, a ênfase que ele atribui à continuidade da cultura popular não significa a negação, mas a identificação e a ênfase das transformações por que ela passa.

Essa característica existe em qualquer relato realmente histórico, mas os argumentos de Thompson têm mais que isso. É essencial para seu materialismo histórico reconhecer que "objetivo" e "subjetivo" não são entidades dualisticamente separadas (que se prestam com facilidade a medições de "necessidade" e "ação"), relacionadas uma com a outra somente externa e mecanicamente, "uma em sequência à outra" como estímulo objetivo e resposta subjetiva[31]. De alguma forma, é necessário incorporar à análise social o papel consciente e ativo dos seres históricos, que são ao mesmo tempo "sujeito" e "objeto", agentes e forças materiais nos processos objetivos.

Por fim, o modo de análise de Thompson torna possível reconhecer o papel ativo da classe trabalhadora, com sua cultura e seus valores, na sua própria "forma-

---

[29] ANDERSON. *Arguments*, p. 45-7. Anderson se refere ao estudo de Gareth Stedman Jones do "re-making" da classe operária inglesa na segunda metade do século XIX, em "Working Class Culture and Working-class Politics in London, 1870-1890: Notes on the Remaking of a Working Class", *Journal of Social History*, Summer, 1974, p. 460-508.

[30] THOMPSON. *English Working Class*, p. 213.

[31] Idem. *The Poverty of Theory*, p. 298.

ção". Esse papel pode ficar obscurecido por formulações que mencionam, de um lado, "a reunião e a transformação objetivas da força de trabalho pela Revolução Industrial" e, de outro – em sequência? –, "a germinação subjetiva de uma cultura de classe em resposta a ela". O reconhecimento da atividade da classe operária é fundamental não somente para o projeto histórico de Thompson, mas também para o seu projeto político.

Classe como relação e como processo

Portanto, a preocupação de Thompson é tornar a classe visível na história e suas determinações manifestas como forças históricas, como efeitos reais no mundo, não como simples constructos teóricos sem referência a um processo ou a uma força social real. Isso quer dizer que ele deve localizar a essência da classe não apenas em *posições* estruturais – as relações de exploração, conflito e luta que fornecem o impulso para os processos de formação de classe. Ainda assim, essa ênfase é apresentada como evidência única de seu voluntarismo e subjetivismo, seu desprezo pelas determinações objetivas. Claramente, sua preferência por tratar classe como relação e processo – em vez de, por exemplo, tratá-la como uma estrutura que *entra* nas relações e *é submetida* a processos – exige um exame mais cuidadoso – e aqui vou tomar liberdades de interpretação que ultrapassam o comum ao elaborar o que talvez seja mais a minha própria teoria de classe do que a de Thompson.

"Classe como relação" gera na verdade duas relações: a que existe entre classes e a que existe entre membros da mesma classe. A importância da ênfase na relação entre as classes como essencial para a definição de classe é por si só evidente quando considerada contra o pano de fundo das teorias da "estratificação" que – focalizando distribuição de renda, grupos ocupacionais, *status* ou qualquer outro critério – dizem respeito a *diferenças, desigualdades* e *hierarquia*, não a relações. É certamente desnecessário mostrar as consequências, tanto ideológicas como sociológicas, de se empregar uma definição de classe (desde que se admita classe como uma "categoria de estratificação") que decomponha relações como dominação e exploração. Ainda mais fundamental, essas categorias de estratificação podem tornar a própria classe completamente invisível. Onde fica a linha divisória entre classes numa série contínua de desigualdade? Onde se dá o rompimento qualitativo numa estrutura de estratificação?[32]

Nem mesmo o critério de relação com os meios de produção é suficiente para marcar essas fronteiras, além de poder ser facilmente assimilado pela teoria de estratificação convencional. É possível, por exemplo, tratar "relações com os meios de produção" como nada mais que diferenciais de renda ao se localizar seu significado não nas relações sociais de exploração e de antagonismo que geram,

---

[32] Para uma importante discussão sobre esta questão, ver MEIKSINS, Peter, "Beyond the Boundary Question", *New Left Review*, 157, p. 101-20, e "New Classes and Old Theories". In: Rhonda Levine e Jerry Lembcke (eds.), *Recapturing Marxism: An Appraisal of Recent Trends in Sociological Theory*, Nova York, 1987.

mas nas diferentes "escolhas de mercado" que conferem[33]. As diferenças entre classes tornam-se assim indeterminadas e irrelevantes. Se as classes entram em alguma forma de relação, esta é a relação impessoal e indireta de competição individual no mercado, na qual inexistem quebras ou antagonismos qualitativos, mas somente um contínuo quantitativo de vantagens e desvantagens relativas na disputa de bens e serviços.

É explicitamente contra a classe vista como "categoria de estratificação" que Thompson dirige grande parte de sua argumentação acerca de classe como relação, e o faz com base exatamente no fato de as teorias de estratificação tenderem a tornar a classe invisível[34]. O alvo mais óbvio de seu ataque é a sociologia antimarxista convencional; mas Thompson sempre indica a existência de afinidades entre certos tratamentos marxistas de classe e esses truques sociológicos, até o ponto de mostrarem interesse maior nas *localizações* estruturais de classe abstratamente definidas do que nas quebras sociais qualitativas expressas na dinâmica das relações e dos conflitos de classe.

Apesar de a identificação dos antagonismos na relação entre as classes ser uma condição necessária de definição de classe, ela não é suficiente, o que nos leva ao conceito de classe como relação *interna*, uma relação entre os membros de uma classe. Nesse sentido, a ideia de classe como relação também gera certas proposições relativas à forma como as classes se ligam às relações de produção subjacentes.

A proposição de que as relações de produção são o fundamento das relações de classe é certamente a base de qualquer teoria materialista de classe; mas, por si só, ela não leva essa questão muito adiante. Se não pudermos dizer que classe é *sinônimo* de relações de produção, ainda nos restará o problema (que geralmente é evitado) de definir com precisão a natureza da ligação entre classe e sua base na produção.

As relações de produção são relações entre pessoas que se unem pelo processo de produção e o nexo antagonista entre os que produzem e os que se apropriam de sua mais-valia. A divisão entre produtores diretos e apropriadores de mais-valia, o antagonismo de interesses inerente a essa relação, define sem dúvida as polaridades subjacentes aos antagonismos de classe. Mas as relações de classe não são redutíveis a relações de produção. Em primeiro lugar, as polaridades claras (quando realmente *são* claras) inerentes às relações de produção não explicam bem todos os membros potenciais das classes históricas. Ainda mais fundamental, mesmo que os apropriadores individuais devessem seu poder de exploração ao poder de *classe* que está por trás deles, não são as classes que produzem ou se apropriam. Falando de maneira simples: as pessoas que se reúnem numa classe não são todas reunidas diretamente pelo próprio processo de produção nem pelo processo de apropriação.

---

[33] Ver, por exemplo, WEBER, Max, *Economy and Society*, Nova York, 1968, p. 927-8. O marxismo da escolha racional tem grandes afinidades com essa visão.

[34] Por exemplo, THOMPSON, *English Working Class*, p. 9-10.

Os trabalhadores numa fábrica, reunidos pelo capitalista numa divisão cooperativa do trabalho, são reunidos diretamente no processo de produção. Cada trabalhador também está numa espécie de relação direta com aquele determinado capitalista (individual ou coletivo) que se apropria de sua mais-valia, tal como o camponês se relaciona diretamente com o senhor da terra que se apropria de sua renda. Pode-se também afirmar que existe algum tipo de relação direta, por exemplo, entre os camponeses que trabalham independentemente uns dos outros para o mesmo proprietário, mesmo que não se unam deliberadamente em oposição a ele.

A relação entre os membros de uma classe, ou entre esses membros e outras classes, é de natureza diferente. Nem o processo de produção, nem o processo de extração da mais-valia provocam a união entre eles. "Classe" não se refere apenas aos trabalhadores combinados numa unidade de produção, ou contrários a um explorador comum numa unidade de apropriação. Classe implica uma ligação que se estende além do processo imediato de produção e do nexo imediato de extração, uma ligação que engloba todas as unidades particulares de produção e de apropriação. As ligações e oposições contidas no processo de produção são a base da classe; mas a relação entre pessoas que ocupam posições semelhantes nas relações de produção não é dada diretamente pelo processo de produção e de apropriação.

Os laços que ligam os membros de uma classe não são definidos pela afirmação simples de que classe é determinada estruturalmente pelas relações de produção. Resta ainda explicar em que sentido, e por que mediações, as relações de produção estabelecem as ligações entre pessoas que, mesmo ocupando posições semelhantes nas relações de produção, não estão na realidade reunidas no processo de produção e de apropriação. Em *The Making of the English Working Class*, como já vimos, Thompson tratou exatamente dessa questão. Ali ele tentou explicar a existência de relações de classe entre trabalhadores não diretamente reunidos no processo de produção, estando mesmo engajados em formas muito diferentes de produção. No seu relato, eram as relações de produção que estavam no âmago dessas relações; mas as pressões estruturais determinantes das relações de produção só eram demonstráveis na medida em que se desenvolvessem num processo histórico de formação de classe, e tais pressões só poderiam ser teoricamente apreendidas pela introdução do conceito mediador da "experiência".

Formação de classe é particularmente difícil de explicar sem recorrer a conceitos como a "experiência" de Thompson. Embora as pessoas possam participar diretamente da produção e da apropriação – as combinações, as divisões e os conflitos gerados por esses processos –, classe não se apresenta a elas de forma tão imediata. Como, na verdade, as pessoas nunca são "reunidas" em classes, a pressão determinante exercida por um modo de produção na formação das classes não pode ser expressa sem referência a alguma coisa semelhante a uma experiência comum – uma experiência vivida de relações de produção, as divisões entre produtores e apropriadores, e, mais particularmente, dos conflitos e das lutas inerentes às relações de exploração. É no meio dessa experiência vivida que toma forma a consciência social e, com ela, a "*disposição* de *agir* como classe"[35]. Uma vez que seja introduzido na equação o meio da "experiência" entre relações de produção e de classe, também o são as particularidades históricas e culturais desse meio. Isso certamente complica a questão, mas reconhecer, como o faz Thompson, a complexidade do mecanismo pelo qual as relações de produção geram as classes não é negar sua pressão determinante.

Thompson já foi acusado de idealismo por causa da ênfase que dá à "experiência", como se essa noção tivesse fugido de suas amarras materiais. Mas o uso que ele faz desse conceito não indica a intenção de romper a ligação entre "ser social" e consciência social, nem de negar a primazia atribuída pelo materialismo histórico ao ser social em sua relação com a consciência. Ao contrário, apesar de Thompson às vezes distinguir entre níveis de experiência ("experiência vivida" e "experiência percebida"), o uso principal que ele faz dessa palavra é como um "termo intermediário necessário entre o ser social e a consciência social", o meio em que o ser social determina a consciência: "é por meio da experiência que o modo de produção exerce uma pressão determinante sobre outras atividades"[36]. Nesse sentido, experiência é precisamente "a experiência da determinação"[37]. Na verdade, como o conceito de Marx do ser social se refere claramente não apenas ao modo de produção como uma "estrutura objetiva" impessoal, mas também ao modo como as pessoas o vivem (é até difícil não dizer *experienciam*), a experiência de Thompson tem uma interseção significativa com o "ser social".

O conceito de "experiência", portanto, informa que as "estruturas objetivas" geram efeitos sobre a vida das pessoas; é por isso que, por exemplo, temos classes e não apenas relações de produção. É tarefa do historiador e do sociólogo explorar o que essas "estruturas" fazem à vida das pessoas, como o fazem e como as pessoas reagem – ou, como Thompson poderia ter dito, como as pressões determinantes dos processos estruturados são sentidas e manipuladas pelas pessoas. O peso da mensagem teórica contida no conceito de "experiência" é, entre outras coisas, que a operação das pressões determinantes é uma questão histórica, portanto empírica e imediata. Não pode haver ruptura entre o teórico e o empírico, e o historiador Thompson assume sem hesitação a tarefa imposta pelo teórico Thompson.

Nem Marx, nem Thompson, nem ninguém mais imaginou um vocabulário teórico rigoroso para transmitir o efeito das condições materiais sobre seres ativos conscientes – seres cuja atividade consciente é em si uma força material – ou para incluir o fato de assumirem esses efeitos uma variedade infinita de formas empíricas historicamente específicas. Mas o rigor teórico não admite ignorar essas complexidades em nome da mera elegância conceitual ou de um esqueleto de "definições estruturais" que se proponham a resolver todas as questões históricas importantes

---

[35] THOMPSON. "The Peculiarities of the English", em *The Poverty of Theory*, p. 85.

[36] Idem. *The Poverty of Theory*, p. 200-1. Uma concepção de "determinação" semelhante à de Thompson está no tratamento sistemático de Raymond Williams em *Marxism and Literature*, Oxford, 1977, p. 83-9. [Ed. bras.: *Marxismo e literatura*. Rio de Janeiro, Zahar, 1979.]

[37] Idem, ibidem, p. 298.

no plano teórico. Também não basta admitir a existência dessas complexidades em outra ordem de realidade – na esfera da história em oposição à esfera das "estruturas objetivas" – que pertence a um nível diferente de discurso, o "empírico" em oposição ao "teórico". De alguma forma, os dois devem ser reconhecidos pela estrutura teórica e estar incorporados na noção de "estrutura" – como, por exemplo, na noção de Thompson de "processo estruturado".

"Definições estruturais" dedutivas de classe não explicam como pessoas que compartilham uma experiência comum de relações de produção, mas não estão unidas pelo mesmo processo de produção, chegam à "disposição de se comportar como classe", nem como a natureza de tal disposição – o grau de coesão e de consciência associado a ela, sua expressão em objetivos, instituições, organizações e ação conjunta comuns – muda ao longo do tempo. Tais definições não levam em conta as pressões contra a formação de classe – pressões que talvez sejam inerentes à própria estrutura, às determinações objetivas, do modo de produção prevalecente – e as tensões entre os impulsos a favor e contra a união de forças e a ação comum.

A noção de classe como "processo estruturado", por sua vez, reconhece que, apesar de a base estrutural da formação de classe ser encontrada nas relações antagonistas de produção, as formas particulares em que realmente operam as pressões estruturais exercidas por essas relações na formação de classes é ainda uma questão aberta a ser resolvida empiricamente pela análise histórica e sociológica. Uma tal concepção de classe também reconhece que aqui se encontram as questões mais importantes e problemáticas relativas a classes, e que a utilidade de toda análise de classe – como instrumento sociológico ou orientação para a estratégia política – se baseia na sua capacidade de explicar o processo de formação de classe. Isso significa que muitas definições de classe devem convidar, não impedir, o processo investigativo.

A insistência de Thompson em considerar classe como processo põe em discussão a acusação de que ele identifica classe com consciência de classe, de que, dito de outra forma, ele confunde o fenômeno de classe com as condições que fazem da classe um "sujeito histórico ativo"[38]. A primeira questão a ser observada acerca dessa acusação é o fato de ela própria se basear numa confusão: ela não leva em conta a diferença entre consciência de classe – ou seja, a consciência ativa da identidade de classe – e formas de consciência criadas de várias maneiras por situações de classe sem achar expressão numa identidade de classe ativa e autoconsciente. Thompson se preocupa especialmente com os processos históricos que intervêm entre as duas.

Mais fundamentalmente, identificar classe com um nível particular de consciência, ou com a existência de consciência de classe, *seria* identificar, como faz Thompson, os complexos processos que ajudam a criar a "disposição de se comportar como uma classe". A concepção de Thompson de classe como "relação" e "processo" é dirigida contra definições que, na melhor das hipóteses, implicam a existência de um ponto

---

[38] COHEN. *Marx's Theory*, p. 76.

na formação das classes em que se pode interromper o processo e dizer "agora existe uma classe, antes não existia", ou na pior, e talvez na mais comum das hipóteses, procurar definir classes sem a mediação do tempo e dos processos históricos, o que pode ser feito pela "dedução" das classes a partir das "posições estruturais" em relação aos meios de produção ou pela "hipóstase das identidades de classe – grandes atribuições de aspiração ou vontade de classe – que todos sabem ser no máximo a expressão metafórica de processos mais complexos e geralmente involuntários"[39]. O objetivo de Thompson, portanto, não é identificar classe com um nível particular de consciência ou organização, que faça dela uma força política, mas sim fazer que consideremos classe no processo de se tornar, ou de fazer de si mesma, essa força.

Classe vista como "estrutura" ignora o fato que define o papel da classe como força motriz do movimento histórico: o fato de ser a classe no início de um modo histórico de produção diferente da que existe no final. Diz-se com frequência que a identidade de um modo de produção reside na persistência de suas relações de produção: enquanto não se alterar a forma em que a "mais-valia for extraída de um produtor direto" teremos o direito de nos referir a um modo de produção como "feudal", "capitalista" etc. Mas relações de *classe* são o princípio do movimento *dentro* do modo de produção. A história de um modo de produção é a história do desenvolvimento de suas relações de classe e, em particular, da transformação destas em relações de produção. As classes se desenvolvem no interior de um modo de produção no processo de união em torno das relações de produção e à medida que se alteram a composição, a coesão e a organização das formações de classe resultantes. O modo de produção chega à crise quando o desenvolvimento das relações de classe em seu interior transforma as próprias relações de produção. Descrever o movimento histórico, portanto, significa exatamente negar que a relação entre classes e as relações de produção seja fixa.

A definição estrutural de classe, como sugere Thompson, geralmente tende a atribuir à classe uma espécie de vontade pessoal como "Ela". O outro lado dessa moeda é a tendência a atribuir as falhas a uma espécie de defeito de personalidade de "Ela", como a "falsa consciência". Há, então, mais que alguma ironia no fato de Thompson, quando nega concepções desse tipo, ser acusado de subjetivismo e voluntarismo. O que se apresenta como alternativa objetivista a Thompson é na verdade o subjetivismo e voluntarismo mais extremo e idealista, que simplesmente transfere a vontade da ação humana – ação humana restrita por "pressões deterministas" e atraída para "processos involuntários" – para um Sujeito mais glorioso, a Classe, uma coisa dotada de identidade estática, cuja vontade é praticamente livre de determinações históricas específicas.

Esse engrandecimento da vontade subjetiva atinge o ponto máximo nos argumentos estruturalistas. Os althusserianos, por exemplo, pretendem expurgar completamente da teoria social a subjetividade e negar a capacidade de ação até mesmo para a classe como "Ela"; mas, em certo sentido, eles apenas criam um

---

[39] THOMPSON. "Peculiarities of the English". In: *The Poverty of Theory*, p. 85.

Sujeito ainda mais imperial, a Estrutura, cuja vontade não é determinada por nada além das contradições de sua própria personalidade arbitrária. Os argumentos que parecem aos críticos de Thompson voluntaristas e subjetivistas – sua concepção de ação humana e insistência na especificidade histórica aparentemente em detrimento das "estruturas objetivas" – são os que ele usa *contra* o subjetivismo e o voluntarismo, e para o reconhecimento das pressões determinantes objetivas que cerceiam a ação humana. Longe de subordinar as pressões determinantes objetivas à subjetividade e à contingência histórica, ele sempre usa a investigação histórica contra o tipo de subjetivismo, voluntarismo e idealismo invertidos que aparecem em análises que carecem de firme base histórica e sociológica.

A política da teoria

Thompson sempre trabalhou com base na premissa de que a teoria tem implicações na prática. Sua definição de classe como processo ativo e relação histórica foi com certeza formulada para defender a classe contra os cientistas sociais e historiadores que negam sua existência; mas tinha também o propósito de negar tanto as tradições intelectuais quanto as práticas políticas que suprimem a ação humana e, em particular, negam a atividade própria da classe operária no desenvolvimento da história. Ao colocar a luta de classe no centro da teoria e da prática, Thompson pretendeu recuperar a "história que vem de baixo", não apenas como empresa intelectual, mas como projeto político contra as opressões da dominação de classe e também contra o programa de "socialismo imposto de cima" em suas muitas encarnações, desde o fabianismo até o stalinismo[40]. Os ataques que ele dirigiu ao marxismo althusseriano também foram dirigidos contra o que ele via como deformações teóricas e contra a prática política nelas inscrita.

Os críticos de Thompson devolveram o cumprimento. No seu conceito de classe e no projeto histórico nele baseado, eles encontraram uma unidade de teoria e prática em que sua teoria "subjetivista" de classe sustenta um "socialismo populista". Ele foi criticado pela rapidez em ver, em qualquer forma de consciência tocada pelas circunstâncias da vida determinadas por classe, o tipo de consciência de classe que sugere a prontidão para agir deliberadamente como classe. De acordo com a mesma crítica, ele exibe o tipo de "populismo" que trata como tarefa fácil e natural construir uma política socialista com base na cultura popular.

Curiosamente, esse julgamento parece juntar os defensores das definições estruturais "ortodoxas" de classe e os críticos que insistem que Thompson ainda tem muito a avançar na busca das implicações de seu marxismo "não reducionista".

---

[40] Bryan Palmer, no livro *The Making of E. P. Thompson, Marxism, Humanism, and History*, Toronto, 1981, oferece uma discussão geral esclarecedora das relações de Thompson como historiador social e como ativista político. Palmer me avisou para não descrever a obra de Thompson como "história vinda de baixo", pois essa frase tem as conotações enganadoras do "populismo americano" e agora desagrada aos historiadores. Ele sugere que ela obscurece a extensão da preocupação de Thompson com as relações entre "alto" e "baixo" e, em particular, seu interesse crescente pelo problema do Estado. Aceito o conselho contra a interpretação errada da natureza das preocupações de Thompson, mas quero manter o termo no sentido em que ele ainda se aplica ao movimento historiográfico, que buscou muito de seu ímpeto inicial no Grupo de Historiadores do Partido Comunista Inglês durante as décadas de 1940 e 1950, que procurou explorar as amplas bases sociais dos processos históricos e iluminar o papel das "pessoas comuns" na formação da história.

Assim, por exemplo, Stuart Hall argumenta que Thompson mistura "classe em si" e "classe para si", e que inscrita nessa confusão existe uma política de "populismo 'muito simples'"[41]. A categoria universal de experiência, argumenta Hall, mistura os determinantes objetivos de classe com sua apropriação na consciência e parece implicar que "'a classe' está sempre realmente pronta, preparada, e pode ser convocada 'para o socialismo', sem enfrentar todas as consequências de afirmar que o socialismo tem de ser construído por uma prática política real". Embora não estivesse perfeitamente claro à época em que Stuart Hall escreveu isso, em retrospecto, e especialmente no contexto de suas afinidades com as teorias "pós-marxistas", parece claro que esse argumento, que abriu um amplo fosso entre "estruturas objetivas" e formações de classe dotadas de consciência de classe, chegava perto da absoluta "não correspondência" entre o econômico e o político proposta pelos pós-marxistas; ainda assim, ela se baseia na mesma avaliação da teoria de Thompson que as de Anderson ou Cohen e, aparentemente, na mesma dicotomia entre estrutura e história. Não deixa de ser significativo, dado o outro lado da moeda althusseriana a que já me referi no capítulo anterior, que na sua crítica a Thompson Hall estivesse saindo em defesa (limitada) de Althusser.

Se, como já sugeri, o projeto histórico de Thompson se opõe à mistura – ou, o que é na verdade a mesma coisa, à simples igualdade – de determinações objetivas com sua expressão na consciência, e se o foco no processo de formação de classe pressupõe a distinção entre elas, pois está relacionado com a mudança nas relações entre elas, Thompson não pode ser acusado de misturar determinantes "objetivas" e "subjetivas" de classe, nem estrutura com consciência. Essa distinção entre "classe em si" e "classe para si" não é, contudo, simplesmente uma distinção analítica entre estrutura objetiva de classe e consciência subjetiva de classe. Ela se refere a dois estágios diferentes no processo de formação de classe e a dois diferentes modos históricos de relação entre estrutura e consciência – e, nesse sentido, Thompson tem uma concepção de "classe em si" à qual, por exemplo, alude com sua fórmula paradoxal, "luta de classes sem classe".

O que se pergunta então é se Thompson cruza muito cedo a linha que separa os dois modos de classe, se ele percebe com excessiva rapidez, como diz Hall, em qualquer forma de consciência tocada por circunstâncias de vida determinadas por classe a prontidão para agir deliberadamente como classe. Essa pergunta é, acima de tudo, política, e sem dúvida aqui há perigo. O romantismo acerca dos costumes e das tradições do "povo" e sobre a promessa radical contida na simples diferença e separação da cultura popular não é a melhor fundação para construir um movimento socialista ou avaliar e superar a resistência do próprio "povo" à política socialista. Mas Thompson certamente não tem ilusões a esse respeito, independentemente do que possam pensar seus sucessores na "história do povo".

---

[41] HALL, Stuart. "In Defense of Theory". In: Raphael Samuel (ed.), *People's History and Socialist Theory*, Londres, 1981, p. 384.

A mensagem de Thompson na verdade é política; mas na forma como ele recupera a consciência popular e o "desenvolvimento" de classe há alguma coisa além da incapacidade de reconhecer a diferença e as barreiras entre, de um lado, a cultura popular, que surge diretamente da experiência – uma experiência de trabalho, exploração, opressão e luta –, e, de outro, uma consciência socialista ativa, dolorosamente desenvolvida na prática política. Seu projeto histórico, sua reconstrução da história feita pela classe operária como agente ativo e não apenas como vítima passiva, evolui diretamente do princípio político básico do marxismo e de sua compreensão particular da prática socialista: que o socialismo só há de se realizar pela emancipação da classe operária[42].

Essa proposição implica ser a classe operária o único grupo social a possuir não apenas um interesse imediato em resistir à exploração capitalista, mas também o poder coletivo adequado para destruí-la. A proposição também implica um ceticismo com relação à autenticidade – ou, na verdade, à probabilidade – da emancipação não conquistada pela atividade e pela luta, mas daquela que é ganha por procuração ou conferida por benefício. Quanto a isso não há garantias; entretanto, por mais difícil que seja construir a prática socialista a partir da consciência popular, não existe, de acordo com essa visão, nenhum outro material com que ela possa ser construída e nenhum outro socialismo que seja consistente com o realismo político e com os valores democráticos. Talvez a questão seja que o socialismo deverá se realizar dessa forma ou não se realizará de forma alguma.

Hegemonia e substitucionismo

Quando Thompson lançou seu controvertido ataque ao althusserianismo, uma de suas principais preocupações foi conter o desvio desse entendimento democrático por parte do marxismo ocidental, em direção ao abandono teórico da condição, conferida à classe trabalhadora, de principal agente de transformação social por meio da luta de classes, e a transferência daquele papel para outros atores sociais, especialmente os intelectuais. "Não existe marca mais característica dos marxismos ocidentais", escreveu ele,

> nem mais reveladora do que suas premissas profundamente antidemocráticas. Seja a Escola de Frankfurt, seja Althusser, todos são marcados pela forte ênfase no peso inelutável dos modos ideológicos de dominação – dominação que destrói todos os espaços de iniciativa ou criatividade da massa do povo – uma dominação da qual apenas a minoria iluminada de intelectuais consegue se livrar. É uma premissa triste para ser o ponto de partida de uma teoria socialista (todos os homens e mulheres, que não nós, são originalmente estúpidos), que nos leva a conclusões pessimistas e autoritárias.[43]

---

[42] Thompson, por exemplo, compara sua própria obra com a "ortodoxia fabiana, na qual a grande maioria dos trabalhadores são vistos como vítimas passivas do laissez faire, com exceção de um punhado de organizadores de grande visão (principalmente Francis Place)" (*English Working Class*, p. 12). Essa "ortodoxia", evidentemente, não deixa de estar relacionada com o programa político fabiano, com sua visão da classe operária como vítimas passivas que exigem a imposição do socialismo do alto, não por meio da luta de classes, mas por meio de reformas graduais e engenharia social por uma minoria iluminada de membros intelectuais e filantrópicos da classe dirigente.

[43] THOMPSON. *The Poverty of Theory*, p. 331-8.

Pode-se chegar a esse tipo de "substitucionismo" teórico mais extremado tomando as atitudes das quais Stuart Hall acusa alguns althusserianos, embora aparentemente não o próprio Althusser: tratar todas as "classes como meros 'portadores', sem ação, do processo histórico; e processos históricos em si como 'processos sem sujeito'"[44]. Mas o mesmo efeito é produzido, de acordo com Thompson, quando se concebe classe como uma categoria estática, e se dá menos atenção ao processo histórico de formação de classe do que ao processo de mapear dedutivamente as locações estruturais de classe, ou à construção teórica de uma identidade ideal de classe. São esses tipos de formulação que se prestam facilmente a desprezar como falsas as formas históricas reais, logo imperfeitas, de consciência de classe, e que por isso precisam ser substituídas[45]. Se existe uma mensagem política inscrita na teoria de classe de Thompson, ela é contra a teorização de um "substitucionismo" em que a classe operária é não apenas representada por seu substituto, mas eclipsada por ele.

Grande parte da obra de Thompson foi dirigida, explícita ou implicitamente, contra a ideia de que hegemonia é tendenciosa e completa, impondo "uma dominação totalmente envolvente sobre os governados – ou sobre todos aqueles que não são intelectuais –, chegando ao limiar de sua experiência, e implantando em suas mentes desde o nascimento categorias de subordinação que são incapazes de eliminar, e que sua experiência não tem capacidade de corrigir"[46]. Segundo ele, este é um tema dominante no marxismo ocidental, essa tendência a identificar hegemonia com a completa absorção das classes subordinadas (provavelmente com a assistência dos aparelhos do Estado ideológico) na ideologia e dominação cultural da classe dominante, de forma que a construção de uma consciência e uma cultura anti-hegemônicas só possa aparentemente ser conquistada por intelectuais de espírito livre[47].

Tal definição de hegemonia concorda bem com as construções teóricas de classe em que nada existe entre a constituição objetiva das classes pelos modos de produção (ou seja, impura e teoricamente indigesta) e uma consciência de classe revolucionária ideal, a não ser um vasto espectro empírico-histórico de falsa consciência. Mas aqui existe uma ironia adicional, como já sugeri no capítulo anterior (e em outros lugares): o reverso desse tipo de marxismo é o abandono completo pelo pós-marxismo da política de classes e sua substituição pela política do "discurso".

Em comparação, para Thompson, hegemonia não quer dizer dominação por uma classe e submissão por outra. Ao contrário, ela incorpora a *luta* de classes e traz a marca das classes subordinadas, sua atividade e sua resistência. Sua teoria de classe, com ênfase no processo de formação de classe, pretende permitir o reconhecimento

---

[44] HALL. "In Defense of Theory", p. 383.

[45] Ver, por exemplo, THOMPSON, "Eighteenth-Century English Society", p. 148.

[46] Idem, ibidem, p. 164.

[47] Ver Idem, ibidem, p. 163, n. 60.

de formas "imperfeitas" ou "parciais" de consciência popular como expressões autênticas de classe e de luta de classes, válidas nas suas circunstâncias históricas ainda que "erradas" da perspectiva de desenvolvimentos posteriores ou ideais.

Uma coisa é confundir a mera *separação* da cultura popular com a oposição radical, pronta a ser lançada imediatamente na luta pelo socialismo; outra coisa muito diferente é marcar o espaço onde o comando das classes dominantes não é obedecido, e identificar consciência "popular" – por mais resistente que seja à formação de uma "verdadeira" consciência de classe – como a matéria da qual se deve e se pode, apesar de tudo, criar uma completa consciência de classe. Negar a autenticidade da consciência de classe "parcial", tratá-la como falsa, e não como uma "opção sob pressão"[48] historicamente inteligível, tem consequências estratégicas importantes. Somos convidados a procurar agentes substitutos da luta de classe e da mudança histórica ou então a abandonar completamente o campo de luta para o inimigo hegemônico. É contra essas alternativas políticas e suas bases teóricas num conceito de classe como "estrutura" ou identidade ideal que Thompson dirige sua própria teoria de classe como processo e relação.

Raymond Williams, em "Notes on British Marxism in Britain since 1945", descreveu sua própria postura em relação às opções à disposição dos marxistas britânicos na década de 1950 e a rejeição do populismo retórico que ignorava complacentemente as implicações do capitalismo "de consumo" e a "forte atração" que ele exercia sobre o povo. Ao mesmo tempo, continuava:

> como percebia o processo como opções sob pressão e sabia de onde vinha a pressão, eu não conseguia passar à outra posição disponível: que o desprezo pelo povo, pelo seu estado irremediavelmente corrompido, pela sua vulgaridade e credulidade em comparação a uma minoria educada, que era a origem da crítica cultural de um tipo não marxista e que parece ter sobrevivido intacta, com alterações adequadas de vocabulário, num marxismo formalista que transforma todo o povo, inclusive a totalidade da classe operária, em meros portadores de estruturas de uma ideologia corrupta.[49]

Contra essa tendência, Williams insistiu que "ainda havia, e poderosas, habilidades existentes":

> Guardar as habilidades existentes, aprender e talvez ensinar novas habilidades, viver as contradições e opções sob pressão de forma que, em vez de denunciá-las ou negá-las, haja uma chance de entendê-las e desviá-las para outra direção: se essas atitudes fossem populismo, então seria bom que a esquerda britânica, inclusive a maioria dos marxistas, continuasse com ele.[50]

---

[48] WILLIAMS, Raymond. "Notes on Marxism in Britain since 1945", *New Left Review*, 100, novembro/1976; janeiro/1977, p. 87.

[49] Idem, ibidem. Obtém-se uma visão semelhante em "Peculiarities of the English", p. 69-70, de Thompson, em que ele ataca conceitos de classe esquemáticos, não históricos e não sociológicos, em especial, os que produziram denúncias rituais de reformismo da classe operária, em vez de uma compreensão das suas "profundas raízes sociológicas", e assim desprezaram um dado vital para qualquer prática política socialista.

[50] WILLIAMS. "Notes on Marxism", p. 87.

Edward Thompson, por exemplo, certamente as manteve. Sua teoria de classe, a descoberta de expressões autênticas de classe na consciência e na cultura populares representam um esforço para "viver as contradições e opções sob pressão (...) em vez de denunciá-las ou negá-las". Sua insistência numa avaliação histórica e sociológica do "reformismo" da classe operária, por exemplo, em vez da excomunhão ritual que a denuncia, de um ponto de vista fora da história, como a "falsa consciência" de "Ela" da classe operária, implica que devemos entender as "habilidades existentes" para "desviá-las para outra direção".

Evidentemente, aqui também existem perigos. "Manter as habilidades existentes" pode se transformar numa desculpa para não se olhar além delas; reconhecer as "profundas raízes sociológicas" do "reformismo" como realidade política que deve ser enfrentada pode levar à sua aceitação como um limite nos horizontes de luta. Uma coisa é reconhecer a autenticidade das "opções sob pressão" da classe operária e ter consciência da noção de falsa consciência como convite à negação. Outra, muito diferente, passar por cima das falhas e limitações de muitas formas de organização e ideologia da classe operária. Existe certamente espaço para debate na esquerda acerca do ponto em que se deve traçar a linha entre aceitar as "habilidades existentes" como desafio a ser enfrentado ou vê-las como um limite.

História ou determinismo tecnológico?

Devemos nos lembrar da razão por que o marxismo atribui primazia determinante à luta de classes. Não é porque a classe seja a única forma de opressão, nem mesmo a forma mais frequente, consistente ou violenta de conflito social, mas porque seu terreno é a organização social da produção que cria as condições materiais da própria existência. O primeiro princípio do materialismo histórico não é a classe, nem a luta de classes, mas a organização da vida material e da reprodução social. A classe entra no quadro quando o acesso às condições de existência e aos meios de apropriação é organizado em formas de classe, ou seja, quando algumas pessoas são sistematicamente compelidas pelo acesso diferenciado aos meios de produção ou de apropriação a transferir para outros a mais-valia.

A pressão para transferir trabalho excedente assume formas diferentes, com graus variados de transparência. O capitalismo representa sem dúvida um caso especial, porque a apropriação capitalista não é um ato claramente visível – como, digamos, o pagamento de rendas pelo servo ao senhor que constitui um ato separado de apropriação, depois da realização do trabalho do servo e no contexto de uma relação transparente entre apropriador e produtor. Em compensação, não existe meio imediato e óbvio de separar o ato da apropriação capitalista do processo de produção ou do processo de troca de mercadorias por meio do qual o capital realiza seus lucros. O conceito de mais-valia – por oposição ao conceito de *trabalho* excedente, que se aplica a todas as formas de apropriação de excedentes – torna clara essa complexa relação entre produção, realização em troca de mercadorias e apropriação capitalista.

Nunca faltaram críticos, inclusive economistas marxistas, que se apressassem a apontar a dificuldade de explicar essas relações em termos quantitativos – ou seja, de medir "valor" e "excedente" ou de relacionar "valor" e "preço". É pouco provável que o conceito de Marx de trabalho excedente ou mais-valia pretendesse oferecer esse tipo de medida matemática exigida por esses críticos; mas, de qualquer forma, essa limitação – se realmente é uma limitação – não influencia o significado histórico da "mais-valia". A ideia fundamental embutida nesse conceito trata das condições em que as pessoas têm acesso aos meios de subsistência e de reprodução, e a proposição de que ocorre um rompimento histórico decisivo quando as condições vigentes obrigam alguns a transferir parte de seu trabalho ou de seu produto para outros.

O elemento crítico da explicação do papel da classe na história não é, portanto, a medida quantitativa do "excedente", mas a natureza específica da compulsão para transferi-lo e a natureza específica da relação social em que ocorre tal transferência[1]. Nos casos em que os produtores diretos – como os camponeses feudais – retêm a posse dos meios de produção, a transferência de excedentes é determinada pela coerção direta, por meio da força superior do apropriador. No capitalismo, a compulsão é diferente. A obrigação do produtor direto de abrir mão do excedente é precondição de acesso aos meios de produção, aos meios de manutenção da própria vida. O que obriga os produtores diretos a produzir mais do que vão consumir e a transferir o excedente para outra pessoa é a necessidade "econômica" que torna sua própria subsistência inseparável dessa transferência de mais-valia. No capitalismo, os trabalhadores assalariados que não têm meios de executar seu próprio trabalho só podem adquiri-los por meio de uma associação com o capital. Entretanto, isso não quer dizer necessariamente que os que são obrigados a transferir mais-valia irão receber *apenas* as necessidades básicas; significa simplesmente que a transferência é condição necessária para o acesso aos meios de sobrevivência e de reprodução – e a tudo o que conseguirem adquirir acima e além delas com esses meios. É possível provar que essas relações existem mesmo na ausência de meios de quantificar o "excedente" ou de medir os ganhos relativos de produtores e apropriadores. Temos apenas de reconhecer que a autorreprodução do produtor tem entre suas condições necessárias uma relação com um apropriador que exige parte do seu trabalho ou produto.

Não resta dúvida de que é possível identificar transferências de mais-valia que não são determinadas por imperativos coercitivos (por exemplo, presentes ou o cumprimento de obrigações de parentesco), mas estas não são do tipo a que se refere especificamente o conceito de classe. Também é importante reconhecer que classe nem sempre resulta em relações diretas, no sentido de uma confrontação direta, entre explorador e explorado, e que, na ausência de tal confrontação, as relações de classe talvez não gerem conflito tão imediatamente quanto os geram outros antagonismos, sem relação com classe. Mas o conflito de classe tem uma ressonância histórica particular porque implica a organização social da produção, a base real da existência material. A luta de classes tem um potencial claro como força de transformação porque, quaisquer que sejam as motivações imediatas de qualquer conflito de classes, o terreno de luta está estrategicamente situado no coração da existência social.

DUAS TEORIAS MARXISTAS DA HISTÓRIA

Como, então, as relações entre produtores e apropriadores aparecem na explicação materialista do movimento histórico? Vou fazer distinção entre duas grandes

---

[1] A afirmação clássica de Marx sobre esse princípio aparece em *O capital*, vol. III, Moscou, 1971, p. 791-2, em que ele explica que a chave de toda forma social "que revela o segredo mais íntimo, a base oculta de toda a estrutura social" é "a forma econômica específica em que o trabalho excedente que não foi pago é extraído dos produtores diretos", embora a mesma "base econômica" possa assumir uma variedade infinita de formas empíricas "que só podem ser identificadas pela análise das circunstâncias empiricamente dadas".

categorias de explicação marxista, exemplificadas por dois de seus mais importantes expoentes modernos. A primeira situa as relações de produção e de classe em um contexto trans-histórico maior de desenvolvimento tecnológico. A outra busca princípios específicos de movimento em toda forma social e em suas relações dominantes de propriedade social. A distinção que faço não é simplesmente a que existe entre as teorias marxistas que dão primazia às "forças de produção" e as que dão prioridade às "relações de produção" e luta de classes. Em vez disso, quero enfatizar a diferença entre teorias que postulam uma lei geral, universal e trans-histórica de mudança histórica – que invariavelmente significa algum tipo de determinismo tecnológico – e as que acentuam a especificidade de toda forma social – o que geralmente quer dizer uma exploração das "leis de movimento" específicas, acionadas pelas relações sociais vigentes entre apropriadores e produtores.

Dois exemplos especialmente importantes da intelectualidade marxista serão suficientes para ilustrar esta questão. Do ponto de vista teórico de cada um, os dois oferecem relatos da significativa transformação histórica que preocupou os historiadores marxistas, a transição do feudalismo para o capitalismo. O primeiro vem da influente escola do "marxismo da escolha racional", e trata-se de John Roemer, que uniu sua teoria de exploração e classe à teoria da história criada pela defesa de G. A. Cohen do marxismo entendido como determinismo tecnológico[2]. O outro exemplo é o historiador marxista Robert Brenner e sua obra sobre as origens do capitalismo.

A história, de acordo com John Roemer, assume a forma de uma evolução das relações de propriedade em que "um número progressivamente menor de tipos de fatores de produção permanecem aceitáveis como propriedade"[3]. Por exemplo, a propriedade de pessoas é eliminada quando a sociedade escravagista passa para o feudalismo, restando alguns direitos de propriedade do trabalho de outros e propriedade de meios alienáveis de produção. A transição do feudalismo para o capitalismo elimina os direitos de propriedade sobre o trabalho de outros, apesar de ainda permitir a propriedade dos meios alienáveis de produção, e assim por diante. Essa "socialização progressiva da propriedade" ocorre por razões "relacionadas à eficiência", ou seja, o avanço das forças de produção. "O mecanismo que provoca essa evolução é a luta de classes", mas "a razão por que essa evolução ocorre é mais profunda: a evolução ocorre porque *o nível de desenvolvimento da tecnologia supera a forma particular de organização social, que o limita e restringe*"[4].

A relação entre o mecanismo (luta de classes) e a causa profunda (determinismo tecnológico) pode ser explicada da seguinte forma. A luta de classes serve como "facilitador" na transição de uma forma social para outra, quando a dissonância entre o nível de desenvolvimento das forças produtivas e a antiga estrutura econômica atinge o ponto de crise. Assim, por exemplo, Roemer nos pede para "imaginar" (a palavra

---

[2] COHEN, G. A. *Karl Marx's Theory of History: A Defense*, Princeton, 1978.

[3] ROEMER, John. *Free to Lose*, Londres, 1988, p. 126.

[4] Idem, ibidem. p. 6. Destaques no original.

é dele) um sistema feudal, com senhores e servos, mas no qual "uma nascente economia capitalista começa a surgir paralelamente" ao sistema feudal[5]. "Agora, existe uma opção: capitalistas e senhores feudais competem pelo controle da população trabalhadora. Se a tecnologia ou as forças de produção que os capitalistas usam permite-lhes pagar salários reais mais altos do que os recebidos pelos servos, haverá uma vantagem econômica na liberação da servidão que antes não existia." Os servos podem se tornar camponeses independentes, tirando vantagem do comércio aberto pelos capitalistas, ou então se tornar artesãos e proletários nas cidades. "A competição entre feudalismo e capitalismo permite, assim, que a luta de classes contra o feudalismo seja vitoriosa, embora antes isso não fosse possível."

Temos agora três níveis de explicação: (1) a causa profunda (determinismo tecnológico); (2) o processo histórico (a eliminação sucessiva de formas de exploração ou a socialização progressiva da propriedade); (3) o "facilitador" (luta de classes – embora ela só facilite um processo que "mais cedo ou mais tarde fosse acontecer"[6]). Não fica bem claro o nível em que se deve introduzir o modelo da "escolha racional". O lugar mais óbvio é na luta de classes, o que implica que a mudança ocorre quando (se não porque) as pessoas se veem em condição de escolher a opção disponível do modo de produção seguinte, mais progressista. Ao mesmo tempo, parece haver no nível da causa profunda uma escolha racional abrangente relacionada ao "esforço incessante de seres humanos racionais para aliviar suas condições de escassez"[7] – embora, na verdade, eles não escolham a estrutura econômica seguinte *porque* ela resulta em progresso tecnológico. Em qualquer dos dois casos, a ligação necessária entre o modelo de escolha racional e a teoria da história é a premissa de que existe uma correspondência direta entre as ações que atendem ao interesse próprio dos atores racionais individuais e as exigências de progresso técnico e de crescimento econômico.

Essa estrutura em três camadas suscita mais perguntas do que responde, principalmente com relação às ligações entre seus três níveis. Serão os indivíduos racionais, vistos como os que fazem a história (mas fazem realmente?), motivados pelo desejo de aliviar a escassez por meio do aprimoramento tecnológico ou pelo desejo de fugir à exploração – ou nem uma coisa nem outra? Seria a luta de classes realmente necessária ou não; e se não for qual é o mecanismo de mudança histórica? Ou a causa profunda torna redundantes os mecanismos e facilitadores, já que a mudança, de qualquer maneira, "deve ocorrer, mais cedo ou mais tarde", pelas costas dos indivíduos racionais? E onde fica a *luta* da luta de classes? Temos senhores e capitalistas competindo para oferecer termos mais atraentes aos produtores, aos servos que poderão decidir se tornar proletários; e temos servos que escapam dos senhores – aparentemente sem restrições, abrindo mão de bom grado dos seus direitos de posse – tão logo apareça uma opção mais atraente; mas *luta*...?

Na verdade, qual é a "vantagem econômica" que levaria os servos a preferir um salário, que por alguma medida estatística sofisticada seria maior que seus rendimentos

---

[5] Idem, ibidem., p. 115.

[6] Idem, ibidem., p. 124.

[7] Idem, ibidem., p. 123.

como servos, ao custo da perda de seus direitos de posse, cedendo a terra que lhes oferece acesso completo e direto aos meios de subsistência, em troca das incertezas da condição proletária? Ainda no que diz respeito a isso, mesmo que os servos escolham essa opção, como conseguiriam realizá-la? Se os "direitos" de propriedade dos senhores sobre o trabalho dos outros estão relacionados ao "controle" – ou seja, ao poder – que exercem sobre os servos, como seria possível que, chegado o momento crítico da transição, os servos pudessem simplesmente optar por fugir ao controle do senhor apenas porque surgiu uma outra opção mais atraente? Não teria o feudalismo a lógica e os recursos de autossustentação capazes de impedir tão fácil transição?

Tudo isso sem levar em conta que o edifício foi construído sem o benefício da certeza. Roemer escolheu cuidadosamente as palavras quando nos pediu para "imaginar". Qualquer outra coisa é muito difícil. ("Imagine" e "suponha" formam o vocabulário básico desse discurso jogo-teórico.) Não nos pedem (pelo menos com frequência) para acreditar que foi assim que as coisas realmente aconteceram, nem mesmo que era historicamente possível que ocorressem dessa forma, mas apenas que é logicamente concebível que acontecessem (embora nunca se esclareça a razão por que estaríamos interessados nessas possibilidades lógicas).

Na realidade, é muito pouco provável que o próprio Roemer creia na sua descrição da transição para o capitalismo; e tem-se uma medida do preço cobrado por esse modelo jogo-teórico que o obriga a descartar tudo o que ele sem dúvida conhece sobre as relações de poder entre senhores e servos, o empobrecimento dos pequenos produtores e a concentração da propriedade da terra, que foram as condições da transição; ou seja, tudo o que se refere a coerção, compulsão, imperativos ou, na verdade, sobre as *relações sociais* de exploração. Esse processo de transição que Roemer nos pede para imaginar evidentemente tem pouco a ver com a história, e não vale a pena contrapor com evidências essa história imaginária. Aparentemente, história é um assunto sobre o qual se pode dizer o que se quiser.

Petição de princípio da história

Roemer nos pede para "imaginar" uma coisa que seja absolutamente crucial para a sua argumentação, uma premissa sobre a qual é construído todo o frágil edifício. Temos de aceitar que o capitalismo existe como "opção", que uma "nascente economia capitalista começa a surgir paralelamente" ao sistema feudal. Também não devemos perguntar como se chegou a esse ponto, embora para Roemer isso evidentemente não represente um problema:

> De acordo com o materialismo histórico, a exploração feudal, a capitalista e a socialista, todas existem no feudalismo. Em algum ponto, as relações feudais se tornam um empecilho para o desenvolvimento das forças produtivas e são eliminadas pela revolução burguesa. Em resumo, o materialismo histórico afirma que a história progride pela sucessiva eliminação de formas de exploração que são socialmente desnecessárias no sentido dinâmico.[8]

---

[8] ROEMER. *A General Theory of Exploitation and Class*, Cambridge, Mass., 1982, p. 270-1.

Ele passa então a caracterizar essa interpretação como "uma tradução do aspecto tecnológico determinista da teoria do materialismo histórico para a linguagem da teoria da exploração". De acordo com essa interpretação do materialismo histórico, todas as formas sucessivas de exploração já estão contidas nas anteriores (sua descrição do progresso da sociedade escravista para o capitalismo sugere que essa análise retrospectiva se estende para antes do feudalismo), de maneira que todas as formas de exploração que surgiram ao longo da história aparentemente já existiam desde o início; e a história evolui por um processo de eliminação.

Cada forma de exploração é, por sua vez, eliminada por obstruir o desenvolvimento das forças produtivas. Nesse sentido, o determinismo tecnológico, para Roemer, oferece o mecanismo (causa profunda) de eliminação. Mas a irredutível primeira premissa dessa argumentação é que cada forma social sucessiva existe simultaneamente com a precedente. Sob esse aspecto, a teoria da eliminação de Roemer não passa de uma variação mais engenhosa de um tema antigo.

Os teóricos que enfrentam dificuldades com *processo* têm uma tática favorita para explicar a história, a partir da premissa de que todos os estágios históricos – especialmente o capitalismo – já existiam efetivamente, pelo menos como traço recessivo, desde o início. Essas explicações da história geralmente invocam algum *deus ex machina*, algum fator externo, para explicar o processo que provoca o amadurecimento desses traços recessivos ou embriônicos. Tradicionalmente, as forças "externas" mais populares têm sido o comércio (mercados que se expandem ou contraem, rotas de comércio que se abrem ou fecham) ou o progresso técnico, concebidos os dois como exógenos aos sistemas em processo de transformação, seja no sentido de que são determinados por intrusos, como os invasores bárbaros, seja no sentido de que operam de acordo com alguma lei universal (progresso, o desenvolvimento natural da mente humana ou, talvez, mais cientificamente, ciclos demográficos) não específica ou inerente à forma social existente.

Premissas como essas foram sempre a especialidade da ideologia burguesa, de que vou tratar num dos próximos capítulos. Por ora, basta observar que os marxistas com frequência se deixaram tentar por coisas semelhantes, criando imagens de modos aspirantes de produção que se ocultavam nos interstícios dos anteriores, esperando apenas uma oportunidade para estabelecer a própria "dominância" quando certos obstáculos fossem removidos (parece muito mais fácil explicar a morte do que já existe que seu aparecimento). O conceito althusseriano de "formação social", por exemplo, em que todos os modos de produção podem coexistir sem a menor necessidade de se explicar como surgiram, atende exatamente a esse objetivo.

Não resta dúvida de que esse tipo de truque intelectual sempre foi usado para substituir uma teoria marxista da história; e não há dúvida de que os aforismos esquemáticos de Marx sobre os estágios da história e dos sucessivos modos de produção poderiam ser lidos como convites para se evitar assim a questão dos processos históricos. Afinal, foi Marx quem primeiro falou dos "grilhões" e dos "interstícios".

Mas ainda existe mais em Marx que exige que procuremos a chave da mudança histórica na lógica dinâmica das relações sociais existentes sem adotar como premissa exatamente aquilo que se deve demonstrar.

O objetivo principal de Robert Brenner foi quebrar o hábito comum de aplicar à questão histórica central a petição de princípio, a prática de admitir a existência da coisa cujo surgimento deve ser explicado. Ele distingue dois tipos de teorias históricas na obra do próprio Marx, um que depende pesadamente do materialismo mecânico e do determinismo econômico do Iluminismo do século XVIII, e um segundo que surge da crítica madura de Marx da economia política. O primeiro se caracteriza por explicar essa questão, invocando o autodesenvolvimento das forças produtivas pela divisão do trabalho que evolui em resposta à expansão dos mercados, um capitalismo "nascente" no seio da sociedade feudal.

> O caráter paradoxal dessa teoria torna-se então imediatamente evidente: não existe, na verdade, transição a ser realizada: como o modelo se inicia com a sociedade burguesa nas cidades, acompanha sua evolução como se ocorresse por meio de mecanismos burgueses [ou seja, mudança e competição que levam à adoção das técnicas mais avançadas e a mudanças simultâneas na organização social da produção. E.M.W.], e faz que o feudalismo transcenda a si mesmo em consequência da exposição ao comércio, o problema de como um tipo de sociedade se transforma em outro desaparece das premissas e nunca é posto.[9]

Mais tarde, Marx abordaria esse problema de forma diferente. Ele revisou substancialmente suas opiniões sobre as relações de propriedade em geral e sobre as relações de propriedade pré-capitalistas em particular:

> Nos *Grundrisse* e em *O capital*, Marx define as relações de propriedade como, no primeiro caso, as relações dos produtores diretos com os meios de produção e entre si *que lhes permitiam autorreproduzir-se tais como eram*. Segundo essa explicação, o que distingue as relações de produção pré-capitalistas é que elas oferecem aos produtores diretos todos os meios de reprodução.

A condição de manutenção dessa posse era a comunidade camponesa, e sua consequência era o fato de os senhores necessitarem de meios "extraeconômicos" para tomar excedentes que, por sua vez, exigiam a reprodução de suas próprias comunidades. A estrutura dessas relações de propriedade era então reproduzida "pelas comunidades de senhores e agricultores que tornavam possível a reprodução econômica de seus membros individuais"[10]. Dadas essas relações de propriedade, reproduzidas por comunidades de governantes e produtores diretos em conflito, os senhores e os camponeses adotavam as estratégias econômicas que melhor mantivessem ou aprimorassem sua situação – o que Brenner chama de

---

[9] BRENNER, Robert. "Bourgeois Revolution and Transition to Capitalism". In: A. L. Beier et alii (eds.), *The First Modern Society*, Cambridge, 1989, p. 280.

[10] Idem, ibidem. p. 287.

regras de reprodução. O resultado agregado dessas estratégias foi o padrão feudal característico de desenvolvimento.

A transição para uma nova sociedade com os novos padrões de desenvolvimento resultou assim não somente no desvio de um modo de produção para outro modo alternativo, mas na transformação das relações de propriedade existentes das regras feudais de reprodução para as novas regras capitalistas. De acordo com essas novas regras, a separação dos produtores diretos dos meios de produção e o fim dos modos "extraeconômicos" de extração deixariam apropriadores e produtores sujeitos à competição e capazes de – na verdade, obrigados a – agir em resposta às exigências de lucratividade sob as pressões competitivas. Isso levantou uma questão nova e diferente sobre a transição do feudalismo para o capitalismo: "o problema de explicar a transformação das relações de propriedade pré-capitalistas em relações de propriedade capitalistas por meio da ação da própria sociedade pré-capitalista"[11].

Foi este o desafio que Brenner resolveu enfrentar: oferecer uma explicação da transição para o capitalismo que dependa inteiramente da dinâmica das relações feudais e de suas condições de reprodução, sem necessariamente encontrar o capitalismo no modo anterior nem apresentá-lo como uma opção viável[12]. Esse projeto exige também o reconhecimento de que as relações de propriedade pré-capitalistas têm lógica e tenacidade próprias, não podem ser desqualificadas pelo pressuposto convencional de que as pessoas são motivadas pela necessidade de adotar a próxima opção disponível (capitalista), uma necessidade a que as estruturas existentes não são capazes de resistir.

Isso é algo que o modelo de Roemer se mostra sistematicamente incapaz de levar em conta; e sob esse aspecto ele não é diferente de uma longa tradição que recua até Adam Smith, uma tradição que inclui marxistas (até mesmo o jovem Marx) bem como não marxistas. Na verdade, admitir a existência do capitalismo a fim de explicar seu surgimento, explicar a transição do feudalismo para o capitalismo pela premissa da existência anterior de estruturas e motivações capitalistas tem sido a regra, e não a exceção. Mas as relações do capitalismo e as compulsões associadas da acumulação de capital, a lógica específica do capitalismo e seus imperativos sistêmicos não podem de forma alguma ser deduzidos das relações dominantes do feudalismo, nem descobertas em seus "interstícios". As relações e os imperativos

---

[11] Idem, ibidem. p. 293.

[12] Na contribuição para a coleção sobre *Analytical Marxism*, Cambridge, 1986, editada por Roemer, que apresenta em forma esquemática seu relato da transição, Brenner argumenta que a explicação convencional do desenvolvimento do capitalismo baseada em grande parte em Adam Smith pressupõe exatamente o fenômeno extraordinário que precisa ser explicado; que as relações de propriedade sejam entendidas como "relações de reprodução"; que as economias pré-capitalistas tenham sua própria lógica e "solidez", que são negadas pela visão convencional; que o desenvolvimento capitalista é um acontecimento mais historicamente limitado e específico do que admitem as teorias que o atribuem a alguma lei universal de progresso técnico; e que a história da transição não pode ser explicada pela premissa de que existe a correspondência necessária entre as ações de interesse próprio dos atores individuais e os requisitos do crescimento econômico. Sob todos esses aspectos, sua argumentação vai diretamente contra as premissas básicas de Roemer e contra o determinismo tecnológico de Cohen. Sua argumentação esquemática nesse volume, ao contrário das contribuições dos marxistas da escolha racional, baseia-se na pesquisa histórica e na premissa de que o trabalho de explicação histórica deveria ser feito antes da apresentação analítica.

do capitalismo também não podem ser deduzidos da mera existência de cidades, com base na premissa – não confirmada lógica nem historicamente – de que as cidades são capitalistas por natureza.

Uma teoria geral da especificidade histórica

Voltaremos ao tema das cidades, do capitalismo e da explicação por petição de princípio das questões históricas no próximo capítulo. Neste, precisamos apenas observar as diferenças entre Brenner e Roemer e as implicações que elas tiveram para a teoria marxista da história. Em primeiro lugar, as diferenças empíricas: a história do desenvolvimento capitalista de Brenner coloca em debate praticamente todas as questões propostas no cenário imaginário de Roemer. Em seu relato, o capitalismo não existe "paralelamente", por milagre, à economia feudal, nem é um produto de interesses mercantis das cidades que competem com os interesses feudais do campo. Os produtores diretos não fogem do campo para se tornar artesãos ou proletários incorporados à economia capitalista. Apesar de o capitalismo certamente pressupor a existência de mercados e comércio, não se pode afirmar que mercados e comércio, que existem desde o início da história conhecida, sejam intrínseca ou mesmo tendenciosamente capitalistas. Na visão de Brenner, a transição para uma forma de sociedade claramente *capitalista* é um processo desencadeado pela transformação das relações agrárias, sob condições particulares que pouco têm a ver com a simples expansão do comércio.

Na verdade, esse relato (bem como outros no famoso "Debate sobre a Transição"[13]) começa por lançar dúvida sobre o antagonismo inerente aos mercados e às profissões em relação à ordem feudal. Não são o capitalismo nem o mercado como "opção" ou *oportunidade* que precisam ser explicados, mas a emergência do capitalismo e do mercado capitalista como *imperativos*. Brenner oferece uma explicação das condições muito especiais em que os produtores diretos no campo foram submetidos aos imperativos de mercado, em vez do surgimento de "opções" para os produtores diretos, oportunidades oferecidas a eles pelos interesses comerciais nas cidades.

Nos modelos tradicionais do determinismo tecnológico e da "revolução burguesa", combinados com seus correspondentes não marxistas, uma sociedade capitalista que já existia simplesmente amadurece. No modelo de Brenner, "um tipo de sociedade se transforma em outro". Não se trata do fato de na sua análise a cidade ser substituída pelo campo, nem do fato de profissões e comércio terem um papel meramente marginal, mas, pelo contrário, é o fato de Brenner reconhecer a *especificidade* do capitalismo e suas "leis de movimento" características, o que também implica o reconhecimento da necessidade de explicar como profissões

---

[13] HILTON, Rodney (ed.), *The Transition from Feudalism to Capitalism*, Londres, 1976. [Ed. bras.: *A transição do feudalismo para o capitalismo*. Rio de Janeiro, Paz e Terra, 1977.] Ver também HILTON, "Towns in English Feudal Society". In: *Class Conflict and the Crisis of Feudalism: Essays in Medieval Social History*, Londres, 1985.

e comércio (para não mencionar as cidades), que já existiam desde o início da história conhecida, tornaram-se diferentes do que sempre foram. Desnecessário dizer que a existência das cidades e das formas tradicionais de comércio por toda a Europa (e em outras partes) foi uma condição necessária da existência do padrão especificamente inglês de desenvolvimento, mas dizê-lo é muito diferente de explicar como elas adquiriram uma dinâmica caracteristicamente *capitalista*. Brenner tem ainda de explicar o papel das cidades e da economia urbana no desenvolvimento econômico da Europa; mas, ao explicar como o *mercado* assumiu um papel qualitativamente novo nas relações de produção agrária, à medida que os produtores diretos eram privados de acesso fora do mercado aos meios de sua própria autorreprodução, ele estabeleceu o contexto no qual o papel sistêmico das cidades e do comércio foi transformado.

Essa explicação tem significativas implicações teóricas, especialmente por desafiar as premissas do determinismo tecnológico. A história de Brenner sugere que não existe necessidade histórica de as "estruturas econômicas" menos produtivas serem seguidas por outras mais produtivas e enfatiza a especificidade histórica das condições em que o processo de crescimento "autossustentado" foi inicialmente estabelecido. A resposta de Roemer a esse desafio é simplesmente que o capitalismo se espalhou a outras partes da Europa, ainda que tenha surgido inicialmente na Inglaterra, de forma que a evidência de Brenner não contradiz a versão de Cohen do materialismo histórico, com sua lei universal do determinismo tecnológico. Mas, sem levar em conta o tratamento arrogante do tempo histórico e o tratamento semelhante do espaço geográfico, sua resposta depende de se tratar *a priori* o processo historicamente específico de expansão capitalista como uma lei trans-histórica da natureza.

Quando Roemer invoca a universalidade do desenvolvimento capitalista, ou no mínimo sua chegada a outras partes da Europa, ele está admitindo como verdade que esse fato indica um processo universal de avanço tecnológico. Mas isso é apenas um meio de evitar o problema. O capitalismo em si vem mostrando, desde o início, uma clara capacidade de expansão e universalização, uma capacidade enraizada nas pressões específicas de acumulação, competição e desenvolvimento da produtividade do trabalho. A argumentação de Brenner, ao contrário do determinismo tecnológico, evita admitir sem discussão o desenvolvimento universal do capitalismo, subordinando-o a uma lei qualquer de mudança tecnológica, mas, ao contrário, explica como condições historicamente específicas produziram os imperativos tecnológicos que são característica *única* do capitalismo e sua *única* motivação expansionista. Ao buscar na dinâmica do próprio feudalismo a força motriz da transição do feudalismo, e não na leitura de princípios e motivações capitalistas da história, nem pela pressuposição de uma "teoria geral" qualquer de movimento, Brenner desafia toda a noção da teoria histórica vista como uma descrição geral de leis universais que se movem numa direção predeterminada. Não somente ele questiona as credenciais histórico-materialistas de tal teoria por atribuí-la a uma fase pouco desenvolvida da obra de Marx, ainda presa acriticamente ao pensamento burguês clássico; mas todo o seu projeto histórico confirma a visão de que uma teoria da história que subordina todo o processo de desenvolvimento desde a Antiguidade clássica até o capitalismo (para não falar de toda a história do mundo) a uma lei do movimento universal e essencialmente unilateral teria de ser tão geral a ponto de se tornar vazia. Afinal, qual a utilidade de uma "teoria" de progresso tecnológico que se afirma igualmente compatível com os momentos de rápido aprimoramento técnico e longas épocas de estagnação ou de "petrificação"[14]?

Uma coisa é dizer que o capitalismo favorece de maneira ímpar o desenvolvimento tecnológico. Outra coisa muito diferente é afirmar que o capitalismo se desenvolveu "porque" favorece o desenvolvimento tecnológico, ou que o capitalismo tinha de se desenvolver porque, de alguma forma, a história exige o desenvolvimento das forças produtivas, ou que sistemas menos produtivos são seguidos necessariamente por outros mais produtivos, ou que o desenvolvimento das forças produtivas é o único princípio conhecido do movimento histórico de um modo de produção para outro. Uma vez que se admita o imperativo específico do capitalismo de aprimorar as forças de produção – como o admite até o mais renhido determinista tecnológico –, parece mais eficiente (segundo o princípio da navalha de Ockham) e menos evasivo dizer que a universalidade do capitalismo demonstra a *especificidade* de seu impulso de aprimoramento das forças produtivas, seu impulso e sua capacidade competitivos e expansionistas, em vez da *generalidade* do determinismo tecnológico. De qualquer forma, essa proposição é mais consistente com a variedade de padrões de desenvolvimento que se manifestou ao longo da história.

A característica mais nítida do materialismo histórico – a que o diferencia mais radicalmente, tanto na forma como na substância, das teorias "burguesas" convencionais de progresso – não é a obediência a uma lei geral do determinismo tecnológico. É, na verdade, um foco (como o que caracteriza a mais completa e sistemática das obras do próprio Marx, a crítica da economia política que ele efetivamente praticou e a análise que fez do capitalismo) sobre a especificidade de todo modo de produção, sua lógica endógena de processo, as "leis de movimento" específicas de cada um e suas crises características – ou, conforme a fórmula de Brenner, suas próprias regras de reprodução.

Não se trata simplesmente de distinguir uma "teoria geral" da história de uma teoria "especial" do capitalismo. É uma teoria diferente (e geral) de história, cujo principal exemplo é a história do capitalismo com suas leis específicas de movimento. O determinismo tecnológico assume a forma de previsões retrospectivas ou mesmo teleológicas, com o benefício do conhecimento do que realmente ocorreu, com tamanho grau de generalidade que nenhuma evidência empírica é capaz de falsificá-lo, ao passo que o materialismo histórico exige especificação empírica que não pressupõe um resultado predeterminado. Mas, se a marca de uma teoria é a existência de "pontos fixos" que permanecem constantes para todas as suas aplicações específicas, há aqui pontos fixos mais que suficientes – em particular, o princípio de

---

[14] Foi o próprio Marx quem insistiu que o capitalismo é único no impulso de revolucionar as forças produtivas, enquanto outros modos de produção tenderam a conservar as forças existentes, e que a "petrificação" foi provavelmente a regra, e não a exceção. Ver, por exemplo, *O capital* I, Moscou, 1971, p. 456-7. Visão semelhante aparece no Manifesto Comunista, que, sob outros aspectos, ainda se prende à teoria inicial e acrítica da história.

que na base de toda forma social existem relações de propriedade cujas condições de reprodução estruturam os processos históricos e sociais.

O marxismo precisa de uma visão unilinear da história?

Uma das críticas mais sérias e mais frequentes lançada contra o marxismo é a de que ele adota uma visão mecânica e simplista da história, segundo a qual todas as sociedades estão predestinadas a passar por uma única sequência inexorável de estágios a partir do comunismo primitivo, passando pelo feudalismo até finalmente chegar ao capitalismo que, inevitavelmente, se renderá ao socialismo. O que se discute nessa crítica não é apenas o valor do marxismo como teoria da história e sua apregoada incapacidade de explicar a variedade de padrões históricos que se veem no mundo, mas também a viabilidade do próprio projeto socialista. Se o marxismo está errado com relação ao curso unilinear da história, ele certamente estará errado acerca da inevitabilidade – ou até mesmo da possibilidade – do socialismo.

Essa crítica do marxismo como teoria da história tornou-se progressivamente mais difícil de sustentar diante do volume de boa história marxista que a contradiz com toda clareza. Apesar da tenacidade de sua caracterização como determinismo unilinear, o grande e crescente corpo da historiografia marxista forçou os críticos a abrir outra frente de ataque. Mesmo antes do colapso do comunismo, já nos informavam que sem uma história mecanicamente determinista e unilinear o marxismo não poderia existir. Depois de perder o controle da própria vida, a sua concepção profundamente errada da história, o marxismo morreu. E com a história marxista vai-se também o projeto socialista, uma vez que pode não haver mais motivos para se acreditar que a história lançou as bases do socialismo.

Contudo, é preciso que se diga que os críticos do marxismo nunca estiveram sozinhos na crença de que alguma coisa vital se perdeu com a concepção unilinear da história e que a convicção socialista deverá sofrer sérios danos com o abandono da crença simples num padrão universal de história caracterizado em particular por um crescimento inexorável das forças produtivas. Essa consideração está certamente representada, por exemplo, na tentativa de G. A. Cohen de reviver o marxismo tecnológico-determinista (e na adaptação de Cohen feita por Roemer). Há críticos, bem como advogados, convictos de que o projeto socialista se enfraqueceu pela perda da fé numa teoria da história segundo a qual o socialismo é a culminância de um padrão universal de evolução histórica. O marxismo, de acordo com essa visão, exige uma concepção (mais ou menos) linear da história concebida como um padrão universal de crescimento sistemático e constante das forças produtivas; sem ela, o projeto socialista fica profundamente comprometido, pois de sua concepção da história depende a convicção de que a ascensão inevitável do capitalismo há de preparar o terreno para o socialismo com igual inevitabilidade.

Estou afirmando aqui que o materialismo histórico não é nem agora, nem nas suas origens, um determinismo tecnológico; que sua grande força está não em uma concepção unilinear da história, mas numa sensibilidade às especificidades históricas. Resta demonstrar que o projeto socialista nada tem a perder com o repúdio de um determinismo tecnológico unilinear; e para tanto é necessário primeiro um exame detalhado da teoria marxista da história e da diferença entre determinismo tecnológico e materialismo histórico.

Foi assim que um severo crítico do marxismo caracterizou um dos "erros mais desastrosos" do pensamento marxista. Embora Marx afirmasse reconhecer as particularidades de culturas específicas e a variabilidade do desenvolvimento econômico, sustenta esse crítico, ele "adotou a crença em algo semelhante a uma lei do desenvolvimento crescente das forças produtivas ao longo da história humana. Ele o afirmou não apenas como um fato histórico bruto ou mera tendência, mas como o princípio unificador da história humana"[15]. Sobre essa pedra desabou todo o projeto marxista. Toda tentativa de sustentar essa visão

> tem forçosamente de enfrentar o fato inconveniente de que a expansão sistemática e contínua das forças produtivas ao longo de muitos séculos parece ter ocorrido na Europa capitalista e em seus rebentos, e em nenhum outro lugar. Explicar a singularidade do desenvolvimento capitalista gera a crítica mais fundamental do esquema marxista de interpretação histórica. Pois, ao contrário da tentativa de reconstrução do materialismo histórico sob a forma do funcionalismo darwinista empreendido por [G. A.] Cohen, só *no modo capitalista de produção* existe um mecanismo para separar os arranjos ineficientes de produção. Na economia de mercado capitalista, há um poderoso incentivo para as empresas inovarem tecnologicamente e para adotarem as inovações pioneiras de outros, pois as firmas que insistem em usar tecnologias menos eficientes perdem mercado, têm lucros declinantes e, finalmente, são fechadas. Nada semelhante a esse mecanismo de seleção pela competição no mercado se encontra nas economias de comando socialista existentes. A defesa que Cohen faz da Tese do Desenvolvimento não há de prevalecer porque tenta explicar a substituição de um modo de produção por outro, invocando um mecanismo que aparece internamente apenas num único modo de produção, o capitalismo de mercado.

John Gray toca no ponto nevrálgico ao insistir na singularidade do capitalismo e na caracterização desse sistema como movido de forma ímpar por um "incentivo poderoso" para revolucionar as forças produtivas, tanto que parece não haver sentido em mostrar que Marx tenha sido o primeiro a pensar nele[16]. Na realidade, essa visão da especificidade do capitalismo é a essência da crítica de Marx sobre a economia política. Um dos principais objetivos de sua descrição do capitalismo é oferecer uma explicação desse "poderoso incentivo", os imperativos únicos que impelem o capital a buscar a autoexpansão constante e que criam a motivação exclusivamente capitalista para aumentar a produtividade do trabalho. Sob esse aspecto, a unicidade do capitalismo, longe de constituir uma dificuldade para o marxismo, é o verdadeiro núcleo de seu ser teórico. Foi Marx quem primeiro ofereceu uma explicação sistemática desse fenômeno único; de fato, foi Marx

---

[15] GRAY, John. "The System of Ruins", *Times Literary Supplement*, 30/12/1985, p. 1460.

[16] Há uma tendência para se exagerar o grau de "estagnação" característico de outras sociedades não ocidentais. Entretanto, ainda assim é verdade que o desenvolvimento do capitalismo no Ocidente foi marcado pela pressão para revolucionar as forças de produção, e, especificamente, para desenvolver tecnologias e meios de trabalho cujo objetivo fosse aumentar a produtividade do trabalho e baratear os produtos (em vez de, por exemplo, aumentar sua durabilidade ou suas qualidades estéticas).

quem reconheceu que ele exigia explicação e não podia ser tomado sem discussão como inscrito na natureza humana – seja no desenvolvimento natural da razão humana, seja na inclinação para "trocar, escambar e comerciar", ou na ganância ou indolência humana. E são ainda os marxistas que fazem os esforços mais sérios para desenvolver e aprimorar essa explicação.

As explicações "burguesas" convencionais do desenvolvimento econômico e tecnológico, ao contrário, tenderam desde os primórdios da economia política clássica a depender, implícita ou explicitamente, de concepções "estagistas" unilineares de progresso em que o aprimoramento das "artes práticas" e a prosperidade material se fizeram acompanhar inexoravelmente pelo desenvolvimento da natureza humana, à medida que a humanidade evoluía desde a estrutura pastoril primitiva até a moderna sociedade "comercial". Economistas contemporâneos talvez tenham abandonado as perspectivas morais e históricas de seus predecessores, mas são ainda mais dependentes das premissas ocultas acerca da ganância natural dos seres humanos, do caráter "ilimitado" dos desejos humanos, da necessidade de acumulação e, daí, a tendência natural a desenvolver as forças de produção.

A HISTÓRIA UNIVERSAL OU A ESPECIFICIDADE DO CAPITALISMO?

Em *O capital* e em outros textos, Marx enfatiza a particularidade do impulso capitalista de revolucionar as forças produtivas: "a indústria moderna", criada pelo capital, é "revolucionária", enquanto "todos os outros modos de produção foram essencialmente conservadores"[17], contando com instrumentos, técnicas e métodos de organizar o trabalho, que, uma vez estabelecido, tendia a se "petrificar"[18]; a classe capitalista exige mudança constante na produção, enquanto as classes anteriores exigiam estabilidade:

> A burguesia não tem condições de existir sem revolucionar continuamente os instrumentos de produção, e consequentemente as relações de produção e todas as relações sociais. Conservação em forma inalterada dos antigos modos de produção foi, portanto, a condição primeira de existência das primeiras classes industriais.[19]

Ainda mais significativa é a visão de Marx de que o objetivo particular da mudança tecnológica no capitalismo é próprio desse sistema, sendo diferente de todo objetivo universal que pudesse ser atribuído à humanidade em geral, como a "economia de esforços" ou o "alívio do trabalho duro". Marx insiste repetidamente que o desenvolvimento capitalista das forças produtivas não visa reduzir o "tempo de trabalho necessário para a produção material em geral", mas aumentar o "tempo de trabalho excedente das classes trabalhadoras"[20]. "No que concerne ao capital, a produtividade não aumenta por economia de trabalho vivo em geral, mas somente por meio da economia da parte

---

[17] MARX, Karl. *O Capital* I, p. 457.
[18] Idem, ibidem. p. 456.
[19] *Manifesto Comunista*, também citado em Marx, *O Capital* I, p. 457.
[20] MARX, Karl. *O Capital* III, p. 264.

paga do trabalho vivo..."²¹. Ao comentar a observação de J. S. Mill segundo a qual "é questionável que todas as invenções mecânicas feitas até hoje tenham aliviado o trabalho diário do ser humano", Marx observa que esse não é,

> de forma alguma, o objetivo das aplicações capitalistas de maquinário. Como todos os outros aumentos da produtividade do trabalho, o maquinário visa reduzir o preço das mercadorias e, ao reduzir essa parte do dia útil em que o trabalhador trabalha para si mesmo, aumentar a outra parte que ele dá, sem equivalente, para o capitalista. Ou seja, é um meio de produzir mais-valia.²²

Em outras palavras, mesmo que haja uma tendência geral inerente à natureza humana de buscar meios de "economizar esforço" ou de "aliviar o trabalho", a motivação específica do capitalismo de revolucionar as forças produtivas não é redutível a ela. Ainda nos resta o problema de determinar a origem de um impulso específico do capitalismo. Em resumo, temos de distinguir fundamentalmente entre toda tendência geral de melhoria das forças produtivas (ao que voltaremos daqui a pouco) e a tendência específica do capitalismo de revolucionar as forças de produção.

A ênfase na unicidade do capitalismo e na sua motivação evolucionária – e a consequente negativa da unilinearidade – não é, portanto, uma aberração ou um deslize momentâneo, ainda que fatal, no marxismo. Desde a origem, ela está profundamente embutida na própria análise de Marx, à qual é intrínseca. Basta isso para nos acautelar contra qualquer premissa fácil de que o "abandono" de um determinismo tecnológico unilinear esteja no centro do processo marxista. Como então se poderia combinar essa ênfase não apenas com uma teoria geral marxista da história, mas também com a convicção marxista de que o socialismo é o "fim lógico" de um processo histórico geral?

Há quem afirme que quando se trata de uma teoria da história, pelo menos para os marxistas, é tudo ou nada, unilinearismo ou caos, predestinação ou abismo. Se não conseguem expressar uma sequência universal e inexorável de estágios históricos, os marxistas não podem, é o que parece, alegar ter a capacidade de explicar os processos históricos. Não terão condições de identificar padrões ou lógica na história; podem apenas descrever uma mistura caótica e arbitrária de contingências:

> O abandono do unilinearismo levanta problemas muito profundos. Se for rejeitado e não substituído, pode-se perguntar se restará alguma teoria ou se restará apenas o entulho de uma teoria. O marxismo se propõe a ser uma teoria da mudança histórica, que oferece a chave da sua força motriz e, presumivelmente, de seu padrão geral. Se é possível que qualquer tipo de sociedade siga outro tipo qualquer, sem restrições, se as sociedades podem se estagnar para sempre, que significado se pode associar à atribuição de primazia às forças de produção, ou mesmo a qualquer outra coisa? Se não há restrições aos padrões possíveis de mudança, qual o sentido de procurar o mecanismo oculto ou o segredo da restrição, se não há restrição a ser explicada? Se tudo é possível, o que a teoria deveria explicar? E qual a teoria verdadeira?

---

[21] Idem, ibidem. p. 262.
[22] MARX, Karl. *Capital I*, p. 351.

Os marxistas ocidentais que rejeitam despreocupados o unilinearismo como um estorvo desnecessário e irritante, sem nem mesmo pensar em substituí-lo por outra coisa, não parecem entender que tudo o que lhes restará é um rótulo, não uma teoria. Apesar de ser realmente falso, a rejeição irrestrita do unilinearismo esvazia o marxismo.[23]

Isso parece um extraordinário mal-entendido, não apenas do marxismo, mas das consequências da teoria e da explicação históricas. É mesmo verdade que, na ausência do unilinearismo, "qualquer tipo de sociedade siga outro tipo qualquer, sem restrições"? O abandono do unilinearismo significa realmente que "tudo seja possível"? Por se recusarem a aceitar que a história humana seja composta de um progresso inexorável desde o comunismo primitivo, passando pela escravidão e o feudalismo, até chegar ao capitalismo, serão os marxistas obrigados a aceitar, por exemplo, que o capitalismo possa surgir de uma sociedade pastoril, que a "indústria moderna" possa surgir diretamente da agricultura primitiva, que uma economia predadora tenha condições de sustentar uma estrutura feudal? Serão obrigados a reconhecer que um sistema de produção que gera pouco excedente possa sustentar um estado pesado ou um estabelecimento religioso e uma cultura material luxuriante? Nada restará realmente da teoria marxista, no caso da negação do unilinearismo, que negue a possibilidade de todas essas anomalias históricas?

Com essa visão maniqueísta das alternativas, é difícil ver como uma teoria – ou mesmo uma explicação histórica – seja possível. O marxismo precisa de fato do unilinearismo para ter uma "teoria da mudança histórica"? O unilinearismo é uma teoria da mudança ou não passa de uma tentativa de evitar a explicação da mudança histórica mediante a substituição da pergunta por uma sequência mecânica de estágios, ao passo que o objetivo da teoria marxista sem o unilinearismo é exatamente oferecer a "chave" das forças motrizes do processo histórico?

A teoria da história de Marx não assume a forma de proposições como "ao comunismo primitivo segue-se (necessariamente) a escravidão etc.", mas, ao contrário, proposições como

> a chave fundamental do desenvolvimento do feudalismo e das forças que operaram durante a transição para o capitalismo deve ser encontrada no modo específico de atividade produtiva característico do feudalismo, a forma específica em que a mais-valia era tomada dos produtores diretos, e os conflitos de classe em torno desse processo de extração de mais-valia.

Proposições como essa reconhecem completamente tanto a especificidade histórica como as restrições estruturais. Ela é geral e específica no sentido de que oferece uma orientação *geral* para a descoberta da "lógica de processo" específica de qualquer forma social dada; e o próprio Marx, é claro, aplicou esses princípios gerais – relativos à centralidade da atividade produtiva e à forma específica em que "se extrai mais-valia dos produtores diretos" – numa análise monumentalmente detalhada e frutífera do capitalismo e suas "leis de movimento" muito específicas.

---

[23] GELLNER, Ernest. "Along the Historical Highway", *Times Literary Supplement*, 16/03/1984, p. 279. Este relato tem muito em comum com as visões pós-marxistas do marxismo e da história.

"Contradição" e desenvolvimento das forças produtivas

Então, em meio a tudo isso, onde aparecem as forças de produção?[24] A proposição de que a história seja apenas o progresso inexorável das forças produtivas é vazia e inconsistente de acordo com a análise de Marx do capitalismo. Ela acomoda toda uma gama de possibilidades, desde a revolução das forças produtivas sob o capitalismo até a tendência de as forças produtivas se "petrificarem" nas sociedades pré-capitalistas. O sentido em que isso é verdadeiro tem valor explicativo muito limitado e passa ao largo da questão crítica do desenvolvimento capitalista. Evidentemente, não se discute que numa perspectiva bastante longa o desenvolvimento das forças produtivas materiais tenha tido o caráter geral de evolução; mas isso significa apenas que as mudanças nas forças de produção tendem a ser acumulativas e progressivas, que uma vez ocorrido um avanço raramente ele se perde completamente, e que a regressão seja excepcional no longo prazo. Se isso é verdade, ainda é possível caracterizar como evolutivos e "direcionais" esses desenvolvimentos (e *não* teleológicos), no sentido de que há uma tendência progressiva geral e cada desenvolvimento se faz acompanhar de novas possibilidades e de novas necessidades[25]. Mas isso nada nos diz acerca do vigor, da frequência, da rapidez ou da extensão da mudança; nem contradiz o entendimento, expresso por Marx, de que "petrificação" tem sido mais a regra que a exceção.

Mudança tecnológica e melhoramentos da produtividade do trabalho não são as únicas formas de adaptação feitas pelas sociedades para as suas necessidades materiais ou exigências de exploração das classes dominantes; e os sistemas de produção não são necessariamente obrigados a ser sucedidos por sistemas mais "produtivos". Trata-se mais uma vez de uma característica específica do capitalismo exigir a constante transformação das forças produtivas como principal forma de adaptação. Se essa obrigação se tornou uma regra mais geral é porque uma das principais consequências do impulso capitalista foi a capacidade – e a necessidade – sem precedentes de expulsar outras formas sociais, ou de lhes impor sua lógica.

Assim, apesar de a evolução das forças produtivas ser um dado importante para o entendimento do processo histórico, há limites estritos para sua força explicativa. Acima de tudo, não se deve entender que a observação de que a história foi em

---

[24] O conceito de força produtiva inclui mais que as simples forças e tecnologias "materiais"; mas o que geralmente entra em discussão nesses debates são os instrumentos, técnicas e formas organizacionais que têm o efeito de aumentar a capacidade produtiva.

[25] Erik Olin Wright, em resposta à crítica de Anthony Giddens sobre a teoria da história de Marx ("Gidden's critique of Marx", *New Left Review* 138, 1983, especialmente p. 24-9), mostra como uma proposição mais limitada acerca do desenvolvimento das forças produtivas (como a que se propõe aqui), que não faça excessivas afirmações explicativas nem premissas injustificadas acerca da regra segundo a qual formas sociais menos produtivas são sucedidas por outras mais produtivas, é ainda assim consistente com o caráter acumulativo, evolutivo e "direcional" do desenvolvimento social. Ele propõe algumas sugestões cautelosas sobre a razão por que o desenvolvimento das forças produtivas é acumulativo, sem nada afirmar quanto a uma tendência universal de melhorar as capacidades produtivas; e, apesar de aceitar que os produtores diretos têm em geral interesse em reduzir o trabalho penoso, ele nega a existência de "pressão sistemática". De fato, segundo ele, ainda que nas sociedades anteriores às classes esse impulso – ainda que "muito fraco" – possa ter o efeito de incentivar o desenvolvimento das forças produtivas ou, no mínimo, a aceitação de melhoramentos introduzidos por outrem, nas sociedades de classes, o desejo de aliviar o trabalho não é o princípio operacional (p. 28). Em outras palavras, seu entendimento do evolucionismo marxista parece no geral compatível com a argumentação apresentada aqui. De qualquer forma, trata-se de um corretivo útil das alegações extravagantes geralmente feitas em relação ao desenvolvimento das forças produtivas.

geral marcada pelo desenvolvimento progressivo das forças produtivas signifique que o movimento histórico e a mudança social sejam movidos pelo impulso de melhoramento das forças de produção, ou que formas sociais surjam e desapareçam conforme promovam ou obstruam esse desenvolvimento[26].

O que dizer então da proposição de que a história é impelida para frente pelas *contradições* inevitáveis entre forças e relações de produção? Essa proposição é geralmente considerada o principal fundamento da teoria da história de Marx e merece um exame crítico e detalhado.

O princípio em questão é expresso mais ou menos assim: as forças de produção tendem a se desenvolver. Em algum ponto, elas são obrigadas a enfrentar os limites impostos pelas relações de produção que tornam impossível a continuação do desenvolvimento. Essa contradição leva as forças produtivas a romper o tegumento restritivo, obrigando à mudança das relações de produção e criando espaço para o avanço das forças. A principal fonte canônica desse princípio é o prefácio de Marx, de 1859, para *The Critique of Political Economy*, e não tenho a menor intenção de negar essa afirmação textual; nem pretendo criar polêmicas acerca da evidência textual ou de sua importância, mas dizer que tanto marxistas quanto seus críticos impuseram uma carga excessiva sobre os aforismos de Marx – principalmente os que tratam das contradições entre forças e relações de produção, e os que tratam de "base" e "superestrutura" –, sem levar em conta suas raridade, alegoria poética e economia de expressão, e sem colocar na balança o peso de toda a sua obra e o que ela nos diz acerca dos princípios teóricos. Mas, com ou sem o *imprimatur* de Marx, o princípio da contradição entre forças e relações de produção exige exploração.

Começarei por um exemplo citado contra minha versão de materialismo histórico por um crítico marxista que me censurou por dar pouca atenção às *contradições*, especificamente à contradição entre forças e relações de produção, como o principal mecanismo de transformação social significativa. O caso da Roma antiga é invocado para ilustrar como essas contradições sistemáticas (para distinguir de alguma ação "voluntarista" como a luta de classes) produzem a mudança histórica.

Em primeiro lugar, é assim que se descreve a contradição sistemática relevante na interpretação da história romana em que se baseia esta crítica:

> um declínio na oferta de escravos resultantes das baixas taxas de reprodução interna, que levaram à cessação das tentativas de criação de escravos, que reduziu a taxa de exploração, que então impôs a depressão complementar do trabalho livre para manter os níveis gerais de extração de excedentes.[27]

---

[26] Ver BRENNER, Robert. "The Origins of Capitalist Development", *New Left Review*, 104, 1977, p. 59-60.

[27] Este exemplo foi citado contra mim por Alex Callinicos em "The Limits of 'Political Marxism'", *New Left Review*, 184, 1990, p. 110-5. A citação é de Perry Anderson, "Class Struggle in the Ancient World", *History Workshop Journal*, 16, 1983, p. 68. Embora se possam levantar dúvidas quanto a esta explicação da história de Roma imperial, aqui não é o lugar para um debate sobre o declínio e a queda do Império. É suficiente que se diga que os comentários que vou fazer, relativos ao declínio das forças produtivas de Roma, são aplicáveis a qualquer relato plausível de declínio.

Seja ou não uma explicação adequada da passagem da antiguidade ao feudalismo, o que ela nos diz acerca do significado da contradição entre forças e relações de produção? E seria verdade que ela apoia a proposição de que a história avança à medida que forças produtivas em desenvolvimento rompem os obstáculos das relações de produção restritivas?

Este é um caso em que a classe apropriadora primitiva chegou aos limites da extração de excedentes e procurou compensar uma taxa decrescente de exploração por meio da depressão das condições dos produtores do campo para ampliar o alcance de seus poderes de apropriação. Não se trata de um caso em que forças dinâmicas forçam os limites das relações restritivas. Se as forças produtivas estavam "agrilhoadas", não era no sentido de que sua tendência intrínseca a se desenvolver estivesse contida, mas, ao contrário, no de que essa tendência estava em grande parte ausente, ou muito fraca, nas relações de produção vigentes, o que encorajava a expansão da extração extraeconômica de excedentes, em vez da melhoria da produtividade do trabalho.

Nem se poderia dizer que as relações de produção estivessem sendo forçadas a assumir uma nova forma mais propícia ao desenvolvimento das forças produtivas. Pelo contrário, era mais uma questão de as relações de produção se adaptarem aos limites das forças produtivas, uma reorganização da extração de excedentes para se ajustar às limitações da produção. À medida que a infraestrutura imperial – suas cidades, seus sistemas de estradas, sua riqueza, sua população – se desintegrava, e à medida que o Império se tornava cada vez mais vulnerável às invasões "bárbaras" (por povos que tinham forças produtivas menos desenvolvidas), o aparelho de apropriação de excedentes foi efetivamente reduzido à escala das forças produtivas existentes.

Apesar da escassez de evidências, pode-se até afirmar (como o fizeram Marx e Engels, por exemplo, em *The German Ideology*) que o resultado foi a destruição das forças produtivas, uma regressão em relação ao desenvolvimento da Antiguidade romana. De qualquer forma, muito tempo depois da "crise", na verdade depois de quase um milênio, o nível de vida material ainda permanecia muito baixo; e o crescimento econômico, quando ocorreu, baseou-se durante muito tempo não na melhoria da produtividade, mas na lógica extraeconômica da economia, a lógica da apropriação coercitiva e da pilhagem[28]. No devido tempo, o feudalismo trouxe algum desenvolvimento técnico (embora o grau ainda seja objeto de controvérsia); mas então, evidentemente, o fio causal entre a crise da Antiguidade e o desenvolvimento das forças produtivas já estava bem esgarçado. As ligações continuariam muito tênues mesmo que se revertesse a ordem de causalidade, partindo das forças de produção em desenvolvimento que pressionam as peias das relações restritivas de produção, até relações de produção que se alteram para encorajar o avanço das forças produtivas estagnadas. Se estivermos preparados para aceitar essa espécie de escala de tempo, poderemos com toda certeza alegar uma ligação causal direta entre quaisquer dois episódios históricos, ainda que muito separados,

---

[28] Ver por exemplo DUBY, Georges. *The Early Growth of the European Economy*, Ithaca, 1974, p. 269. [Ed. port.: *Guerreiros e camponeses*: os primórdios do crescimento econômico europeu, séc. VII-XII. Lisboa, Estampa, 1993.]

sem nos preocupar com a duração e a complexidade dos processos intervenientes; mas até que ponto essa explicação causal seria informativa? E ainda permanece uma dúvida se a disponibilidade (que não garantiria de forma alguma a generalização da *utilização*[29]) de inovações técnicas, quando ocorreram, determinou mudança social – tanto mais porque as diferenças entre as taxas e a direção das transformações sociais entre, digamos, a Inglaterra (onde finalmente surgiu o capitalismo agrário) e a França (onde se estabeleceu a estagnação agrária) não corresponderam a diferenças nas respectivas tecnologias feudais.

Podemos com certeza considerar o padrão romano um exemplo da contradição entre forças e relações de produção; mas, se o fizermos, deveremos nos referir a algo diferente até mesmo da formulação mais fraca desse princípio, por exemplo, que um "impulso fraco" de desenvolvimento das forças cria "uma assimetria dinâmica" entre forças e relações tal que "por fim as forças chegarão a um ponto em que estarão 'aguilhoadas', ou seja, um ponto em que se torna impossível o desenvolvimento adicional na ausência de transformação nas relações de produção"[30]. No caso de Roma, a "contradição" serviu como mecanismo de mudança não porque as forças estivessem se desenvolvendo além da capacidade das relações existentes, nem mesmo por provocar uma transformação capacitadora das relações sociais que tivesse o efeito de mudar as forças estagnadas de produção, mas, pelo contrário, por forçar as relações a cair até o nível das forças produtivas. Para aceitar este exemplo, então, teríamos de incluir entre os resultados possíveis da contradição a adaptação das relações de produção às "peias" das forças produtivas, e talvez até à destruição dessas forças.

Não é possível superar essas dificuldades pela simples adoção de alguma versão de explicação "funcional" (como propôs G. A. Cohen), que permita uma prioridade temporal nas mudanças das relações de produção desde que admitamos que a razão subjacente de tais mudanças seja a necessidade de fazer avançar as forças de produção. Essa espécie de "explicação" só operará como uma descrição geral da história se estivermos preparados para interpretá-la com generalidade inexpressiva que inclua todas as possibilidades, desde a melhoria revolucionária das forças produtivas até sua completa estagnação e regressão. Não se pretende aqui negar que inovações técnicas tenham ocorrido em sociedades pré-capitalistas, ou mesmo que tenha havido desenvolvimentos incrementais e acumulativos. A questão é saber se esses desenvolvimentos constituíram a força dinâmica que motivou a mudança histórica – seja (causalmente) antes ou ("funcionalmente") depois do fato[31]. Não se trata de

---

[29] Ver BRENNER, Robert. In: T. H. Aston e C. H. E. Philpin, eds., *The Brenner Debate: Agrarian Class Structure and Economic Development in Pre-Industrial Europe*, Cambridge, 1985, p. 32-233.

[30] Ver WRIGHT, "Giddens's Critique of Marx", p. 29.

[31] Na sua crítica citada acima, Callinicos não faz distinção entre proposições relacionadas com a ocorrência de inovações técnicas e as relacionadas com causas de mudança histórica. Por exemplo, ele acusa Brenner de não reconhecer diferenças em níveis de desenvolvimento entre diversas sociedades pré-capitalistas, mas Brenner não afirma nada semelhante. Sua argumentação não é que todas as sociedades pré-capitalistas estejam no mesmo nível de desenvolvimento tecnológico, mas, pelo contrário, que suas várias relações de propriedade têm em comum uma tendência a incentivar a expansão da extração extraeconômica de excedentes em vez da melhoria da produtividade do trabalho. É por isso que a incapacidade de melhorar a produtividade agrícola nesses casos tem menos a ver com indisponibilidade de novas técnicas do que com a subutilização até mesmo das tecnologias existentes (ver, por exemplo, as passagens citadas na nota 29).

uma questão que se possa resolver invocando *a priori* premissas universalistas e que fujam do problema relativas à direcionalidade progressiva da história.

É melhor não falar das forças de produção como se representassem um princípio autônomo do movimento histórico, de certa forma externo a todo sistema de relações sociais. Mesmo que haja no longo prazo uma direcionalidade cumulativa no progresso do conhecimento e da tecnologia humanos, as continuidades cumulativas da história não alteram o fato de que todo modo de produção distinto tem suas próprias ligações específicas entre forças e relações de produção, suas próprias contradições específicas – ou talvez devêssemos dizer, para usar a formulação de Brenner, suas próprias "regras de reprodução" específicas.

Voltemos ao caso de Roma, aceitando, apenas para efeito de argumentação, o relato do declínio da oferta de trabalho escravo acima citado. O que está em jogo é uma crise de apropriação. O que a torna uma crise não é o fato de as relações morosas de produção restringirem o desenvolvimento das forças produtivas (mais ou menos) dinâmicas. Pelo contrário, dentro dos limites das condições existentes, dentro do conjunto vigente de forças e relações produtivas, isso se deve ao fato de as classes principais já não serem capazes de usar suas estratégias normais de autorreprodução. A luta de classes entra no processo nesse ponto, e não apenas no ponto de transição, pois as estratégias de reprodução são determinadas não em isolamento, mas nas relações entre apropriadores e produtores. Quando atingem seus limites de viabilidade, as estratégias provavelmente se alteram.

Isso não implica necessariamente a adoção de estratégias mais propícias ao avanço das forças produtivas. Nas sociedades pré-capitalistas em geral, o resultado mais provável é uma adaptação do alcance e dos métodos de extração de excedentes, ou a reorganização das forças extraeconômicas que constituem o poder de apropriação, seja por exploração direta seja por pilhagem e guerra: o Estado, o aparelho militar etc. (Isso significa também que a vantagem possuída por qualquer sociedade em particular em relação a outras não precisa ser diretamente proporcional ao nível de suas forças produtivas[32]. Ao longo da história, não se pode generalizar as regras da competição capitalista internacional que oferece vantagem competitiva às economias mais produtivas – e mesmo nesse caso superioridade militar ou geopolítica não coincide necessariamente com produtividade. De qualquer forma, nas sociedades pré-capitalistas, a organização efetiva dos recursos extraeconômicos é provavelmente decisiva.) As capacidades produtivas disponíveis certamente estabelecem os limites do possível, mas dizer isso não é dizer que sistemas menos produtivos devem necessariamente ser seguidos por outros mais produtivos, nem mesmo que o impulso de desenvolvimento das forças produtivas determina a necessidade e a direção da mudança histórica.

Como o princípio da contradição entre forças e relações de produção, pelo menos de acordo com sua interpretação convencional, contorna o problema sem perguntar se e até que ponto as forças produtivas se desenvolvem ou são forçadas

---

[32] Um ponto de vista ligeiramente diferente pode ser encontrado em BERTRAM, Christopher. "International Competition in Historical Materialism", *New Left Review*, 183, 1990, p. 116-28.

a se desenvolver, dificilmente ele há de parecer menos vazio do que a lei geral do desenvolvimento tecnológico na sua forma mais simples. Pode-se dizer que existe um nível mínimo de forças produtivas sem o qual nenhum conjunto de relações de produção tem condições de se sustentar, e também é verdade que todo conjunto de relações de produção tem condições de permitir ou incentivar apenas um nível limitado de mudança das forças de produção e apenas numa faixa limitada de formas. Mas isso é completamente diferente de se sugerir a existência de um conjunto particular de forças produtivas que corresponda a qualquer conjunto de relações de produção (e vice-versa), ou que o desenvolvimento em um conjunto tenha de acompanhar passo a passo o desenvolvimento do outro.

As forças produtivas estabelecem as condições últimas do possível, e não há dúvida de que a emergência do capitalismo em particular exige que as forças de produção sejam, até certo ponto, desenvolvidas e concentradas (embora seja necessário lembrar o quanto era modesto o nível das forças produtivas na Europa no final do período medieval, enquanto, em compensação, outros regimes tecnológicos pelo menos igualmente adiantados – por exemplo, a China – não permitiram o surgimento do capitalismo). Entretanto, em qualquer estágio do desenvolvimento, as forças produtivas existentes têm condições de sustentar uma ampla gama de relações de produção; e as várias mudanças das relações de produção que ocorreram na história não podem ser explicadas apenas por referência ao desenvolvimento das forças produtivas, seja no sentido de que as primeiras seguiram as últimas, seja no sentido de que as primeiras mudaram "a fim de" remover obstáculos ao desenvolvimento das últimas.

AS CONTRADIÇÕES ESPECÍFICAS DO CAPITALISMO: HISTÓRIA *VERSUS* TELEOLOGIA

Ainda assim, o princípio da contradição entre forças e relações de produção talvez tenha um significado mais específico e frutífero, se não mais o tratarmos como uma lei geral da história – uma lei tão geral a ponto de ser vazia – e encará-lo como uma lei do desenvolvimento *capitalista*, um princípio interno ao modo capitalista de produção desde o seu início até o declínio, uma afirmação relativa à sua dinâmica e às suas contradições internas específicas. De fato, é precisamente nessa aplicação específica, e apenas nela, que o princípio recebeu elaboração detalhada do próprio Marx – e de tal forma que aparece não como uma lei geral, mas como uma característica específica do capitalismo, uma descrição das contradições reais que são associadas ao impulso unicamente capitalista de revolucionar as forças produtivas.

Por exemplo:

> A *verdadeira barreira* à produção capitalista é o *próprio capital*. É o fato de o capital e sua autoexpansão aparecerem como o ponto inicial e o ponto final, o motivo e a finalidade da produção; dado que a produção é simplesmente produção para o capital, e não vice-versa, os meios de produção não são apenas meios para a constante expansão do processo vivo da *sociedade* de produtores. Os limites dentro dos quais a preservação e a autoexpansão do valor do capital apoiados na expropriação e pauperização da grande massa de produtores podem se mover sozinhos – esses limites entram continuamente em conflito com os métodos de produção empregados pelo capital para seus fins, que impelem na direção

da expansão ilimitada da produção, com vista à produção como um fim em si, visando o desenvolvimento incondicional da produtividade social do trabalho. O meio – o desenvolvimento incondicional das forças produtivas da sociedade – entra em contínuo conflito com o fim limitado, a autoexpansão do capital existente. O modo capitalista de produção é, portanto, o meio histórico de desenvolvimento das forças materiais de produção e criação de um mercado mundial adequado, e é, ao mesmo tempo, um conflito contínuo entre esta, sua tarefa histórica, e suas próprias relações de produção social.[33]

Assim a fórmula resume tanto os princípios de movimento no interior do capitalismo, suas contradições dinâmicas internas, quanto as possibilidades contidas no capitalismo para a transformação da sociedade:

> A contradição entre o poder social geral em que se desenvolve o capital, de um lado, e o poder privado dos capitalistas individuais sobre as condições de produção, de outro, torna-se cada vez mais inconciliável, apesar de conter a solução do problema, porque implica, ao mesmo tempo, a transformação das condições de produção em condições sociais comuns e gerais. Essa transformação resulta do desenvolvimento das forças produtivas sob a produção capitalista, e dos meios e modos pelos quais ocorre esse desenvolvimento.[34]

Pode-se usar com cautela este princípio da contradição para iluminar retrospectivamente a transição do feudalismo para o capitalismo. Ele sugere que um modo de produção cujo princípio interno de movimento fosse revolucionar as forças produtivas não poderia ter surgido sem uma transformação das relações de produção e classes. Mas o significado dessas formulações retrospectivas, nas quais as *consequências* históricas são descritas como se fossem causas, não deve ser mal interpretado. Esta é uma das táticas preferida de Marx – como na famosa proposição de que "a anatomia humana contém uma explicação para a anatomia do macaco"; e que, em geral, é erroneamente entendida como teleologia. Neste caso, a formulação de Marx significa apenas que o ímpeto para transformar as forças produtivas não foi a causa, mas o resultado, de uma transformação das relações de produção e classe[35].

Se essa fórmula é útil como descrição do capitalismo, como lei geral da história, ela é completamente vazia e não se torna mais informativa pela proposição teleo-

---

[33] MARX, Karl. *Capital* III, p. 250.

[34] Idem, ibidem. p. 264.

[35] "A produção de mais-valia relativa revoluciona completamente os processos técnicos de trabalho e a composição da sociedade. Portanto, ela pressupõe um modo específico, o modo capitalista de produção, um modo que, junto com seus métodos, seus meios e suas condições, surge e se desenvolve espontaneamente sobre a base oferecida pela sujeição formal do trabalho ao capital. Durante esse desenvolvimento, a sujeição formal é substituída pela sujeição real do trabalho ao capital" (Marx, *O capital* III, p. 477-8). Em outras palavras, uma transformação das relações sociais de produção que permite o surgimento da "sujeição formal" do trabalho ao capital – a transformação dos produtores em trabalhadores assalariados diretamente submetidos ao capital sem primeiro transformar os meios e os métodos de produção – pôs em movimento um processo que teve como consequência final a revolução das forças produtivas. As relações capitalistas forçaram o aumento da mais-valia; e como a produção de mais-valia absoluta deu lugar à mais-valia relativa, a necessidade de aumentar a produtividade do trabalho foi atendida pela completa transformação do processo de trabalho, a "sujeição real" do trabalho ao capital. A revolução das forças produtivas foi assim apenas o fim de um processo complexo que se iniciou com o estabelecimento das relações sociais capitalistas.

lógica de que o capitalismo surgiu porque a história exige o desenvolvimento de forças produtivas, e o desenvolvimento das forças produtivas exige o capitalismo. E essa formulação circular não é de Marx. Quando ele fala da "tarefa histórica" do capitalismo, não pretende identificar causas nem explicar os processos que fizeram surgir o capitalismo; faz apenas uma afirmação relativa aos *efeitos* do desenvolvimento capitalista, e a faz especificamente do ponto de vista do socialismo. A afirmação de que "o modo capitalista de produção se apresenta a nós historicamente como uma condição necessária da transformação do processo de trabalho em processo social"[36] fala-nos um pouco sobre o que fez o capitalismo para tornar possível a transição para o socialismo. Mas nada nos diz sobre as leis da história em geral – nem explica como se estabeleceu um sistema em que a transformação das forças produtivas era realmente uma "lei do movimento" básica.

Certamente é significativo que nos relatos do próprio Marx sobre as transições históricas o desenvolvimento das forças produtivas tenha papel pequeno como força motriz primária. Isso é verdade mesmo em sua explicação da transição do feudalismo para o capitalismo. Suas descrições mais abrangentes das sociedades pré-capitalistas nos *Grundrisse*, e da transição histórica para o capitalismo – especialmente na seção que trata da "Acumulação primitiva" em *O capital* –, não invocam o desenvolvimento das forças produtivas como o impulso motivador da mudança histórica. Elas se baseiam de fato na premissa de que o fenômeno a ser explicado é exatamente a origem do impulso claramente capitalista de desenvolver as forças de produção.

Há duas maneiras de ver esse fato curioso. Uma é dizer que existe uma inconsistência fundamental entre a sua "teoria geral" – tal como claramente declarada no Prefácio de 1859 –, que trata o avanço das forças produtivas como a força motivadora da história em geral, e sua análise do capitalismo como *único* no impulso de favorecer o desenvolvimento tecnológico[37]. A alternativa, como já sugeri, é reconsiderar o que é "geral" na sua teoria geral. Mas é necessário ter sempre em mente que, se existe um único tema que predomina sobre todos os outros no materialismo histórico de Marx e na crítica da economia política que formaram o núcleo da obra de toda a sua vida, é uma insistência na especificidade do capitalismo. Se existe uma "teoria geral" consistente em sua obra, há de ser uma que se ajuste a esse princípio fundamental. E *aquela* teoria geral há de provavelmente, mais uma vez, consistir nos instrumentos teóricos – aplicados com notável efeito na crítica da economia política – que lhe permitiram identificar a especificidade do capitalismo e suas "leis de movimento" características.

Não há dúvida de que Marx nunca se preocupou em resolver as inconsistências entre seus aforismos acerca das forças de produção e sua insistência na especificidade

---

[36] MARX, Karl. *O capital* I, p. 317.

[37] É esta a posição, por exemplo, de Jon Elster, que, apesar de observar corretamente que Marx não invocou o desenvolvimento das forças produtivas no seu relato das transições históricas, insiste na inconsistência intrínseca à teoria da história de Marx. Ver *Making Sense of Marx*, Cambridge, 1985, cap. 5.

do capitalismo. Mas mesmo no contexto da "teoria geral" tecnológica (se isso ela realmente o é), há espaço para uma dinâmica especificamente capitalista. A questão crítica para Marx foi sempre o *impulso específico* do capitalismo de revolucionar as forças de produção, o que é diferente de qualquer tendência mais geral de melhorar as forças de produção que possam ser atribuídas à história como um todo. Nesse sentido, ele foi capaz de manter consistentemente os dois pontos de vista: o de que a história demonstra uma tendência geral de melhorar as forças de produção e o de que o capitalismo tinha uma necessidade e uma capacidade especiais de revolucionar as forças produtivas.

Desde o início de sua carreira, Marx nunca se desviou da visão de que o impulso capitalista é específico e sem precedentes e de que, fossem quais fossem as tendências progressivas geralmente observáveis na história, a lógica específica do capitalismo e sua compulsão específica de melhorar por meios técnicos a produtividade do trabalho não se reduzem a essas tendências gerais. Elas exigem explicação específica. Ele também deixou bem claro que o impulso capitalista de melhorar a produtividade do trabalho é completamente diferente de, e geralmente oposto a, toda inclinação humana geral de reduzir o trabalho. O impulso capitalista é, mais uma vez, aumentar a porção *não paga do trabalho*. Ele dedicou grande parte de sua vida a explicar essa dinâmica especificamente capitalista.

Marx conduz sua crítica da economia política, o núcleo de sua obra madura, diferenciando-se daqueles que aceitam sem discussão e universalizam a lógica e a dinâmica do capitalismo sem reconhecer a especificidade histórica de suas "leis" e sem procurar descobrir o que as produz. Contrariamente aos economistas políticos clássicos e a uma multidão de ideólogos da "sociedade comercial", Marx não partiu da premissa de que o "progresso" corporificado na sociedade moderna era apenas o resultado de um impulso inerente à natureza humana ou uma lei natural, mas insistiu sempre na especificidade da exigência capitalista de produtividade e na necessidade de se encontrar uma explicação para ela.

Foi o fato de ele ter identificado essa dinâmica específica que tornou possível levantar a questão da "transição" para o capitalismo e buscar uma explicação de como se aciona essa dinâmica, o que era impossível enquanto as pessoas postulavam as forças que precisavam ser explicadas. Marx nunca propôs uma explicação sistemática do processo histórico de transição, e suas discussões dos modos pré-capitalistas de produção nunca chegaram a ser mais que análises retrospectivas, parte de uma estratégia para esclarecer a operação do capitalismo e enfatizar a historicidade de suas leis e categorias. Mas ele deu o salto qualitativo necessário para tornar possível uma explicação da transição, e assim estabeleceu uma base para uma teoria geral da história que também iria tratar outros modos de produção em seus próprios termos específicos.

É especialmente irônico que essa estratégia adotada por Marx para acentuar a especificidade do capitalismo tenha sido confundida com um relato teleológico da história. Assim, por exemplo, seu famoso aforismo dos *Grundrisse*, segundo o qual "a anatomia humana contém uma explicação para a anatomia do macaco", foi descrito como uma afirmação de sua "postura teleológica" que está "intimamente associada à propensão à explicação funcional"[38]. Esse erro de entendimento é agravado pela sugestão de que o aforismo se aplica à relação teleológica entre comunismo e capitalismo exatamente como se aplica à relação entre os modos de produção capitalista e pré-capitalista.

Não se pode negar que às vezes Marx efetivamente analisa o capitalismo do ponto de vista do socialismo – ou seja, quando identifica o potencial do capitalismo para a transformação socialista. Mas esse procedimento de tratar o capitalismo em relação às sociedades pré-capitalistas tem um objetivo diferente. O capitalismo é capaz de oferecer uma chave para a sociedade pré-capitalista, no sentido proposto aqui, apenas porque ele existe concretamente e por ter gerado suas próprias categorias historicamente constituídas, cuja especificidade histórica Marx tenta demonstrar aplicando-as *criticamente* a formas pré-capitalistas. É precisamente este o sentido de sua *crítica* à economia política.

A questão não é que o capitalismo esteja *prefigurado* nas formas pré-capitalistas, mas, ao contrário, que o capitalismo representa uma *transformação* historicamente específica. Marx adota essa estratégia paradoxal a fim de contestar "os economistas que apagam todas as diferenças históricas e veem relações burguesas em todas as formas de sociedade"[39] – ou seja, contra o que poderia ser chamado de tendências teleológicas da economia política clássica, para a qual "relações burguesas" são a ordem de coisas natural e universal, o destino do progresso já presente em todos os estágios anteriores da história. Como o ponto de partida de Marx é a recusa de incorporar o capitalismo no processo histórico que o produziu, e especialmente de uma teoria da história em que todo modo de produção é acionado por suas próprias leis diferentes de movimento, seu procedimento característico é exatamente o oposto da explicação teleológica ou mesmo da funcional.

A transição para o capitalismo, então, é historicamente única porque representa o primeiro caso em que uma crise nas "regras de reprodução" produziu não apenas uma transformação dos modos de apropriação, mas um processo cujo resultado foi um impulso inteiramente novo e contínuo para revolucionar as forças de produção. É especificamente no capitalismo que o impulso dinâmico das forças produtivas pode ser visto como um mecanismo primário de mudança social. O capitalismo também é único em suas contradições sistêmicas particulares entre forças e relações de produção: o impulso sem precedentes para desenvolver e socializar as forças de produção – significativamente na forma da classe operária – força constantemente os limites de seu objetivo primário, a autoexpansão do capital, que às vezes é levada até mesmo a destruir capacidades produtivas, como os países capitalistas adiantados descobriram muito bem em anos recentes.

---

[38] Idem, ibidem, p. 54.
[39] MARX, Karl. *Grundrisse*, Harmonsworth, 1973, p. 105.

A história e a "necessidade" do socialismo

Se a contradição entre forças e relações de produção não oferece uma explicação para a *emergência* de uma forma social em que essa contradição tem papel *realmente* central, onde se poderia encontrar essa explicação? Quanto a isso, Marx sugere que o fator crítico é "o processo histórico de divorciar o produtor dos meios de produção", em particular o processo pelo qual produtores camponeses foram expropriados de sua terra[40]. Embora ele tenha algumas coisas a dizer a respeito desse processo, restou para outros historiadores explicar como e por que ele ocorreu e como gerou os imperativos especificamente capitalistas que revolucionam as forças materiais de produção. Essas questões foram de fato o assunto das frutíferas obras da historiografia marxista, em especial no "Transition Debate" [Debate sobre a transição] e na obra de Robert Brenner.

Se há em Marx uma declaração sistemática de uma "tendência muito geral" na história, uma direção única para a qual tendeu toda a história humana, então suas observações sobre a separação crescente dos produtores diretos dos meios de seu próprio trabalho, subsistência e reprodução são mais sistematicamente desenvolvidas (ver em particular a discussão das formações pré-capitalistas nos *Grundrisse*) e mais úteis que o determinismo tecnológico. E elas também fixam os termos de sua concepção de socialismo.

O marxismo tecnológico-determinista tende a sugerir que o objetivo do socialismo é aperfeiçoar o desenvolvimento das forças produtivas. Não é surpresa que essa versão do marxismo fosse a mais afinada com um regime soviético esmagadoramente preocupado com a rápida industrialização a qualquer preço. A outra versão do marxismo, que busca sua inspiração na caracterização feita pelo próprio Marx da história (ocidental) como a crescente separação dos produtores diretos dos meios de produção, sugere um projeto diferente para o socialismo: a reapropriação dos meios de produção pelos produtores diretos. O primeiro projeto, mesmo sem levar em conta as deformações stalinistas, seria provavelmente impelido por impulsos antidemocráticos, como se deu no caso da aceleração forçada do desenvolvimento econômico em prejuízo dos trabalhadores. O outro projeto tem em seu núcleo as mais altas aspirações democráticas, resumidas na definição de Marx do socialismo como, nos seus fundamentos, "uma associação livre de produtores".

Tratar o processo de expropriação como uma "tendência geral", pelo menos na história do Ocidente, tem muito a recomendá-lo politicamente; e, como um guia da história, ele certamente nos diz algo essencial acerca do longo processo histórico, que se estende do passado até a Antiguidade clássica que criou as condições para a emergência do capitalismo. Mas não substitui o método de Marx de descoberta de especificidades históricas, não somente a especificidade do capitalismo, mas, por extensão, das formas não capitalistas. E, mesmo como "tendência geral", o processo de expropriação em si é afetado pela especificidade de toda forma social, a relação

---

[40] MARX, Karl. *O capital* I, p. 317.

particular entre apropriadores e produtores diretos. De fato, esse é um processo particularmente difícil de se formular como "lei" – pelo menos na forma de leis trans-históricas –, por ser um processo de luta de classes cujo resultado específico deve, por definição, permanecer imprevisível. A teoria marxista tem condições de nos apontar a luta de classes como o princípio do movimento histórico e de nos oferecer os instrumentos para explorar seus efeitos, mas é incapaz de nos informar *a priori* como essa luta vai se desenvolver.

E, na verdade, por que deveria fazê-lo? O que a teoria marxista nos diz é que as capacidades produtivas da sociedade definem os limites do possível, e, mais especificamente, que o modo particular de extração de mais-valia é a chave da estrutura social. Ela nos informa também que a luta de classes gera um movimento histórico. Nada disso torna a história acidental contingente nem indeterminada. Por exemplo, ainda que o resultado da luta de classes não seja predeterminado, a natureza específica, as condições, o terreno de luta e a gama de resultados possíveis serão com toda certeza historicamente determinados: as lutas entre trabalhadores assalariados e capitalistas industriais em torno da extração de mais-valia são, desnecessário dizê-lo, estruturalmente diferentes das lutas entre camponeses e senhores feudais em torno das rendas. Cada uma dessas lutas tem sua própria lógica interna, completamente separada das especificidades de tempo e lugar. Uma aplicação específica desses princípios ofereceu uma explicação de como surgiu o capitalismo, como as relações capitalistas geraram (entre outras coisas) o impulso compulsivo para revolucionar as forças produtivas, como os imperativos da acumulação de capital tenderam a generalizar a lógica do capitalismo e a afogar os outros modos de produção, enquanto criavam as condições que colocam o socialismo na ordem do dia.

O socialismo pode, sem dúvida, ser entendido como uma construção sobre os desenvolvimentos do capitalismo, enquanto resolve suas contradições específicas; mas reconhecer a especificidade do capitalismo é, ao mesmo tempo, insistir na especificidade do socialismo, não apenas como extensão ou melhoramento do capitalismo, mas como um sistema de relações sociais com uma lógica intrínseca própria: um sistema que não é movido pelos imperativos da maximização dos lucros, da acumulação e do chamado "crescimento", com seu desperdício e sua degradação – material, humana e ecológica –, um sistema cujos valores e impulsos relativos não são limitados pelas noções restritivas do progresso tecnológico.

A dinâmica do capitalismo e seu impulso específico para transformar a produção criaram contradições e possibilidades para transformações adicionais. Uma consideração cuja importância não deve ser minimizada é que o capitalismo provocou o desenvolvimento de forças produtivas que estabelece uma base material sem precedentes para a emancipação humana. Mas sob o capitalismo, movido pela lógica do lucro, não há correspondência necessária entre capacidade produtiva e qualidade da vida humana. Uma sociedade com as mais avançadas forças produtivas, com capacidade para alimentar, vestir, abrigar, educar e tratar da saúde de sua população em grau que nem a mais visionária das utopias ousaria sonhar, pode, apesar de tudo, ser castigada por pobreza, decadência, falta de moradias, analfabetismo e até doenças de desnutrição. O projeto socialista teria como um de seus objetivos principais a eliminação dessas disparidades entre capacidade produtiva e qualidade de vida. O socialismo pode mesmo ser visto como o meio pelo qual as forças de produção se livrarão dos "grilhões" do capitalismo e desenvolver até um nível mais alto, desde que compreendamos exatamente o que isso significa: o socialismo libertará a capacidade criativa da humanidade dos imperativos da exploração e especificamente da compulsão capitalista de autoexpansão – que é diferente de continuar o desenvolvimento capitalista ao permitir uma revolução ainda mais "incondicional" das forças produtivas do tipo que o capitalismo pôs em movimento.

Na verdade, o socialismo se propõe desenvolver as forças de produção dando um fim a esse impulso especificamente capitalista. Vale a pena enfatizar esse fato apenas para dissociar o projeto socialista da lógica da acumulação capitalista e do determinismo tecnológico, conforme o qual aparentemente a missão histórica do socialismo é apenas melhorar o desenvolvimento e o progresso capitalistas. Esse tipo de mal-entendido não somente coloca em questão os efeitos libertadores da produção socialista, mas também, entre outras coisas, cria uma desconfiança entre pessoas cada vez mais sensíveis para os perigos ambientais de que o marxismo, tal como o capitalismo, é um convite ao "produtivismo" indiscriminado, ao "crescimento" insustentável e ao desastre ecológico.

Afinal, como o projeto socialista é afetado pela negação do unilinearismo e do determinismo tecnológico? Sem tal visão da história, o movimento socialista continua sem certas convicções de importância vital, especialmente a de que o socialismo não é somente a conclusão arbitrária de um processo histórico único e contingente, mas o resultado de uma lógica histórica universal, bem como uma resposta a necessidades e aspirações universais? Segundo um de seus críticos recentes, "o marxismo"

> é uma soteriologia coletiva. É uma fé que, embora não prometa salvação para os indivíduos, oferece-a enfaticamente para o conjunto da humanidade. É diferente do cristianismo em dois outros aspectos: a salvação não é seletiva nem condicionada pelo mérito ou seleção, mas descerá sobre todos nós se ainda aqui estivermos quando chegar o dia. Ela há de chegar sem condições nem discussão. Seremos todos salvos, queiramos ou não. O potencial para uma salvação final e inevitável está embutido no presente. A entelequia da salvação, a visão do caroço/árvore da mudança social, é fundamental para o marxismo, e constitui uma importante parte de seu encanto.[41]

Com os "novos modelos de marxismo", que repudiam o unilinearismo, a história, conforme este argumento, torna-se apenas um acidente; e "a *promessa* de salvação é substituída por uma *possibilidade* de salvação meramente contingente, humilhantemente acidental e insignificante".

Grande parte dessa afirmação é errada e censurável (por falar nisso, onde entra aí a luta de classes?); mas a principal objeção a ela deve ser o fato de ela

---

[41] GELLNER, Ernest. "Stagnation Without Salvation", *Times Literary Supplement*, 01/1985, 1985, p. 27.

atribuir peso tão pequeno à *história*. Se não estamos tratando de *teleologia*, mas de *história*, então a categoria relevante para caracterizar o projeto socialista não é a inevitabilidade, não a inescapabilidade, não a "entelequia", não a *promessa*, mas exatamente a *possibilidade*. E isso teria tão pouca importância? Não é uma "possibilidade simplesmente contingente, humilhantemente acidental e insignificante", mas uma possibilidade *histórica*, ou seja, a existência de determinadas condições sociais e materiais que tornam *possível* o que antes era *im*possível, condições nas quais o socialismo pode efetivamente ser um projeto político, e não apenas um ideal abstrato ou uma vaga aspiração.

Quanto à *universalidade* do projeto socialista, ele tem alcance universal por ser o socialismo o fim de todas as classes, e não por ser ele o fim do determinismo tecnológico. Não é necessário esquecer a universalidade da "promessa" socialista simplesmente porque a concebemos menos como o *telos* de toda a história do que um produto histórico do capitalismo e sua antítese específica. Sob esse aspecto, o mais significativo do capitalismo não é apenas ele representar o mais alto grau de desenvolvimento das forças produtivas até nossos dias, mas também ser ele o mais alto grau de desenvolvimento da exploração, o último estágio da separação dos produtores dos meios de produção, além do que está a abolição de todas as classes e a reapropriação dos meios de produção por uma "associação livre de produtores diretos". A trajetória histórica que produziu a configuração capitalista de classes pode ter sido relativamente local e específica, mas não a luta de classes e a aspiração de se livrar da exploração. Ademais, à medida que o capitalismo atraía o mundo todo para o âmbito de sua lógica expansionista, as condições e o terreno da luta de classes mudavam em toda parte, e todas as lutas de classes se aproximaram do limiar da última. A definição de socialismo como a abolição das classes contém toda a "lógica" universal que exige o projeto socialista.

Não somos obrigados a aceitar a escolha maniqueísta entre determinismo e contingência. A verdadeira alternativa aos dois é a *história*. Mesmo o repúdio completo das "grandes narrativas" à moda pós-moderna não evita a causalidade histórica. E mesmo numa época em que a história parece desafiar as aspirações socialistas da forma mais dramática e decisiva não precisamos – não devemos – escolher entre a promessa da inevitabilidade histórica e a negação de qualquer base histórica para o projeto socialista.

Na verdade, creio que a "história está do nosso lado" – mas não no sentido de que o socialismo esteja inscrito nas leis inexoráveis do progresso desde a alvorada da história, ou de que sua chegada seja inevitável. Para mim, é mais uma questão de possibilidades e tensões historicamente específicas e únicas criadas pelo capitalismo que puseram o socialismo na ordem do dia, e produziram as condições para implantá-lo. Mesmo na Europa Oriental, onde já há sinais de uma volta às velhas contradições e conflitos de classe, à medida que a "disciplina" do mercado assume controle, pode ainda haver uma oportunidade de se testar pela primeira vez a proposição de que as condições de emancipação socialista residem nas contradições específicas do capitalismo.

História ou teleologia?
Marx *versus* Weber

Marx *versus* Weber sempre foi uma das fixações favoritas entre os acadêmicos – ou, para ser mais precisa, Weber foi um dos chicotes preferidos para castigar os marxistas: Marx é um reducionista, um determinista econômico; Weber tem uma compreensão mais sofisticada das causas múltiplas, a autonomia ideológica e política; a visão de Marx da história é teleológica e eurocêntrica, a de Weber mais afinada com a variabilidade e a complexidade da cultura humana e dos padrões históricos. Weber é o sociólogo maior e melhor historiador porque, onde Marx se excede em sistematizações, reduzindo todas as complexidades culturais e históricas a uma causa única e a um único processo unilinear, Weber, com sua metodologia de "tipos ideais", reconhece a complexidade e a multicausalidade, mesmo quando as submete a um tipo qualquer de ordem conceitual.

Mas isso é verdade? Ou é o inverso? A seguir, a discussão girará em torno de que foi Weber, e não Marx, quem viu o mundo através do prisma da concepção unilinear, teleológica e eurocêntrica da história, que Marx, mais que qualquer outro pensador ocidental, tentou erradicar. Longe de levar a teoria social a superar as imperfeições do determinismo marxista, Weber a reduziu a uma teleologia pré-marxista, em que toda a história é um movimento no mais das vezes tendencioso em favor do capitalismo, em que o destino capitalista é sempre percebido nos movimentos da história, e em que as diferenças entre as várias formas sociais estão relacionadas aos modos particulares com que incentivam ou obstruem o movimento histórico único.

O progresso e a ascensão do capitalismo

A ideia de progresso, em geral associada ao Iluminismo, se constituía de dois ramos distintos, porém relacionados entre si. Em primeiro lugar, havia as variações sobre o tema do aperfeiçoamento humano como fenômeno essencialmente cultural e político, a ascensão da razão e da liberdade. Em segundo, uma espécie de materialismo que representava a história como estágios na evolução dos "modos de subsistência", e, especificamente, o amadurecimento da "sociedade comercial", o último estágio e o mais perfeito. Os dois ramos se uniram por uma concepção de progresso técnico no qual o desenvolvimento da mente humana se manifestava no aperfeiçoamento das técnicas de provisão da subsistência material, não apenas o aperfeiçoamento dos instrumentos de produção, mas acima de tudo uma divisão de trabalho cada vez mais refinada, entre cidade e campo, entre as profissões especializadas e, por fim, no interior do próprio local de trabalho. Essas melhorias materiais foram acompanhadas, no plano cultural, por uma racionalidade crescente, pelo declínio da superstição e, no plano político, pelos avanços da liberdade.

À medida que se elaborava essa ideia de progresso, certas premissas subjacentes se tornavam cada vez mais evidentes – em particular, a premissa de as sementes da "sociedade comercial" já existirem no início da história, no recesso mais profundo da própria natureza humana. Segundo Adam Smith, não foi apenas a existência na natureza humana da inclinação inata para "permutar, trocar e intercambiar", mas o fato de as relações modernas de propriedade a que hoje damos o nome de capitalistas estarem enraizadas nas práticas mais primitivas de intercâmbio entre produtores racionais, motivados por seu próprio interesse, e se tornarem crescentemente especializadas numa divisão evolutiva do trabalho, que promoveu um processo natural de desenvolvimento econômico[1]. Em outras palavras, o capitalismo foi apenas o amadurecimento do comércio e da divisão do trabalho por esse processo natural de crescimento.

Um corolário típico dessa tese foi o feudalismo europeu ter representado um hiato, uma interrupção, no desenvolvimento da sociedade comercial, que já estava bem estabelecida no antigo Mediterrâneo e foi cerceada por fatores externos na forma das invasões bárbaras. A "Idade das Trevas" representou uma regressão tanto em termos materiais, já que a economia retornou aos princípios da subsistência, quanto na cultura, já que a racionalidade dos antigos deu lugar mais uma vez às forças da irracionalidade e da superstição. O desenvolvimento econômico estacou, refreado pelo parasitismo político do poder dos proprietários de terras. Mas, com o restabelecimento da ordem e com o crescimento das cidades, os obstáculos ao comércio foram mais uma vez afastados, a natureza humana retomou a sua imaginação e o progresso natural da história retomou seu curso.

Até a Revolução Francesa, ainda não estava absolutamente claro que os principais agentes desse progresso viessem da burguesia, uma classe de mercadores e industriais urbanos. Para os pensadores britânicos como Adam Smith ou David Hume, o exemplo do capitalismo agrário inglês sugeria um processo mais interativo, em que os princípios da sociedade comercial estavam enraizados no campo bem como na cidade, já que os antigos barões deram lugar aos fazendeiros de visão mais progressista que administravam a terra visando ao lucro. Assim como a retomada do comércio incentivou esses proprietários a reorganizar a agricultura, também incentivou o crescimento das cidades e do comércio e melhorou a condição da "faixa média dos homens". Mas no caso da experiência da França, na ausência do capitalismo agrário e contra o pano de fundo da luta política da burguesia, o pro-

---

[1] Para uma discussão deste ponto de vista, especialmente na obra de Adam Smith, ver BRENNER, Robert. "Bourgeois Revolution and Transition to Capitalism". In: A. L. Beier et alii (eds.), *The First Modern Society*, Cambridge, 1989, p. 280-2.

gresso se tornou cada vez mais claramente um projeto burguês, em oposição a uma aristocracia claramente atrasada. A antítese entre essas duas classes e as diferentes formas de propriedade que representavam – a passiva aristocracia arrendatária contra a burguesia produtiva e progressista – passou a ser vista como a principal força motriz da história[2].

O resultado de tudo isso era relatar o desenvolvimento econômico que partia de uma premissa que precisava ser explicada. A dinâmica muito particular do capitalismo, cujas leis de movimento eram muito diferentes das de qualquer outra forma social anterior – os imperativos da competição e da maximização do lucro, a subordinação da própria produção à autoexpansão do capital, a necessidade sempre crescente de aumentar a produtividade do trabalho por meios técnicos –, foi tratada como extensão natural de práticas ancestrais, nada mais que a maturação de impulsos já presentes nos atos mais primitivos de troca, a verdadeira natureza do *Homo œconomicus*. Não havia necessidade de explicar um processo histórico único, mas apenas de descrever os *obstáculos* e sua remoção. Por si só, o interesse próprio guiado pela razão produziria o capitalismo. Em outras palavras, para explicar o aparecimento do capitalismo foi necessário pressupor sua existência.

Marx, de início, fez parte dessa tradição. Nos seus primeiros relatos da história, aparecem na Antiguidade muitas das mesmas premissas sobre a existência de um capitalismo rudimentar e sua interrupção por forças externas, acompanhado, evidentemente, por muitas das premissas continentais relativas à burguesia como agente de progresso. Também aqui a existência do capitalismo foi admitida para explicar seu surgimento, à medida que os impulsos capitalistas, já presentes "nos interstícios do feudalismo", se libertavam dos "grilhões" do sistema feudal.

Mas no intervalo entre *German Ideology* e *O capital*, tendo como marco crítico os *Grundrisse*, ocorreu uma mudança radical[3]. A partir de então, Marx recusou-se a admitir como pressuposto o que reclamava explicação, inclinando-se cada vez mais a insistir na especificidade do capitalismo e de suas leis de movimento, e isso o forçou a reconhecer que o estabelecimento dessa dinâmica característica não podia ser aceita sem crítica. Os imperativos específicos do capitalismo, sua fúria competitiva de acumulação por meio do aumento da produtividade do trabalho, eram muito diferentes da lógica ancestral da busca do lucro comercial, e não se podia tentar identificar manifestações do capitalismo ao longo de toda a história. Embora Marx nunca tenha desenvolvido completamente essas ideias históricas, seus frutos estão presentes nos *Grundrisse*, nos quais se encontra a discussão mais sistemática das sociedades pré-capitalistas e onde ele encara o problema de explicar a transformação das relações de propriedade pré-capitalistas em capitalistas sem ter de pressupor a preexistência do capitalismo. A mesma coisa se aplica a *O capital*,

---

[2] Este "paradigma burguês" do desenvolvimento histórico é tratado no meu livro no meu livro *The Pristine Culture of Capitalism: a Historical Essay on Old Regimes and modern States*, Londres, Verso, 1991, capítulo 1.

[3] Ver BRENNER, "Bourgeois Revolution", p. 285-95, para uma discussão da transformação da concepção de Marx do materialismo histórico e suas implicações para a transição do feudalismo para o capitalismo.

especialmente na discussão da "chama- da acumulação primitiva". Nos dois casos a força motriz primária não é a divisão natural do trabalho ou o processo natural de desenvolvimento tecnológico, nem a maturação do comércio e das práticas burguesas. Pelo contrário, a transformação está enraizada nas relações agrárias do próprio feudalismo, na transformação das relações entre senhores e camponeses, não nos seus interstícios urbanos, mas nas relações primárias de propriedade, numa transformação das relações entre senhores e camponeses que tem o efeito de subjugar os produtores diretos aos imperativos do mercado de formas sem precedentes. Somente nessas duas formulações podemos ver o conceito de "modo de produção" no sentido claramente marxista. É aqui que Marx elabora a ideia de que toda forma social tem seu modo específico de atividade econômica, com suas próprias leis de movimento, sua própria lógica de processo. Isso é completamente diferente de concepções anteriores de desenvolvimento econômico como o progresso natural de *uma* lógica econômica universal. De acordo com essa visão pré-marxista, que Marx também acatou na sua obra de juventude, as sociedades certamente variam, mas suas diferenças são menos uma questão de formas específicas e sua lógica intrínseca própria do que estágios do desenvolvimento de uma forma social, ou, na melhor das hipóteses, de variações de natureza e grau de oferta de incentivos ao desenvolvimento dessa lógica histórica específica, ou de imposição de obstáculos a ela. O modo de produção de Marx desafiou a visão de que há apenas uma espécie de lógica econômica, ainda que ela possa ser restringida ou suprimida por fatores *não* econômicos, especialmente os políticos.

As novas ideias de Marx foram informadas pela crítica da economia política. Sua análise do capitalismo foi conduzida não somente sob a forma de uma investigação da sua prática econômica específica, mas também, e ao mesmo tempo, como o que se poderia hoje chamar de uma desconstrução da teoria capitalista por meio da aplicação e da transcendência críticas e subversivas das mesmas categorias empregadas pela economia política clássica na sua própria explicação – cada vez mais ideológica – da economia capitalista.

A *crítica* de Marx da economia política possibilitou-lhe não apenas valer-se das ideias de seus predecessores, mas libertar-se de suas premissas limitadoras. Nos *Grundrisse*, as implicações para a análise histórica são evidentes. Sua análise das formações econômicas pré-capitalistas começa pelo princípio enganoso de que "a anatomia humana tem a explicação para a anatomia do macaco"[4]. Como já vimos, seu objetivo é a antítese do tipo de teleologia que às vezes é lido nesse aforismo. Seu objetivo declarado é libertar a economia política do hábito de ler princípios capitalistas ao longo da história. Esse hábito se manifesta acima de tudo na aplicação de categorias derivadas do capitalismo e impostas a outras formas sociais, de maneira a ocultar tanto sua própria especificidade quanto a do capitalismo. Marx atinge esse objetivo jogando essas categorias umas contra as outras. O resultado não é a universalização de sua aplicação, de forma que as atividades econômicas

---

[4] MARX, Karl. *Grundrisse*, Harmondsworth, 1974, p. 105.

das formações pré-capitalistas apareçam como meros capitalismos imperfeitos ou rudimentares, mas, ao contrário, a revelação de suas *diferenças* e, ao fazê-lo, levantar inevitavelmente a questão de como o capitalismo, como forma social específica e sem precedentes, emergiu – não apenas como a maturação de formas anteriores, mas como transformação.

A força do método de Marx está no fato de que, embora se concentre na especificidade de toda formação econômica, ele também nos obriga a procurar princípios de movimento de uma para outra não apenas em alguma força trans-histórica e universal ou em algum *deus ex machina*, e nem na remoção de restrições e obstáculos, mas na dinâmica de cada uma das formas sociais. Marx nunca completou o projeto que se impôs nos *Grundrisse*; mas ele começou efetivamente a construir uma nova explicação da transição do feudalismo para o capitalismo no volume I de *O capital*, no qual esboçou os processos pelos quais os produtores camponeses, especificamente na Inglaterra, foram expropriados, criando, de um lado, uma classe de fazendeiros arrendatários capitalistas sujeitos aos imperativos do mercado e, de outro, um proletariado de trabalhadores agrícolas obrigados a vender sua força de trabalho em troca de salário.

Muito pouco sobrou de suas primeiras explicações. A transformação das relações agrárias, que traz o fim do feudalismo e coloca em movimento a dinâmica capitalista, ocorre no interior de uma dessas relações, não por meio de um rompimento dos grilhões do feudalismo pela burguesia, não por algum refinamento da divisão de trabalho. Esse fato já representava uma diferença significativa com relação às explicações então conhecidas e às explicações anteriores do próprio Marx; mas coube a outros que trabalhavam na tradição do materialismo histórico desenvolver as ideias contidas na crítica de Marx da economia política e na sua aplicação esquemática dessas ideias aos problemas da história.

A crítica da economia política de Marx, apesar de dedicada essencialmente à análise do capitalismo, lançou a base para uma visão da história libertada das categorias da ideologia capitalista. Ofereceu um meio de acesso às especificidades não apenas do capitalismo, mas também de outras formas sociais. Tornou desnecessário impor premissas derivadas do capitalismo sobre formas sociais com diferentes leis de movimento, ou tratar a história como uma força linear orientada para a "sociedade comercial". E, por extensão, tornou desnecessário generalizar a experiência ocidental – a menos que seja para reconhecer que o capitalismo, uma vez estabelecido, tem uma fúria expansionista sem paralelo e a capacidade de eclipsar todas as outras formas sociais.

A velha teleologia burguesa deveria sobreviver ainda em outros pontos numa grande gama de variações do tema básico: em várias versões da história como a ascensão das "classes médias", em vários relatos da ascensão do capitalismo como o simples resultado do crescimento dos mercados, da reabertura das rotas de comércio, do aumento do comércio, da liberação da burguesia dos grilhões do feudalismo, e tantas outras. O que todos esses relatos têm em comum é a premissa de que o capitalismo existe como embrião em toda forma de atividade ou comércio, de que os mercados e o comércio foram os solventes do feudalismo, de que as classes mercantis foram as portadoras naturais do espírito capitalista e de que é necessário explicar não a emergência de uma nova dinâmica histórica, mas a libertação de uma que já existia.

Entre os exemplos mais óbvios está Henri Pirenne, em cuja obra essas premissas estão definidas com mais clareza[5]. A civilização do Mediterrâneo antigo viu o desenvolvimento de um sistema comercial avançado, centrado no comércio marítimo conduzido pelas classes profissionais de mercadores. Esse desenvolvimento foi dramaticamente interrompido – não por incursões bárbaras contra o Império Romano, como queria um predecessor de Pirenne, mas depois, quando as invasões islâmicas fecharam o Mediterrâneo e interromperam as rotas de comércio entre Oriente e Ocidente, substituindo a "antiga economia de trocas" por uma "economia de consumo". Perto do século XII, o comércio havia renascido com o crescimento das cidades e uma nova classe de mercadores profissionais. Essa nova expansão comercial "espalhou-se como uma epidemia benéfica por todo o continente"[6]. Mas agora, pela primeira vez, surgiram cidades dedicadas inteiramente ao comércio e à indústria e uma classe mais urbana que as anteriores, o burguês medieval. O amadurecimento das classes capitalistas anteriores, que haviam sido sufocadas na Europa pelo fechamento das rotas de comércio que se seguiu às invasões muçulmanas, tornava-se possível naquele momento pelo renascimento do comércio e pela expansão inevitável dos mercados. O crescimento das cidades medievais e a liberação da classe burguesa foram, em resumo, suficientes para explicar a ascensão do capitalismo moderno.

A "tese de Pirenne" era controvertida e já foi superada, mas os críticos raramente questionaram as premissas tácitas sobre as quais ela se apoiava. Até mesmo nas explicações demográficas do desenvolvimento econômico europeu, que mais recentemente se tornaram dominantes, e que em geral tecem severas críticas a Pirenne e ao modelo do crescimento do mercado, os ciclos de crescimento da população geram efeitos no desenvolvimento pelos mecanismos de mercado, as eternas leis da oferta e demanda. Raramente se observou uma tendência de se questionar a natureza da força que levou ao capitalismo (e muitas vezes a palavra "capitalismo" foi cuidadosamente evitada), ou a premissa de que a expansão quantitativa das oportunidades de mercado, ainda que complicadas pelos padrões cíclicos de crescimento populacional e bloqueios malthusianos, fosse a chave para a transição da economia feudal para a capitalista na Europa – junto, quem sabe, com um processo autônomo e trans-histórico de aperfeiçoamento tecnológico.

Com a notável exceção do historiador econômico Karl Polanyi (cujas afinidades com o marxismo sempre pareceram maiores do que ele se dispunha a reconhecer), foram os marxistas que questionaram essas premissas básicas – e nem mesmo eles

---

[5] Os argumentos de Henri Pirenne estão muito bem resumidos numa série de conferências publicadas sob o título *Medieval Cities: The Origins and the Revival of Trade*, Princeton, 1969. [Ed. port.: *As cidades da Idade Média: ensaio de história econômica e social*. Lisboa, Europa-América, 1977.]

[6] Idem, ibidem, p. 105.

o fizeram com firmeza[7]. Foram principalmente os marxistas que reconheceram a especificidade do capitalismo moderno, suas leis características de movimento e a inadequação de qualquer explicação que trate o capitalismo como apenas o amadurecimento ou a expansão de atividades econômicas da Antiguidade, das práticas tradicionais de busca do lucro, dos mercados e do comércio.

Weber fala sobre trabalho e o espírito do capitalismo: a conjunção de produção e intercâmbio

Em Max Weber, a teleologia burguesa assume uma forma muito mais sutil. Talvez mais que qualquer outro pensador da ciência social ocidental, Weber demonstra uma amplitude global de interesses e conhecimentos, desde a Antiguidade até os tempos modernos, do Oriente ao Ocidente. As tipologias pelas quais ficou famoso abrangem um amplo espectro de formas sociais, variedades de ação social, liderança e dominação política. Essas tipologias desmentem energicamente a proposição de que Weber, tal como muitos outros antes dele, se inclinasse a generalizar a experiência da Europa Ocidental e a ver em toda época e lugar a lógica social do capitalismo ocidental. Pelo contrário, o grande projeto de sua vida foi identificar a especificidade da civilização ocidental como um entre muitos padrões históricos. Ele criticava mesmo as concepções ocidentais de progresso. Ainda assim, se a crítica da economia política e a transcendência das categorias autovalidadoras do capitalismo foram o primeiro princípio metodológico de Marx, o contrário vale para Weber, cuja sociologia histórica é construída sobre uma estrutura conceitual que filtra toda a história através do prisma da economia capitalista moderna.

A questão é mais bem ilustrada pelo relato de Weber das origens do capitalismo. A explicação mais famosa se relaciona com a "ética protestante", as diversas formas pelas quais o crescimento do capitalismo europeu foi estimulado pela Reforma e pelo incentivo que ela deu à ética do trabalho e da racionalidade econômica. A ideia da "vocação", os valores do ascetismo, a glorificação do trabalho duro associada ao calvinismo – os efeitos psicológicos da doutrina da predestinação – foram todos propícios ao "espírito do capitalismo". Entretanto, isso era apenas parte da explicação de Weber e deve ser entendido no conjunto de sua obra, especialmente quanto ao caráter distinto da cidade ocidental. A Reforma teve efeitos particulares porque suas influências se manifestaram sobre uma civilização em que os princípios da racionalidade econômica já estavam bem desenvolvidos, em que uma burguesia imbuída da ética comercial já tinha se tornado especialmente forte no contexto da autonomia urbana que foi característica única da cidade do Ocidente. O surgimento do protestantismo num contexto urbano distinto facilitou a união da racionalidade econômica com a "ética do trabalho", que

---

[7] Algumas das mais importantes contribuições ao debate estão contidas em *The Transition from Feudalism to Capitalism*, Rodney Hilton (ed.), Londres, 1976, e *The Brenner Debate: Agrarian Class Structure and Economic Development in Pre-Industrial Europe*, T. H. Ashton e C. H. E. Philpin (eds.), Cambridge, 1985.

ia contra as concepções tradicionais de trabalho como maldição, em vez de como virtude e obrigação moral. E dessa união nasceu o capitalismo.

As tentativas de caracterizar Weber em relação a Marx se concentraram no grau de aprofundamento com que Weber pretendia tratar as ideias religiosas, bem como as formas políticas, como autônomas e primárias, em contrapartida aos determinantes materiais à moda marxista. Mas neste caso a questão crítica não é saber se Weber era idealista, e não materialista, ou se ele subordinava os interesses econômicos a outras motivações. Subjacentes à sua "ética protestante e ao espírito do capitalismo" há premissas que pouco têm a ver com a primazia ou a autonomia de determinantes não econômicos e que não revelam tanto o seu idealismo quanto sua teleologia burguesa.

A questão crítica não é saber se Weber identifica corretamente as raízes da ética protestante, se a ética do trabalho é causa ou efeito dos avanços econômicos que associamos ao capitalismo, se as ideias são agentes ou consequências. A explicação de Weber das causas e dos efeitos é certamente mais complexa do que sugere a simples dicotomia entre idealismo e materialismo. Mas há ainda uma questão mais básica: até que ponto a "ética protestante" realmente *explica* e até que ponto o relato que Weber faz dela, tal como outras teorias da "sociedade comercial", apenas pressupõe a coisa mesma que exige explicação?

Comecemos mais ou menos pelo começo. Weber tinha em comum com seus predecessores a convicção de que rudimentos do capitalismo já existiam no mundo antigo e, assim como eles, tratou o feudalismo ocidental como um hiato tanto na evolução da economia capitalista quanto no progresso da cultura ocidental. Segundo ele, com o declínio do Império Romano

> a economia natural impôs as pressões que levaram ao feudalismo sobre a superestrutura comercializada do mundo antigo.
>
> Dessa forma, a estrutura das civilizações antigas se enfraqueceu e entrou em colapso, e a vida intelectual na Europa Ocidental mergulhou numa longa escuridão. Ainda assim, essa queda foi como a de Anteu, que tirava novas forças da mãe Terra a cada vez que voltava a ela. Certamente, se algum dos autores clássicos acordasse de um manuscrito num mosteiro e olhasse pela janela para o mundo da era carolíngia, tudo lhe teria parecido muito estranho. O cheiro de esterco que subia do pátio lhe encheria as narinas.
>
> Mas é claro que nenhum autor grego nem romano apareceu. Eles dormiam em hibernação, como sucedeu a toda a civilização, num mundo econômico que havia novamente assumido caráter rural. Os clássicos também não foram lembrados quando apareceram os trovadores e torneios da sociedade feudal. Foi somente quando a cidade medieval se desenvolveu em razão da divisão livre do trabalho e do intercâmbio comercial, quando a transição para uma economia natural tornou possível a evolução das liberdades burguesas, e quando foram arrancados os grilhões impostos pelas autoridades feudais internas e externas, que – tal como Anteu – os gigantes clássicos recuperaram um novo poder, e a herança cultural da Antiguidade reviveu à luz da moderna civilização burguesa.[8]

---

[8] WEBER, Max. *The Agrarian Sociology of Ancient Civilizations*, Trad. R. I. Frank, Londres, 1988, p. 410-11.

O renascimento do comércio e a revivescência da civilização ocidental no contexto das novas liberdades burguesas ainda teriam de ser reforçados por um elemento completamente novo, a união da racionalidade econômica com uma atitude inteiramente nova em relação ao trabalho, uma ética do trabalho contrária a todas as degradações do trabalho como um castigo e um fardo. Foi esse novo conjunto cultural que viria a permitir a maturação do capitalismo até a sua forma industrial moderna.

A teoria da ética protestante de Weber pode evidentemente ser lida como um comentário relativo à transformação do comércio, de mecanismo simples de trocas e circulação, no princípio organizador da *produção*. Nesse sentido, ele talvez tenha avançado além das teorias anteriores da "sociedade comercial" no esforço para explicar a emergência do capitalismo como *modo de produção*. Mas será que ele realmente oferece uma explicação dos acontecimentos daquela época? A "ética protestante" (seja por si só, seja como parte de um processo maior, trans-histórico de "racionalização") acrescenta algum elemento novo às velhas premissas relativas à evolução da sociedade comercial? Ou, mais uma vez, ela é mais um exemplo de petição de princípio?

A evolução de um sistema econômico em que toda a produção é subordinada à autoexpansão do capital, aos imperativos da acumulação, da competição e da maximização dos lucros, exigia algo mais que o mero crescimento dos mercados e as práticas tradicionais de comprar barato e vender caro. Exigia até algo além da produção generalizada para intercâmbio. A integração específica de produção e intercâmbio resultante desse sistema – em que a economia é movida pela competição e o lucro é determinado pelo aumento da produtividade do trabalho – pressupunha uma transformação das relações sociais de propriedade que submetiam os produtores diretos aos imperativos do mercado de formas sem precedentes históricos, tornando dependente do mercado o acesso deles aos meios de subsistência e de autorreprodução. Weber não explica, mas pressupõe, essa formação historicamente única. A ética protestante do trabalho não é capaz de *explicar* a ligação especificamente capitalista entre comércio e produtividade porque a união dos dois já está contida na definição de Weber de "trabalho".

A ideia de Weber do que seja a ética do trabalho é exemplo do hábito conceitual que marcou o discurso econômico nas sociedades capitalistas ocidentais e serviu como pedra fundamental da justificação ideológica do capitalismo: a fusão do trabalho com a empresa capitalista. No discurso convencional da economia moderna, por exemplo, são os capitalistas, e não os trabalhadores, quem *produzem*. Assim, por exemplo, as páginas financeiras dos principais jornais falam sempre sobre os conflitos entre, digamos, os *produtores* de automóveis e os sindicatos. Essa fusão vem pelo menos desde o século XVII e dos primórdios de um capitalismo mais ou menos consciente. A mais antiga manifestação significativa dessa prática ideológica aparece no *Second Treatise of Government* de John Locke, numa passagem famosa e muito controvertida. Ao explicar como a propriedade comum existente no estado da natureza é subtraída à posse comum e passa a ser propriedade privada, Locke escreve:

Vemos nos *commons**, que assim permanecem por consenso, que é a tomada de parte do que é *common*, e a sua remoção do estado em que a natureza o deixou, que dá início à propriedade; e que sem isso o bem comum não tem utilidade. E a tomada desta ou daquela parte não depende do consentimento expresso de todos os proprietários comuns. Assim, o capim que meu cavalo comeu, a grama que meu empregado cortou e o minério que retirei da terra, em qualquer lugar onde eu tenha direito a eles em comum com outros, tornam-se minha *propriedade*, sem autorização nem consentimento de ninguém. O *trabalho* que era meu, com o qual eu os removi do estado comum em que estavam, fixou minha *propriedade* sobre eles.[9]

Essa passagem foi objeto de muita controvérsia, e há muito a ser dito a respeito dela – sobre a atitude de Locke em relação ao processo de delimitação de terra no início da Inglaterra Moderna, aos seus pontos de vista sobre trabalho assalariado etc. Mas uma coisa não é objeto de discussão, ainda que os comentadores tenham geralmente desprezado sua importância. A apropriação do trabalho de outra pessoa ("a grama que meu empregado cortou") é tratada exatamente como equivalente ao trabalho em si (o minério que retirei da terra). Isso quer dizer não somente que o senhor reivindica os frutos do trabalho de seu servo (o servo em questão sendo um trabalhador contratado em troca de salário), mas a atividade do trabalho e todas as virtudes que a acompanham são atributos do senhor. Isso é verdade, ademais, num sentido diferente daquele em que o proprietário de escravos avaliaria o trabalho de seu escravo. A questão aqui não é o senhor ser dono do trabalho do empregado, como seria dono até de seu corpo se este fosse parte de sua propriedade. E, como observou Marx, não se trata apenas de a compra da força de trabalho do empregado em troca dos salários dar ao senhor direito a tudo o que o empregado produzir durante o tempo estipulado no contrato de trabalho, mas de as virtudes do trabalho em si, visto como "industriosidade", terem se deslocado da atividade do trabalho em si para o *emprego* do trabalho e para a utilização produtiva da propriedade. Pois Locke, ao longo de toda a discussão da propriedade, não vê na atividade do trabalho em si a possuidora dos direitos e virtudes do trabalho, ao contrário, é a *benfeitoria*, o uso produtivo da propriedade, que atribui virtude, por comparação ao usufruto passivo na forma tradicional da classe rentista.

A identificação de trabalho com a atividade econômica do capitalista está profundamente enraizada na cultura ocidental, e com ela vem uma visão da história em que a principal oposição – a contradição social que movimenta a história – não é a que existe entre a classe apropriadora e a produtora, entre exploradores e explorados, mas, pelo contrário, a que existe entre dois tipos diferentes de classe

---

* *Commons*: terras comunitárias de uso comum. (N.T.)

[9] LOCKE, John. *Second Treatise of Government*. (parág. 28). [Ed. bras.: *Segundo tratado do governo civil*. São Paulo, Abril Cultural, 1983.] Para uma discussão dos pontos de vista de Locke sobre "aperfeiçoamento", ver WOOD, Neal. *John Locke and Agrarian Capitalism*, Berkeley e Los Angeles, 1984. Ver também WOOD, E. M. "Locke Against Democracy: Consent, Representation and Suffrage in the Two Treatises", *History and Political Thought*, 13(4), 1992, especialmente p. 677-85, e WOOD, E.M. "Radicalism, Capitalism and Historical Contexts: not Only a Reply to Richard Ashcraft", *History of Political Thought*, 15(3), 1994.

apropriadora, duas formas antitéticas de propriedade, a propriedade passiva do rentista e a propriedade ativa, produtiva do capitalista burguês.

Daí a eclipsar completamente o trabalho em favor da atividade do capitalista foi um passo muito pequeno. Num sistema econômico em que a produção de mercadorias se generaliza, no qual toda a produção é produção para comércio, em que toda produção é subordinada à autoexpansão do capital, em que toda produção é a produção do capital, no qual o excedente de trabalho é apropriado não por coação direta, mas por meio da mediação do intercâmbio de mercadorias, a atividade de produção se torna inseparável da atividade de intercâmbio no mercado. Intercâmbio, e não o trabalho produtivo, passa a ser definido como a essência da atividade econômica. Algo parecido a esta estrutura conceitual – em que atividade "econômica" é o intercâmbio no mercado, e "trabalho" é a apropriação capitalista e produção em nome do lucro – oculta-se por trás da ética do trabalho de Weber e da ascensão do capitalismo.

A CIDADE COMO CENTRO DE CONSUMO OU PRODUÇÃO

O efeito total da definição circular de "produção" de Weber, com todas as implicações para sua concepção de história e desenvolvimento do capitalismo, fica mais evidente na distinção crítica que ele estabelece entre as cidades como centros de *produção* e como centros de *consumo*. O fator de maior peso no seu relato da ascensão do capitalismo é a natureza da cidade medieval ocidental. E a característica que distingue crucialmente essa cidade da, digamos, cidade da Antiguidade clássica – uma característica que tornou possível à cidade medieval servir como rampa de lançamento para o desenvolvimento do capitalismo, superando suas antigas limitações para chegar à forma industrial moderna – é que, enquanto a cidade grega ou romana era em geral um centro de consumo, a cidade surgida na Europa medieval era principalmente um centro de produção.

A questão crucial aqui é não apenas o fato de essas cidades medievais produzirem mais que as antigas, nem de haver nelas mais pessoas engajadas na produção do que nas outras, mas o fato de que, segundo Weber, a cidade medieval atribuía maior peso cultural e político aos interesses dos "produtores", enquanto na cidade antiga tinham prioridade os interesses dos "consumidores". A cidade medieval do Ocidente, então, não somente estabeleceu as condições de autonomia urbana que deu rédea solta às profissões, ao comércio e à busca de lucro, mas também, ao incentivar os interesses dos produtores e atribuir a eles um prêmio ideológico, preparou o terreno fértil para o florescimento da "ética do trabalho".

A caracterização que Weber fez da cidade antiga como centro de consumo tem muito a recomendá-la. Embora ele confunda a questão ao insistir na existência de "capitalismo" na sociedade antiga (sobre o que voltaremos a falar em seguida), e apesar de ele subestimar o grau em que os patriciados urbanos da Europa medieval continuaram sendo essencialmente rentistas, sua formulação tem a virtude de indicar a predominância da propriedade arrendada – a propriedade dos donos de terra, dos donos de escravos, dos credores – e de uma mentalidade rentista no mundo antigo, distinta da cultura empreendedora e produtivista do capitalismo moderno. É verdade que as relações dominantes de propriedade da Antiguidade clássica não incentivavam a expansão da produção para o mercado, nem a "racionalização" da produção exigida por ele. E, apesar de a condição de riqueza dos empreendedores ou dos membros privilegiados das guildas dizer pouco da condição dos produtores como "trabalhadores", também é verdade que na pólis grega nunca existiu um interesse claro pela manufatura, nem mesmo do tipo representado pelas guildas medievais com suas funções protecionistas. Da mesma forma, apesar de o ato de misturar donos rentistas de terras e os pobres beneficiários da distribuição gratuita de trigo em Roma na mesma categoria de interesses "consumidores" obscurecer tanto quanto revelar, ainda assim é verdade que o "proletariado" romano antigo era um "proletariado consumidor, uma massa de pequenos burgueses empobrecidos", cujos interesses materiais principais se confundiam com a distribuição de grãos pelo Estado, diferentemente do proletariado moderno que é "uma classe trabalhadora engajada na produção"[10].

Ainda assim, mesmo que Weber indique uma verdade sobre a cidade antiga, precisamos voltar a examinar sobre o que precisamente é a sua mensagem e o que ela nos diz, por sua vez, acerca do caráter específico da cidade medieval e de como ela lançou as fundações do capitalismo industrial moderno. O fato de as categorias de "consumidores" e "produtores" cobrirem uma enorme faixa de diferenças de riqueza e de classe tem significado crítico. Mais especificamente, é significativo o fato de a categoria de "produtor" ser capaz de acomodar tanto o trabalhador quanto o empreendedor; pois, no final, é a condição do último que representa para Weber a condição de toda a categoria. Em outras palavras, é a localização social e cultural do empreendedor, e não a do trabalhador, que determina, para Weber, a condição social e cultural da "produção" e do "trabalho". Aos poucos, torna-se claro que a diferença entre um centro de produção e um centro de consumo não depende primariamente do número de habitantes da cidade engajado na produção, nem do volume, da variedade ou da qualidade dos bens produzidos, nem da avaliação cultural do trabalho produtivo em si, mas da identidade das classes com quem se associa a produção e, mais especificamente, do grau em que a produção é controlada por uma "verdadeira" burguesia e, portanto, subordinada às exigências do lucro comercial.

Existem ainda algumas ambiguidades da obra anterior de Weber sobre a Antiguidade, mas à época de sua obra mais madura e importante, *Economy and Society*, a mensagem já havia sido esclarecida. Ao recapitular grande parte da discussão anterior sobre as diferenças entre as cidades antigas e medievais, ele finalmente relaciona as implicações em termos claros:

> A grande diferença estrutural entre a cidade antiga plenamente desenvolvida e a medieval, durante o governo do *demos* na primeira e do *popolo* na segunda, manifesta-se nesse [descaso sobre interesses do produtor artesão]. Na cidade antiga dos primórdios da

---

[10] WEBER. *Agrarian Sociology*, p. 42.

democracia, dominada pelo exército hoplita, o artesão da cidade – ou seja, um homem que não fazia parte da "parcela cidadã" (*kleros*) e era economicamente incapaz de se autoequipar para o serviço militar – desempenhava um papel político desprezível. Na Idade Média, a cidade era liderada pelo *popolo grosso*, a *grande bourgeoisie* dos grandes empreendedores, *e* pelos pequenos capitalistas, os comerciantes do *popolo minuto*. Mas no âmbito dos cidadãos antigos esses estratos não tinham – ou o que tinham era insignificante – poder político. Se o capitalismo antigo era *politicamente* orientado, assim também o era a democracia antiga.[11]

A principal diferença entre as cidades antiga e medieval é o fato de a segunda representar os interesses dos *produtores* num sentido em que a primeira não os representava. Entretanto, isso não quer dizer que a cidade medieval, ao contrário da pólis antiga, representasse os interesses dos *trabalhadores*. No mínimo, o contrário é verdadeiro. Na idade de ouro da democracia ateniense, por exemplo, a pólis *era* dominada, é o que Weber sugere, pelos interesses de uma "*petite bourgeoisie* urbana", a massa de pequenos produtores – artesãos e trabalhadores que, junto com os camponeses, constituíam a maior parte do corpo de cidadãos. O que faltava à democracia era uma poderosa "*bourgeoisie* no sentido moderno"[12]. A marca dos produtores não é o grau em que se engajam na produção, e ainda menos no trabalho, mas o grau em que a produção se liga ao comércio.

Um burguês de verdade, portanto, esteja ou não ele próprio engajado no trabalho, é um produtor; e para completar o paradoxo como as classes inferiores de Atenas, mesmo quando engajadas no trabalho produtivo, são definidas por Weber menos como produtores do que como consumidores. Isso se deve em parte, de acordo com Weber, ao fato de o eixo principal de conflito não correr, como acontece hoje, entre o proletariado industrial e os empregadores industriais, mas entre devedores e credores. Mas se, vistas como devedoras, as classes inferiores corporificavam essencialmente os interesses "consumidores", elas eram consumidores em outro sentido, como beneficiários de pagamentos públicos pelo cumprimento de deveres cívicos – e é aqui que as implicações dos interesses "produtores" aparecem em grande relevo.

Vista de uma perspectiva diferente da de Weber – ou seja, do ponto de vista dos produtores como *trabalhadores* e não como capitalistas –, a remuneração cívica que facilitava a participação dos cidadãos trabalhadores na política poderia ser entendida exatamente como manifestação de interesses produtores. A condição cívica de camponeses e artesãos na democracia atendia aos interesses das classes trabalhadoras por lhes dar um certo grau de imunidade contra a exploração pelos proprietários e pelos Estados, o tipo de exploração por coação militar ou política direta característica de todas as sociedades pré-capitalistas. No âmbito da estrutura conceitual de Weber, entretanto, os interesses dos trabalhadores não são, neste sentido, a questão relevante. E assim a remuneração cívica se transforma

---

[11] WEBER. *Economy and Society*, Nova York, 1968, p. 1346.

[12] Idem, ibidem, p. 1347.

em mera forma de "renda" não salarial, estruturalmente indistinguível da renda "consumidora" passiva dos rentistas proprietários improdutivos. Nesse sentido, os interesses dos proprietários, dos camponeses e da "pequena burguesia" urbana são também *políticos*, e não econômicos. O *Homo politicus* tem precedência sobre o *Homo œconomicus*.

Weber insiste mesmo que o trabalho na pólis, inclusive na democracia, era socialmente degradado quando comparado à posição dos artesãos da Idade Média. Essa opinião não é exclusivamente dele. Tornou-se quase uma convenção dizer que os atenienses desprezavam o trabalho por sua associação com a escravidão. E, embora essa afirmação seja discutível, a repetição dela por Weber nada teria de estranho[13]. Mas Weber tem em mente um pouco mais que os efeitos da escravidão sobre a cultura da Antiguidade clássica. A expressão mais significativa da posição socialmente oprimida do trabalho na Grécia antiga é para ele a ausência das associações de guilda e dos vários direitos legais associados a elas. Essa é uma questão à qual ele sempre retorna ao explicar as diferenças entre a pólis da Antiguidade e a cidade medieval.

Ainda assim, o que a presença das guildas nos tem a dizer a respeito da condição social do trabalho? A história das guildas na Europa medieval e do início da Europa moderna pode ser dividida em duas grandes fases: inicialmente, elas representavam a aspiração dos artesãos e profissionais ao poder político e econômico contra os patrícios que se mantinham isolados com seus privilégios e *status*, e um grau importante de autonomia; mais tarde, as guildas se tornaram fortes o suficiente para submeter até mesmo os patrícios aos seus regulamentos e para dissolver o que Weber chama de "diferenças extraurbanas de *status*" nas duas direções da hierarquia social. No primeiro caso, ainda que as associações de guilda pudessem ser vistas como representativas dos interesses dos *trabalhadores*, como tal elas expressavam tanto sua fraqueza quanto sua força. As associações de produtores comuns eram o que eram porque os patrícios continuaram a ser, em geral, o que sempre foram. Quando se tornaram realmente poderosas, quer como associações monopolistas, quer como empregadores para quem os aprendizes representavam trabalho barato, as guildas já não podiam ser consideradas associações de *trabalhadores* em nenhum sentido significativo.

Dentro dessa perspectiva, a ausência das guildas na Grécia antiga demonstra mais a força do cidadão comum do que sua fraqueza, mais o alto *status* do trabalho do que sua degradação social. Mesmo nas cidades mais democráticas da Idade Média e da Renascença – como, por exemplo, a Florença republicana –, os artesãos e trabalhadores comuns, diferentemente dos artesãos mais prósperos e dos comerciantes, não tinham os direitos civis do *demos* ateniense. O cidadão trabalhador em Atenas não necessitava da proteção legal oferecida pelas guildas porque ele já tinha a proteção da pólis e de sua condição de cidadão. Assim

---

[13] Discuto as atitudes dos atenienses em relação ao trabalho em *Peasant-Citizen and Slave: The Foundations of Athenian Democracy*, Londres, 1988, p. 137-45.

como a condição legal das guildas medievais refletia a incapacidade das cidades medievais de destruir o *status* dos patrícios, a ausência das guildas na Atenas antiga refletia o sucesso da pólis, o da democracia em particular, em submeter os patrícios à jurisdição de toda a comunidade cívica[14]. As guildas medievais tinham um pouco em comum com a divisão romana entre patrícios e plebeus, que refletia tanto o poder da plebe de se fazer ouvir quanto sua incapacidade de submeter a aristocracia; ao passo que na pólis democrática, em que a vitória do *demos* foi mais completa, não havia associação distinta de pessoas "comuns". A democracia era em si uma associação do *demos*.

Naturalmente, Weber sabia de tudo isso. Ele chegou mesmo a mostrar que as guildas de artesãos começaram nos períodos e lugares em que a democracia havia declinado ou nunca havia triunfado. Mas é significativo que a falta de guildas na pólis democrática e sua presença na cidade medieval represente para ele o baixo *status* do trabalho na primeira e sua elevação na segunda. A pedra de toque, como sempre, é a condição do trabalho como atributo não dos trabalhadores, mas da *bourgeoisie*. Isso também diz muito sobre a definição circular da "ética do trabalho" de Weber; pois, assim como a cidade medieval era um "centro de produção" não porque atendesse aos interesses dos trabalhadores, mas porque incentivava o empreendedor, também a glorificação do trabalho na "ética do trabalho" representaria não tanto a elevação cultural do trabalhador ou a atividade do trabalho produtivo quanto a sujeição do trabalho às exigências do intercâmbio lucrativo.

A ascensão do capitalismo moderno

Portanto, é este o pano de fundo contra o qual Weber construiu sua discussão do "espírito do capitalismo" no Ocidente. O centro de produção medieval em que prosperavam as liberdades burguesas dava rédeas à racionalidade econômica, e seu *ethos* produtivo abriu caminho para a ética do "trabalho". Mas a realização completa das tendências já presentes na cidade medieval, a aplicação completa da racionalidade econômica não apenas ao comércio, mas também à organização da produção e o amadurecimento da verdadeira burguesia como agente de produção, aparentemente, exigiram a liberação dos impedimentos culturais e políticos que obstruíam o caminho da racionalidade econômica. A produção na cidade medieval talvez já estivesse subordinada às exigências do comércio, mas a organização do trabalho em si, seu processo, suas disciplinas, suas técnicas e seus instrumentos ainda não haviam sido inteiramente transformados pela racionalidade do capital. Assim como o parasitismo da aristocracia feudal seria decisivamente substituído pela atividade da verdadeira e moderna *bourgeoisie*, assim também a mentalidade consumidora ou rentista tradicional precisava ser completamente deslocada pelos

---

[14] George Grote, historiador do século XIX e especialista em Grécia antiga, no livro *History of Greece*, cap. XXXI, fez uma comparação esclarecedora entre as sociedades antiga e medieval, argumentando que as guildas, como associações formalmente reconhecidas, surgiram da incapacidade das cidades medievais de destruir o *status* patrício, ao passo que as reformas de Clístenes, em Atenas, em geral citadas como a verdadeira base da democracia, conseguiram eliminar, completamente e de uma só vez, a identidade política separada das famílias patrícias, "tanto no nome quanto na realidade".

valores da produtividade. Chegou-se à transformação cultural necessária com a ética protestante.

Mas a ética protestante de Weber não explica o espírito do capitalismo sem, mais uma vez, pressupor a sua existência. A ideia da "vocação", os valores do ascetismo, a glorificação do trabalho duro em si não têm relação necessária com o capitalismo. O que torna capitalista a ética do trabalho não é sua glorificação, do trabalho em si, mas sua identificação com produtividade e maximização de lucros. Ainda assim, essa identificação já pressupõe a subordinação do trabalho ao capital e a generalização da produção de mercadorias, o que, por sua vez, pressupõe a subordinação dos produtores diretos aos imperativos do mercado.

Nenhum dos termos principais da equação de Weber – a tradição da autonomia burguesa ou a teologia protestante – nem mesmo os dois termos juntos *explicam* esses pressupostos sem auxílio da petição de princípio. Se nada houvesse no conceito de "O trabalho" que exigisse sua associação com o comércio e a indústria, e nada houvesse nas práticas econômicas tradicionais dos burgueses que explicasse a sujeição do trabalho ao capital, a racionalidade do lucro comercial jamais poderia explicar como toda produção se tornou produção para comércio nem como os produtores diretos foram forçados a ingressar no mercado para ter acesso aos meios de sua própria reprodução. E não há como explicar como a produção passou a se sujeitar aos imperativos da competição, da maximização da mais-valia e da autoexpansão do capital. Foi Marx, não Weber, quem reconheceu a necessidade de explicar tudo isso, e que a explicação somente poderia ser encontrada nas relações primárias do feudalismo e nos processos pelos quais elas foram transformadas internamente.

Para Weber, assim como para muitos antes dele, a ética burguesa foi a antítese da mentalidade consumidora/rentista do feudalismo, e obstruída por ela, ao passo que, ao mesmo tempo, o feudalismo permitiu o desenvolvimento do capitalismo nos seus interstícios urbanos. A autonomia da comunidade urbana ofereceu um espaço – criado por uma "economia natural" e por um poder político fragmentado – em que o espírito capitalista pôde se desenvolver com certo grau de liberdade dessas restrições parasitas. Mas, apesar de não haver muita dúvida de que a autonomia característica da cidade ocidental teve algo a ver com a evolução do capitalismo, aqui se tem mais uma vez um exemplo de petição de princípio. Dizer que o feudalismo permitiu a ascensão do capitalismo simplesmente por deixar espaços propícios ao desenvolvimento da autonomia urbana e da liberdade burguesa é pressupor que as cidades e os burgueses já eram por natureza capitalistas. Ainda assim, a atividade econômica do burguês medieval parasitava o feudalismo, dependia do consumo de bens de luxo por parte dos nobres e da fragmentação dos mercados que eram essenciais à ordem feudal e foram a fonte dos lucros comerciais pré-capitalistas, já que os mercadores compravam barato num mercado para vender caro em outro[15].

---

[15] Ver, por exemplo, MERRINGTON, John. "Town and Country in the Transition to Capitalism". In: Rodney Hilton (ed.), *The Transition from Feudalism to Capitalism*, p. 170-95 [Ed. bras.: "A cidade e o campo na transição para o capitalismo". In: *A transição do feudalismo para o capitalismo*. Rio de Janeiro, Paz e Terra, 1977, p. 171-96.]; e HILTON, "Towns in English Feudal Society". In: *Class Conflict and the Crisis of Feudalism*, Londres, 1990, p. 102-13.

Mesmo num "centro avançado de produção" como Florença, a economia continuou a operar com base em princípios essencialmente feudais, que se mostrariam autolimitadores como impulso ao desenvolvimento econômico. Assim, por exemplo, a vantagem econômica continuou a ser determinada menos pela produtividade que pelos poderes político, judicial e militar – fossem estes os da aristocracia proprietária ou a dominação política das elites urbanas; apesar de a riqueza ser em grande parte gasta no consumo de luxo ou no aumento dos poderes político e militar das classes dominantes, pelo aprimoramento dos meios de *apropriação* de preferência ao desenvolvimento dos meios de *produção* (apesar de alguns avanços da especialização). Também não houve grande expansão do consumo por parte dos produtores diretos, camponeses e pequenos artesãos. No primeiro caso, a comuna urbana autônoma não era tanto uma comunidade de burgueses modernos quanto uma "nobreza coletiva", que dominava e explorava o campo em torno, principalmente como fonte de impostos, grãos e serviço militar.

Mesmo mais tarde, quando o comércio e a indústria se expandiram, os grandes mercadores, que comerciavam tanto produtos de outrem quanto os de sua própria cidade, dependiam da dominação política para ter acesso aos meios de apropriação, enquanto os "produtores" prósperos dependiam, em geral, da propriedade politicamente constituída na forma de privilégios monopolísticos e não na superioridade econômica sob a forma de vantagens competitivas medida em termos de produtividade. De qualquer modo, a principal vocação do burguês mercantilista não era tanto a produção quanto a circulação, ao comprar mais barato num mercado para vender caro em outro. E mesmo nos casos em que produção e circulação estavam unidas numa única empresa a lógica econômica era a mesma, e estava associada ao lucro resultante da alienação, e não à maximização da mais-valia à moda capitalista. Não foi essa espécie de racionalidade econômica que levou à dissolução do feudalismo e sua substituição por princípios diferentes de ação econômica.

Uma economia capitalista madura não surgiu nas comunidades urbanas mais avançadas e autônomas – como as cidades-Estado da Itália central e setentrional. Sem exceção, o desenvolvimento econômico acabava, mais cedo ou mais tarde, num beco sem saída. Nem mesmo na Alemanha ou na Suíça a síntese de burguesia e protestantismo produziu o efeito necessário, enquanto na França as mesmas doutrinas foram mobilizadas pelos huguenotes para apoiar não o "espírito do capitalismo", mas, entre outras coisas, os poderes feudais independentes da nobreza provincial. A Holanda também foi incapaz de produzir uma economia capitalista integrada, com os setores agrícola e industrial mutuamente reforçados. Não havia na República Holandesa carência de repressão calvinista; mas a ética protestante, corporificada geralmente nos pequenos agricultores ou nos prósperos mercadores, nunca levou a República além do que alguns historiadores chamaram (teleologicamente) de "transição fracassada". Somente a Inglaterra produziu uma economia capitalista completamente desenvolvida, e ela era o Estado da Europa Ocidental que (como Weber parece às vezes reconhecer) menos se ajustava ao modelo das comunidades cívicas autônomas em que havia uma poderosa classe burguesa. *Esta* economia capitalista nasceu no campo, e nenhuma das premissas de Weber é capaz de explicar como as relações agrárias entre proprietários e camponeses na Inglaterra colocaram em movimento a dinâmica do desenvolvimento capitalista.

Estes exemplos devem deixar claro que a questão não é a transição de uma economia rural para outra urbana, nem da agricultura para a indústria. Antes mesmo de levantar a questão da "industrialização" é necessário encontrar uma explicação para o modo como as relações entre apropriadores e produtores, fossem eles urbanos ou rurais, se transformaram de maneira a submeter a produção aos imperativos da competição capitalista e da maximização do lucro e à compulsão para a acumulação por meio do aumento da produtividade. Essa transformação das relações sociais de propriedade é postulada, e não explicada, pela premissa de que os imperativos capitalistas existem de forma embrionária em qualquer economia urbana, esperando ser liberados pela retirada de obstáculos políticos ou culturais; também não se esclarece muito essa questão quando se postula um longo processo de "racionalização" trans-histórica que, na ausência de impedimentos, passaria a dominar a produção.

"Ação econômica" e definição "puramente econômica" do capitalismo

Weber não está realmente interessado nas relações sociais de propriedade ou nas suas transformações históricas. Embora não deixe de reconhecer que a emergência do capitalismo industrial moderno envolveu importantes mudanças sociais, especialmente a proletarização da força de trabalho, ele tende a encarar essa transformação como mais uma manifestação de um processo *técnico* mais ou menos impessoal e trans-histórico, mais um estágio do processo de racionalização (reconhecidamente ajudado por certo grau de coerção) que subordinou a organização da produção às exigências estritas da racionalidade econômica. Em geral, a transformação das relações entre as classes apropriadoras e produtoras, sejam elas urbanas ou rurais, está fora da estrutura conceitual de Weber. De fato, nem a produção nem a apropriação figuram entre as suas atividades *econômicas*. Ação econômica é o intercâmbio no mercado. Somente quando se submete às transações de mercado, a atividade produtiva se ajusta à concepção de Weber do que seja econômico. E ele não tem pelo processo de apropriação – o processo pelo qual o trabalho excedente dos produtores primários se torna propriedade de outro – interesse tão grande quanto o que tem pelo uso da propriedade já apropriada, sua utilização seja no consumo passivo, seja na busca ativa de lucro.

A mesma tendência de identificar "economia" com mercado fica evidente na sua concepção de classe. Como categoria puramente "econômica", classe se define pelos mercados – não por relações de exploração entre apropriadores e produtores, mas por "oportunidades desiguais no mercado". Onde não há mercados, predominam outras formas de estratificação, principalmente o "*status*"; onde há, haverá classes. Isso não quer dizer, entretanto, que classe seja um importante princípio de estratificação apenas nas sociedades capitalistas. Sem qualquer relação com o fato de o "capitalismo" parecer existir (como veremos mais adiante) em várias formas de sociedade, antigas ou modernas, parece também haver vários sistemas de classes, definidos por diferentes espécies de "mercado". Portanto, se o capitalismo *moderno* é fundamentalmente diferente de outras formas, é porque neste caso o mercado de *trabalho* determina as "oportunidades no mercado", enquanto em outros casos existe um outro tipo de mercado – como, por exemplo, na Antiguidade clássica, o mercado de crédito determinava a divisão entre credores e devedores.

Mas para Weber o mercado de trabalho não é uma característica definidora do capitalismo em si (que poderia existir, como existiu na Antiguidade, na ausência de mercado de trabalho, apesar do sacrifício dos desenvolvimentos capitalistas posteriores, pois a ausência de suas disciplinas no controle das classes inferiores impedia grandes acumulações de propriedade burguesa). O mercado de trabalho moderno, assim como a moderna proletarização, é então apenas mais um desenvolvimento *técnico*, mais uma manifestação do processo autônomo de racionalização e divisão do trabalho que tornou possível a organização industrial da produção.

O mercado, os processos de circulação e de intercâmbio, não o trabalho e sua apropriação, definem para Weber a "economia", não apenas em sua obra histórica, mas no núcleo de seu aparato conceitual. Segundo ele:

> Diz-se que uma ação é "economicamente orientada" desde que, conforme seu significado subjetivo, ela esteja relacionada à satisfação de um desejo por "utilidades" (*Nutzleistungen*). "Ação econômica" (*Wirtschaften*) é o uso pacífico do controle do agente sobre recursos, racionalmente orientado, pelo planejamento deliberado, visando fins econômicos.[16]

"Utilidades" podem ser:

> os serviços de objetos não humanos ou inanimados ou de seres humanos. Objetos não humanos que são fontes de utilidade potencial de qualquer espécie serão denominados "bens". Utilidades derivadas de fonte humana, desde que essa fonte seja uma conduta ativa, serão chamados "serviços" (*Leistungen*). Relações sociais que sejam avaliadas como fontes potenciais de uso presente ou futuro de utilidades são também objetos de provisão econômica.[17]

Karl Polanyi, num comentário breve mas informativo sobre o conceito de Weber do "econômico", observa essa distinção entre "bens" e "serviços" como, respectivamente, serviços úteis oferecidos por *coisas* e por *seres humanos*:

> Faz-se assim a analogia entre o ser humano e as coisas. O homem é tratado como uma coisa que presta serviços. Somente assim é possível separar o termo "serviços úteis" de coisas e pessoas. Essa separação é necessária para os fins da teoria econômica que emprega "serviços úteis" como uma unidade; pois somente assim se pode aplicar a análise econômica a todos os tipos de bens e às muitas relações tais como substituição ou complementaridade etc.

---

[16] WEBER. *Economy and Society*, p. 63.

[17] Idem, ibidem, p. 68.

Ainda assim, do ponto de vista da *história* econômica, esta definição é inútil. No reino das instituições econômicas, os serviços úteis de coisas e os que são prestados por seres humanos têm necessariamente de ser distinguidos. Os primeiros são associados a um objeto sem vida, os outros a uma pessoa viva; do ponto de vista das *instituições* econômicas, eles são, portanto, uma categoria inteiramente diferente.[18]

A questão, naturalmente, é que Weber universalizou os princípios econômicos do *capitalismo*. A analogia formal entre homens e coisas reflete, ainda que de forma abstrata, as realidades sociais desse sistema econômico historicamente específico em que a força de trabalho é uma mercadoria. O resultado é a universalização de "um método analítico criado para uma forma especial de economia, que depende da presença de elementos específicos de mercado"[19]. A definição de "ação econômica" proposta por Weber é culpada do que Polanyi chama de "falácia economística", a generalização acrítica de uma forma historicamente específica.

A generalização dos princípios capitalistas é reforçada pelo conceito de Weber do que seja "racionalidade" e do papel que representa na definição de "ação econômica". A consequência da aplicação do critério da escolha racional à definição do que constitui "ação econômica" é que os trabalhadores só se engajam em atividade econômica no processo de vender sua força de trabalho. A atividade do trabalho não é em si "econômica". Assim como os escravos são instrumentos de seus donos e, portanto, economicamente inativos, também os operários de fábrica, uma vez vendida a sua força de trabalho em troca do salário, não podem ser considerados atores econômicos por executarem seu trabalho. Segundo Polanyi, isto é lógico, pois não se pode dizer que os trabalhadores, que não são mais donos de sua força de trabalho, estejam escolhendo ou dispondo de seus próprios recursos escassos. Diz ele:

> Entretanto, o senso comum é muito diferente. Dizer que o trabalhador na fábrica *não* está engajado em algum tipo de atividade econômica não é apenas contrário ao senso comum, mas soa como um paradoxo de gosto duvidoso. Excluir as atividades diárias dos produtores do conjunto de atividades econômicas é absolutamente inaceitável para o estudante de instituições econômicas. O fato de a única atividade econômica exercida numa mina ou numa fábrica ser a do acionista que vende suas ações é uma proposição sem valor para o estudante da instituição da mina ou da fábrica.[20]

E essa proposição é ainda mais inútil para o estudante de formações econômicas não capitalistas, nas quais o "paradoxo de mau gosto" de Weber não representa nem mesmo um relato abstrato de realidades econômicas prevalecentes.

De acordo com essa estrutura conceitual, Weber insiste em definir *capitalismo* em termos puramente "econômicos", ou seja, em clara oposição a Marx, sem referência a relações sociais aparentemente alheias. De acordo com Weber,

---

[18] DALTON, George (ed.), *Primitive, Archaic, and Modern Economies: Essays of Karl Polanyi*, Boston, 1971, p. 137.
[19] Idem, ibidem, p. 141.
[20] Idem, ibidem, p. 137-8.

"o capital é o valor monetário dos meios de realização de lucros à disposição da empresa na sua contabilidade; o 'lucro' e o 'prejuízo' correspondente, a diferença entre o saldo inicial e o calculado no final do período"[21]. "O conceito de capital foi definido estritamente em referência à empresa privada individual e de acordo com a prática contábil empresarial privada."[22] Com base nessa definição, Weber insiste que a "economia capitalista" não apenas existiu, mas teve papel importante na Antiguidade. O conceito de empresa capitalista, afirma ele em sua obra sobre o mundo antigo, tende agora a ser definido, enganosamente, em termos derivados da grande empresa moderna empregadora de trabalho livre:

> Desse ponto de vista, já se afirmou que a economia capitalista não teve papel dominante na Antiguidade e que ela na realidade não existiu. Entretanto, aceitar esta premissa é limitar sem necessidade o conceito de economia capitalista a uma única forma de valorização do capital – a exploração do trabalho de outrem com base contratual – e assim introduzir fatores sociais. Deveríamos, pelo contrário, levar em conta apenas os fatores econômicos. Onde descobrirmos que propriedade é objeto de comércio e é utilizada pelos indivíduos para realização de lucro numa economia de mercado, aí estará o capitalismo. Se isso for aceito, tornar-se-á então perfeitamente claro que o capitalismo deu forma a períodos inteiros da Antiguidade, e que foram precisamente esses períodos os que receberam o nome de "era de ouro".[23]

Nesse sentido "puramente econômico", a "economia capitalista" existe em todos os lugares onde as pessoas se dedicam à busca do lucro comercial. Esse tipo de "capitalismo" existiu na Antiguidade. Ainda assim a exclusão dos "fatores sociais" impede toda possibilidade de explicação da dinâmica específica de um modo capitalista de produção, toda possibilidade de dar conta dos imperativos historicamente específicos que põem em andamento um padrão distinto de crescimento econômico autossustentado na Europa do início da era moderna. O capitalismo moderno se torna mais um exemplo da mesma coisa – mais livre, mais maduro, mas sem qualquer diferença fundamental. Explicar a ascensão do capitalismo moderno, então, reduz-se a explicar a remoção dos impedimentos.

Grande parte da discussão de Weber sobre a Antiguidade clássica, especialmente em *Economy and Society*, dedica-se de fato a explicar por que essas primeiras formas capitalistas não evoluíram para um sistema capitalista maduro, com acumulação substancial de riqueza burguesa e, ao final, a organização de produção na sua forma industrial-capitalista plenamente desenvolvida. Aqui Weber demonstra suas afinidades com a concepção burguesa e teleológica de desenvolvimento econômico, pois a questão, como ele a apresenta, não é uma dinâmica social historicamente única, caracterizada pelos imperativos específicos de competição e acumulação, mas, pelo contrário, como os impulsos do capitalismo foram *obstruídos*.

---

[21] WEBER. *Economy and Society*, p. 91.

[22] Idem, ibidem, p. 94.

[23] Idem. *Agrarian Sociology*, p. 50-1.

Entre os grandes obstáculos à evolução do capitalismo estavam os fatores políticos de uma ou de outra espécie. Nas antigas monarquias, "o capitalismo foi gradualmente restringido pela regulamentação burocrática"[24]. Nas cidades-Estado, as oportunidades de acumulação capitalista tenderam a ser maiores, mas também neste caso houve impedimentos políticos. Na Atenas democrática, por exemplo, "Toda acumulação significativa de riqueza burguesa era sujeita às reivindicações da pólis da Democracia"[25]. Diversas práticas jurídicas e políticas

> sujeitavam a acumulação burguesa de riquezas a grande instabilidade. A absoluta arbitrariedade da justiça administrada pelos tribunais populares – julgamentos civis diante de centenas de jurados desconhecedores do direito – colocava as salvaguardas do direito formal em tamanho perigo que o mais relevante é o simples fato de a riqueza ter continuado a existir, e não as violentas reversões de fortuna ocorridas após as tragédias políticas.

O povo de Atenas (e mesmo de Roma), livre das restrições impostas pelo mercado de trabalho moderno, "irresponsavelmente" aplicava às questões de propriedade princípios "arbitrários" e "irracionais" de justiça "substantiva", e não "formal". E o interesse político superava as exigências da racionalidade econômica.

O que é particularmente significativo aqui é a clara premissa de que, deixados à mercê de sua própria lógica, a busca de lucro e a acumulação de riqueza "burguesa" teriam de alguma forma produzido um capitalismo industrial maduro. Quanto à ética protestante, ela apenas acelerou processos que já estavam em operação onde a riqueza burguesa teve liberdade para se desenvolver.

A questão, para Weber, é sempre como o desenvolvimento da racionalidade econômica é acelerada ou retardada por instituições e valores não econômicos. Na Antiguidade clássica, assim como em muitos outros tempos e lugares, a atividade econômica burguesa foi restringida por forças externas a ela, especialmente a obstrução dos princípios *econômicos* pelos *políticos*, ou por crenças religiosas contrárias à racionalidade econômica. O *demos* ateniense é, sob esse aspecto, o equivalente funcional da aristocracia feudal, uma classe passiva de consumidores, cujo poder parasitava a força econômica da riqueza burguesa e a ela se opunha. Os relatos de Weber de outras civilizações – islâmicas ou asiáticas –, que não chegaram a produzir o capitalismo maduro –, seguem as mesmas linhas e explicam os obstáculos e impedimentos – seja sob a forma de doutrinas religiosas, princípios de parentesco, sistemas de justiça, formas de dominação política ou sob a forma de outros fatores extraeconômicos – que restringiram ou desviaram a lógica desenvolvimentista natural do comércio e dos serviços.

Assim, por exemplo, a China, apesar das cidades bem desenvolvidas que eram centros de comércio e produção, inclusive guildas organizadas, e apesar do número de acontecimentos que poderiam ter promovido o amadurecimento de uma economia

---

[24] Idem, ibidem, p. 64.

[25] Idem. *Economy and Society*, p. 1361.

capitalista a partir do século XVII – a acumulação de grandes fortunas privadas, melhorias na produção agrícola, um grande aumento da população etc. –, a China nunca superou os obstáculos colocados no caminho do capitalismo: principalmente um sistema de parentesco baseado na família ampliada, um Estado patrimonial, a mentalidade do mandarim, uma tradição religiosa que priorizava o "*status*", o ascetismo e as obrigações familiares, em lugar do ascetismo ativista dos puritanos. O que todos esses importantes fatores tinham em comum e que, acima de todos os outros, impediram a evolução para o capitalismo foi o fato de, ao reforçar de um lado o parentesco e, de outro, a centralização burocrática, eles terem interrompido o desenvolvimento da autonomia urbana e de uma verdadeira burguesia.

Também na Ásia, a dominância dos princípios de parentesco, ou a importância de um serviço público centralizado, além de sistemas religiosos que cultivavam o ascetismo ou o misticismo (ou os dois) foram decisivos, acima de tudo, por terem interrompido o desenvolvimento de uma classe particular, uma burguesia urbana consciente, autônoma e politicamente poderosa. Mais uma vez, o problema não é o fato de Weber atribuir grande importância histórica à autonomia urbana no Ocidente, ou ao "patrimonialismo" e ao parentesco nos outros lugares, mas, pelo contrário, a sua premissa subjacente de que os princípios do capitalismo se ocultam na cidade e no entorno dos burgos, e que somente impedimentos externos evitam que eles amadureçam num capitalismo moderno.

O MÉTODO DE WEBER: MULTICAUSALIDADE OU CIRCULARIDADE TAUTOLÓGICA?

Os admiradores de Weber gostam de louvar sua concepção multidimensional da causação social. Recentemente, por exemplo, dois neoweberianos, Michael Mann e W. G. Runciman, ofereceram visões diferentes, mas igualmente totalizadoras, do mundo social baseadas no pluralismo causal de Weber, aplicando o que afirmam ser sua grande descoberta: que não há uma única fonte de poder social, nenhum princípio de causação social como o determinismo econômico de Marx, nem mesmo uma hierarquia fixa de causas[26]. Pelo contrário, as várias fontes de poder social – econômico, político, militar, ideológico – combinam-se e se recombinam numa série de hierarquias causais historicamente específicas. Esse pluralismo causal, é o que se afirma, produz uma história melhor que a produzida pela abordagem monística de Marx.

Ainda assim, o pluralismo causal de Weber foi conquistado a um custo considerável. Não se trata apenas, como sugerem alguns críticos, de um pluralismo causal tão eclético representar a negativa completa de qualquer causa. Trata-se, pelo contrário, de ser a complexidade da teoria de causação social de Weber em grande parte espúria. A autonomia, na verdade a definição, do poder político ou militar em relação ao "econômico" tal como Weber os entende depende de uma

---

[26] MANN, Michael. *The Sources of Social Power* (Cambridge, 1986), e RUNCIMAN, W. G. *A Treatise on Social Theory*, 2 vols. (Cambridge, 1983 e 1989). O débito de Runciman com Weber é mais explícito, enquanto Mann pretende chegar a um certo equilíbrio entre Weber e Marx, entre outros. Mas a concepção de "poder social" de Mann, bem como sua descrição da multicausalidade, tem mais em comum com Weber do que ele parece admitir.

concepção universalizadora do econômico que é peculiar a uma forma social – capitalista – que já pressupõe uma clara separação entre o poder econômico e o militar ou político. Essa concepção do econômico é ainda mais restrita pela exclusão tanto da produção quanto da apropriação, ou pelo menos de sua absorção nos processos de intercâmbio de mercado, de uma forma que se aplica apenas às realidades econômicas do capitalismo – e mesmo assim somente como abstração formal e tendenciosa.

Essa estrutura conceitual não se aplica ao entendimento da organização econômica – a produção, a apropriação e a distribuição de bens materiais – de qualquer sociedade (e isso inclui todas as sociedades pré-capitalistas) em que a propriedade politicamente constituída, ou a apropriação por meios extraeconômicos pelo uso da coerção política ou militar direta, tem papel dominante, no qual as relações entre apropriadores e produtores diretos são jurídica e politicamente definidas – ou seja, onde a vida material é organizada de formas não econômicas (no sentido amplo, não capitalista), nem existe forma de estabelecer se a organização da vida material – o modo de produção, apropriação e exploração – é menos determinativa nessas sociedades do que na ordem puramente econômica do capitalismo, já que nesse esquema conceitual o "econômico" existe *apenas* no seu sentido capitalista. Tudo que se pode afirmar, mais ou menos tautologicamente, acerca das economias não capitalistas é o que nelas o "econômico", naquele sentido formal e autônomo, específico do capitalismo, não é dominante. E se o poder econômico não é dominante então alguma forma de poder "não econômico" o será. Isso não é tanto causalidade complexa quanto mera circularidade.

Essa mesma circularidade está implícita em algumas das críticas mais comuns da historiografia marxista. Aparentemente, os historiadores marxistas são maus historiadores na medida em que sejam bons marxistas e vice-versa. Ou seu marxismo os força a sacrificar a especificidade histórica ao reducionismo teórico, ou eles comprometem sua própria pureza marxista a fim de reconhecer a complexidade da causação social. Assim, por exemplo, os historiadores marxistas que oferecem uma explicação do feudalismo em que as formas jurídicas e a soberania dividida têm papel dominante, ou uma explicação da história francesa em que o Estado absoluto é um agente primário, estarão abandonando explicitamente o dogma marxista do determinismo econômico em favor da autonomia e primazia dos fatores "extraeconômicos". O que essas críticas deixam de levar em conta é que, uma vez que o materialismo marxista distingue as sociedades capitalistas das pré-capitalistas com base exatamente no fato de nas primeiras o trabalho ser extraído do produtor direto por diversas formas de dominação extraeconômica, a especificação dessas formas "extraeconômicas" deve primeiro estar incluída na definição da "base econômica".

Sob esse aspecto, o conceito de modo de produção de Marx é mais sensível à especificidade e à variabilidade históricas do que o esquema conceitual de Weber é derivado e universalizado da experiência do capitalismo. A primeira premissa da crítica de Marx da economia política é que toda forma social distinta tem seu próprio modo distinto de atividade econômica com sua própria lógica sistêmica, suas próprias "leis de movimento" e padrões de desenvolvimento, e que o capitalismo é apenas uma entre várias dessas formas. Para Weber, existe apenas um modo de atividade econômica, essencialmente capitalista, que pode estar presente ou ausente em vários graus. Para Marx, as várias formas de poder social "extraeconômico" – político, jurídico ou militar – têm papel constitutivo na definição do "econômico" e produzem uma ampla variedade de formações econômicas. Para Weber, essas formas extraeconômicas são na realidade externalidades que agem sobre, incentivam ou inibem, aceleram ou retardam, mas nunca transformam fundamentalmente o único, universal e trans-histórico modo de ação verdadeiramente *econômica*. Então, quem é eurocêntrico, teleológico e reducionista?

História, progresso e emancipação

Max Weber pode vir a ser o tipo ideal profético do intelectual (pós-)moderno do nosso *fin de siècle*. A sua obra prefigura dois dos principais temas da cultura intelectual ocidental do final do século XX, o que se poderia chamar o fim do progressivismo iluminista em dois modos antitéticos (ou não?): a convicção triunfalista de que o progresso atingiu seu destino no capitalismo moderno e na democracia liberal – a glorificação do "mercado" e do "fim da história"; acompanhada do irracionalismo e do pessimismo pós-modernistas, e do assalto sobre o "projeto iluminista", suas concepções de razão e progresso.

Em que pese suas críticas ao conceito de progresso, Weber deve muito à tradição iluminista, com suas crenças no avanço da razão e da liberdade. Ainda assim, ele terminou com uma visão muito mais estreita e mais pessimista, e com uma profunda ambivalência em relação aos valores do Iluminismo. Para ele, a ascensão do capitalismo representou certamente o progresso da razão, mas "racionalização" era uma faca de dois gumes: de um lado, o progresso e a prosperidade material; de outro, a gaiola de ferro; o progresso da liberdade e da democracia liberal, ao lado da perda inevitável da liberdade – para o que a única resposta disponível talvez fosse o irracionalismo.

Ambivalência não é uma posição irracional para se adotar em relação aos frutos do "progresso" moderno. O que torna a atitude de Weber mais problemática é o fato de sua ambivalência preservar a teleologia do triunfalismo iluminista enquanto abre mão de muito de sua visão crítica e emancipadora. As consequências são visíveis na sua resposta ambígua às crises de seu tempo. A Revolução Russa, a derrota da Alemanha na Primeira Guerra Mundial confirmaram seus temores de que a civilização ocidental estivesse ameaçada. Além de profundamente pessimista, sua reação foi antidemocrática e irracionalista. Em sua visão política, a emancipação humana foi eclipsada pelo nacionalismo alemão ou pela missão histórica da nação alemã como uma fortaleza contra as ameaças dos bárbaros (especificamente os russos) à civilização ocidental. Nessa visão, ele se uniu ao que viria a ser uma longa tradição do conservadorismo alemão (embora essa linha de seu pensamento tenha tido uma história mais longa, pois até mesmo sua associação com o liberalismo alemão representou menos um compromisso com o avanço da liberdade do que com o projeto de construção nacional dos liberais[27]). Finalmente, seu principal legado político à nação alemã foi a provisão na Constituição de Weimar que pedia um presidente "plebiscitário" eleito pelo voto popular e investido de vastos poderes, cuja função primordial seria comandar a obediência cega das massas. Nesse novo tipo de líder "carismático", o irracionalismo seria acionado contra a ameaça de revolução.

Se o pensamento de Weber é perpassado de ambivalência em relação aos frutos do progresso iluminista, existe, ainda assim, uma certa lógica nessa ambivalência que nos diz muito, *mutatis mutandis*, acerca de nossa condição pós-moderna, em que a submissão à inevitabilidade do capitalismo, junto com a aceitação acrítica de suas premissas básicas, só pode evocar a resposta da celebração ou do desespero. A essa escolha de Hobson, Marx ainda oferece a possibilidade de uma alternativa.

A posição de Marx na tradição iluminista é em certo sentido exatamente o reverso da de Weber. Assim como Weber, ele reconheceu tanto os benefícios quanto os custos do progresso, e especialmente os do capitalismo; mas descartou a teleologia apesar de preservar a visão crítica e emancipadora do Iluminismo. Sua crítica da economia política e seu conceito de modo de produção libertaram a história e a teoria social das categorias limitadoras da ideologia capitalista. Mas tendo se afastado do conceito iluminista de progresso apenas o suficiente para se livrar de sua teleologia burguesa, e depois de substituir a teleologia pelo *processo histórico*, ele retomou e expandiu o programa iluminista de emancipação humana. Apesar de sua consciência das coerções sistêmicas do capitalismo, ele ao final tinha uma visão *menos* determinista. Ao oferecer a *história* em vez da teleologia, ofereceu também a possibilidade de mudança em lugar do desespero ou do abraço generoso. Ao colocar a *crítica* da economia política no lugar da submissão acrítica às premissas e categorias do capitalismo, tornou possível ver dentro dele as condições de sua superação por uma sociedade mais humana. O resultado foi tanto uma maior apreciação da especificidade histórica como uma visão mais universalista.

Essa combinação pode guardar algumas lições frutíferas diante da aliança perversa entre o triunfalismo capitalista e o pessimismo socialista, numa época em que as "grandes narrativas" estão fora de moda, e mesmo na esquerda estamos sendo convidados, no interesse da "diferença" e da política da "identidade", a abandonar todos os projetos universais de emancipação humana e a nos submeter à força irresistível do capitalismo.

---

[27] Para uma discussão do liberalismo de Weber e de outros aspectos de seu pensamento em relação à política de seu tempo e lugar, ver MOMMSEN, W. *Max Weber und die deutsche Politik 1890-1920*, Tübingen, 1950.

PARTE II

A DEMOCRACIA CONTRA O CAPITALISMO

O TRABALHO E A DEMOCRACIA ANTIGA E MODERNA

Os gregos não inventaram a escravidão, mas, em certo sentido, inventaram o trabalho livre. Embora a escravidão tenha chegado a níveis sem precedentes na Grécia clássica, particularmente em Atenas, não havia no mundo antigo nada de novo acerca do trabalho não livre ou da relação entre senhor e escravo. Mas o trabalhador livre, com o *status* de cidadão numa cidade estratificada, especificamente o *cidadão camponês*, com a liberdade jurídica e política implícita e a liberação de várias formas de exploração por coação direta dos donos de terra ou dos Estados, era certamente uma formação distintiva que indicava uma relação única entre as classes apropriadoras e produtoras.

Essa formação única está no centro de grande parte do que caracteriza a pólis grega e especialmente a democracia ateniense. Raros desenvolvimentos políticos ou culturais em Atenas não foram de alguma forma afetados por ela, desde os conflitos entre democratas e oligarcas nas transações da política democrática para a clássica da filosofia grega. As tradições políticas e culturais da Antiguidade clássica que chegaram até nós estão, portanto, imbuídas do espírito do cidadão trabalhador e da vontade antidemocrática que ele inspirou e que informou os textos de grande filósofos. A condição do trabalho no mundo ocidental moderno, tanto na teoria quanto na prática, não pode ser inteiramente explicada sem que se busque na história da Antiguidade greco-romana a disposição distintiva de relações entre as classes apropriadoras e produtoras na cidade-Estado greco-romana.

Ao mesmo tempo, se a condição social e cultural do trabalho no Ocidente moderno remonta à Antiguidade clássica, temos muito a aprender com a ruptura radical que, sob esse aspecto, separa o capitalismo moderno da democracia ateniense. Isso é verdade não apenas no sentido óbvio de a escravidão, depois de um papel renovado e proeminente na ascensão do capitalismo moderno, ter sido eliminada, mas também no sentido de o trabalho livre, apesar de se tornar a forma dominante, ter perdido grande parte do *status* político e cultural que tinha na democracia grega.

Essa afirmação contraria não apenas a sabedoria convencional, mas também a opinião erudita. Não se trata somente de haver algo profundamente anti-intuitivo na proposição de a evolução das antigas sociedades escravagistas até o capitalismo liberal moderno ter sido marcada pelo declínio do *status* do trabalho. Há também o fato de que o trabalho livre nunca teve a importância histórica geralmente atribuída à escravidão no mundo antigo. Quando chegam a tocar na questão do trabalho e de seus efeitos culturais, os historiadores da Antiguidade dão prioridade absoluta à escravidão. É consenso geral que a escravidão foi responsável pela estagnação tecnológica da Grécia e da Roma antigas. A associação de trabalho com escravidão, segundo esse argumento, produziu um desprezo geral pelo trabalho na cultura grega antiga. No curto prazo, a escravidão aumentou a estabilidade da pólis democrática ao unir cidadãos ricos e pobres, mas causou no longo prazo o declínio do império romano – seja por sua presença (como obstáculo ao desenvolvimento das forças produtivas) ou por sua ausência (à medida que o declínio na oferta de escravos impôs pressões terríveis sobre o Estado romano imperial). E assim por diante. Nenhum desses efeitos determinativos é atribuído ao trabalho livre. Nos parágrafos seguintes haverá uma tentativa de retomar o equilíbrio e considerar o que uma percepção diferente do trabalho na Antiguidade pode nos informar sobre seu equivalente no capitalismo moderno.

A DIALÉTICA DE LIBERDADE E ESCRAVIDÃO

Poucos historiadores teriam hesitado em identificar a escravidão como uma característica essencial da ordem social da Grécia antiga, particularmente de Atenas. Muitos talvez afirmassem que a escravidão é, de uma forma ou de outra, *a* característica essencial e descrevessem a Atenas clássica como uma "economia escravagista", uma "sociedade escravagista", ou como um exemplo do "modo escravagista de produção". Ainda assim, não há muito consenso quanto ao que significa caracterizar dessa forma a sociedade ateniense, ou ao que se pretende explicar com tal caracterização.

Essas descrições não seriam tão problemáticas se soubéssemos que o grosso da produção grega foi realizada por escravos e que a divisão entre as classes apropriadoras e produtoras correspondia de forma mais ou menos transparente à divisão entre uma comunidade juridicamente definida de homens livres, especialmente os cidadãos, e uma classe trabalhadora de escravos submissos. Mas, como hoje em geral se aceita que a produção ao longo da história grega e romana se baseava pelo menos numa proporção igual do trabalho livre e da escravidão, o papel da escravidão como chave da história antiga se torna uma questão mais espinhosa[1].

---

[1] Por exemplo, M. I. Finley descreve a Grécia e Roma como "sociedades escravagistas", não porque a escravidão predominasse sobre o trabalho livre, mas porque essas sociedades eram caracterizadas por "um sistema institucionalizado de emprego de trabalho escravo em grande escala tanto no campo quanto nas cidades" (*Ancient Slavery and Modern Ideology*, Londres, 1980, p. 67.) [Ed. bras.: *Escravidão antiga e ideologia moderna*. Rio de Janeiro, Graal, 1991.] G. E. M. de Ste Croix afirma que "embora não seja tecnicamente correto caracterizar o mundo grego (e romano) como 'economias escravagistas'" porque "a produção combinada de camponeses e artesãos livres excedeu em muito a dos produtores agrícolas e industriais não livres durante todo o tempo na maioria dos lugares", ainda assim essa designação é apropriada porque a escravidão foi, segundo ele, o modo dominante de extração de excedentes ou de exploração (*The Class Struggle in the Ancient Greek World*, Londres, 1981, p. 133). Perry Anderson, em *Passages from Antiquity to Feudalism*, Londres, 1974 [Ed. bras.: *Passagens da antigüidade ao feudalismo*. São Paulo, Brasiliense, 1987.], prefere manter o conceito marxista, "modo de produção escravagista", mas não por ter o trabalho escravo predominado na produção grega e romana, mas porque ele lança uma sombra ideológica sobre outras formas de produção. Ver também GARLAND, Yvon. *Slavery in Ancient Greece*, Ithaca e Londres, 1988; edição revisada e ampliada de *Les esclaves en Grèce*, 1982, especialmente a conclusão, para uma consideração sobre conceitos como "modo de produção escravagista" como aplicado à Grécia antiga.

Atenas, o caso para o qual existe evidência mais substancial, oferece problemas particularmente difíceis. Ela é a pólis grega que se ajusta da forma menos ambígua à descrição de uma "sociedade escravagista" e, ao mesmo tempo, a pólis mais democrática, na qual a maioria dos cidadãos tinha de trabalhar para viver. Nesse sentido, o trabalho livre era a espinha dorsal da democracia ateniense. Não se pode nem mesmo dizer que nessa sociedade ainda essencialmente agrária a produção agrícola dependesse em grande parte do trabalho escravo. A extensão do trabalho escravo ainda é questão controversa[2], mas não restam muitas dúvidas de que os pequenos proprietários que trabalhavam a própria terra eram o núcleo da produção agrícola. Está fora de questão que nas grandes propriedades havia um estoque permanente, mas não muito grande, de escravos para o trabalho agrícola; mas as propriedades eram geralmente pequenas, e mesmo os proprietários ricos possuíam vários pequenos lotes espalhados, em vez de grandes unidades. Embora pouco se saiba sobre como se trabalhavam essas propriedades menores, oferecê-las a arrendatários ou a meeiros era um expediente mais prático do que empregar escravos. De qualquer forma, não existiam grandes plantações, enormes propriedades mantidas por grupos de escravos alojados em galpões, como nos latifúndios romanos. Na época da colheita, em geral se empregava trabalho temporário assalariado, disponível durante o ano todo na forma de cidadãos sem propriedade ou pequenos proprietários cujas terras próprias (ou arrendadas) eram insuficientes para sustentar suas famílias. Muita coisa ainda se desconhece, e provavelmente continuará desconhecida, acerca do campo na Ática na Antiguidade clássica, mas uma coisa parece certa: o fazendeiro--camponês foi sua figura mais característica.

Os escravos eram mais importantes para a economia urbana, embora fossem raras as grandes manufaturas que empregavam muitos escravos. O cidadão artesão talvez não tenha sido figura tão proeminente quanto o cidadão agricultor, mas certamente não era eclipsado pelos escravos. A escravidão aparece em praticamente todo canto da vida ateniense, desde o trabalho mais humilde até o mais qualificado, dos escravos mineiros de Laureion até os arqueiros cíticos que serviam como uma espécie de força policial, de empregados domésticos a negociantes (um dos homens mais ricos de Atenas, o banqueiro Pasion, havia sido um desses escravos), professores e o que de mais próximo havia de um funcionário público; das condições mais servis até as relativamente independentes e privilegiadas. Mas havia apenas duas áreas da vida que, sabemos com relativa certeza, eram monopolizadas pelo trabalho escravo – o serviço doméstico e as minas de prata (embora existissem pequenos arrendatários que exploravam as minas por conta própria). As minas tinham, sem dúvida, importância crítica para a economia ateniense; e uma pólis onde homens e mulheres livres, e não escravos, fossem empregados nas casas de seus compatriotas mais ricos teria sido qualquer outra cidade que não a Atenas democrática. Entretanto, a importância básica do trabalho livre nas bases

---

[2] Discuto em detalhe essa questão da escravidão agrária em *Peasant-Citizen and Slave: The Foundations of Athenian Democracy*, Londres, 1988, capítulo 2 e apêndice I. A questão do arrendamento também é estudada no mesmo capítulo, com algumas considerações sobre a escassez e a ambigüidade das evidências no apêndice II.

materiais da sociedade ateniense exige, no mínimo, uma definição em nuances da "sociedade escravagista"[3].

Não se pretende aqui minimizar a importância da escravidão na sociedade ateniense. A escravidão era mais generalizada na Grécia – principalmente em Atenas – e em Roma do em qualquer outra civilização do mundo antigo e, de fato, só igualada por um punhado de sociedades ao longo de toda a história[4]. As estimativas do número de escravos da Atenas clássica têm variado muito entre os intelectuais modernos: por exemplo, no final do século IV a.C., essas estimativas variaram entre 20 mil para uma população livre de 124 mil, até 106 mil escravos para uma população livre de 154 mil (112 mil cidadãos e respectivas famílias e 42 mil metecos)[5]. O número mais aceito atualmente é algo em torno de um máximo de 60 mil a 80 mil nos períodos de maior população; mas ainda assim trata-se de um número significativo, equivalente a cerca de 20% a 30% da população total. E mesmo que os escravos não dominassem a produção material eles certamente dominavam as grandes empresas, fossem elas agrícolas ou "industriais"[6]. Nessa escala, a escravidão tinha de ser uma característica definidora da Antiguidade greco-romana, e justifica a designação de "sociedade escravagista". Mas não existe relato da história antiga, especialmente da história da democracia de Atenas, que seja, ainda que remotamente, considerado aceitável e não coloque o trabalho livre pelo menos no mesmo nível em termos de capacidade explicativa.

A verdade é que, embora diversas formas de trabalho livre tenham sido uma característica comum em muitos lugares na maioria dos tempos, a condição desfrutada pelo trabalho livre na democracia de Atenas não teve precedentes e, sob muitos aspectos, permaneceu inigualável desde então. O cidadão camponês da Antiguidade clássica – em graus variáveis, uma característica da sociedade grega assim como da romana, mas que nunca se igualou à que havia na democracia ateniense – representa uma forma social única. A clareza da escravidão como categoria de trabalho não livre, diferente de outras, como a dívida ou servidão, destaca-se nitidamente porque a liberdade do agricultor apagou todo um espectro de dependência que caracterizou a vida produtiva da maioria das sociedades ao longo da história conhecida.

---

[3] Essa definição deveria começar, assim como a definição de Ste Croix do que seja uma "economia escravagista", com a proposição de que o critério essencial não seja a forma dominante de produção, mas a forma principal de extração de excedentes, o modo de exploração que criava a riqueza da classe dominante. Permaneceriam, entretanto, as questões relativas ao grau em que tal riqueza seria produzida por escravos, e não por arrendatários livres.

[4] Embora tenha havido escravos em muitas sociedades ao longo da história, houve apenas cinco casos registrados de "sociedades escravagistas" no sentido definido por Finley: Atenas clássica, Itália romana, as ilhas das Índias Ocidentais, o Brasil e o sul dos Estados Unidos. Ver FINLEY, *Ancient Slavery*, p. 9, e HOPKINS, Keith. *Conquerors and Slaves*, Cambridge, 1978, p. 99-100.

[5] A estimativa mais baixa é a de A. H. M. Jones, *Athenian Democracy*, Oxford, 1957, p. 76-9; a mais alta está no verbete sobre "Population (Greek)" do *Oxford Classical Dictionary*, baseada, com algumas modificações, no clássico de A. W. Gomme, *The Population of Athens*, Oxford, 1933.

[6] Isso é o que Finley tem em mente quando descreve a Grécia e Roma como sociedades escravagistas: não que os escravos fossem predominantes no conjunto da economia, mas que eles constituíam a força de trabalho permanente "em todos os estabelecimentos gregos ou romanos maiores que a unidade familiar" (*Ancient Slavery*, p. 81).

Não é tanto o fato de a existência da escravidão ter definido de forma tão nítida a liberdade do cidadão, mas, pelo contrário, o fato de o cidadão trabalhador, tanto na teoria quanto na prática, ter definido o cativeiro dos escravos.

A liberação dos agricultores da Ática das formas tradicionais de dependência incentivou o crescimento da escravidão ao excluir outras formas de trabalho não livre. Nesse sentido, democracia e escravidão em Atenas estiveram unidas de forma inseparável. Mas essa dialética da liberdade e escravidão, que dá lugar central ao trabalho livre na produção material, sugere algo diferente da proposição simples de que a democracia ateniense tivesse fundamento na escravidão. E se reconhecemos que a liberdade do trabalho livre, assim como a escravidão dos escravos, foi uma característica essencial, talvez a mais distintiva, da sociedade ateniense, somos obrigados a considerar as formas pelas quais essa característica nos ajuda a explicar muitas outras características distintivas da vida cultural, social, política e econômica da democracia.

Dar ao cidadão trabalhador o seu direito é tão importante para a avaliação da escravidão quanto para a avaliação do trabalho livre. Nenhum dos dois pode ser inteiramente compreendido fora do nexo que os une. Tanto na Grécia como em Roma, sempre houve uma relação direta entre a extensão da escravidão e a liberdade do campesinato. A Atenas democrática tinha escravos, Esparta tinha os hilotas. As oligárquicas Tessália e Creta tinham o que se poderia chamar de servos. Fora da Itália romana (também neste caso a maioria da população fora da cidade de Roma ainda era formada de camponeses, mesmo no apogeu da escravidão), muitas formas de arrendamento e meação sempre predominaram sobre a escravidão. No Norte da África e no Império Oriental, a escravidão na agricultura nunca foi importante. Tanto nos reinos helenos como no Império Romano, a escravidão sempre teve importância menor nessas regiões dominadas por alguma espécie de Estado monárquico ou tributário, nos quais os camponeses não tinham a condição civil que tinham na pólis.

Se o crescimento excepcional da escravidão em Atenas resultou da liberação do campesinato ateniense, assim também a crise da escravidão no Império Romano foi acompanhada pela dependência crescente dos camponeses. Este ensaio não se propõe a determinar o que é causa e o que é efeito; mas, de uma forma ou de outra, a chave para a transição da escravidão para a servidão é tão relacionada com o *status* do camponês quanto com a condição dos escravos: ou as classes proprietárias precisavam deprimir a condição dos pobres livres por causa da redução na oferta de escravos, e a escravidão deixava de ser produtiva como antes; ou o crescimento do governo monárquico e imperial em Roma produziu um declínio gradual do poder político e militar dos cidadãos pobres e impôs a eles uma carga cada vez mais insuportável, ocorrendo assim uma "transformação estrutural" da sociedade romana que tornou os camponeses presa mais fácil da exploração e dessa forma reduziu a demanda de trabalho escravo[7]. Nos dois casos, a escravidão se reduz à medida que declina a condição civil do campesinato.

---

[7] Para o primeiro argumento, ver Ste CROIX, *Class Struggle*, p. 453-503; para o segundo, FINLEY, *The Ancient Economy*, Berkeley, 1973, p. 86 e segs. [Ed. port.: *A economia antiga*. Porto, Afrontamento, 1980.]

Quando, séculos mais tarde, a escravidão volta a ter um papel importante nas economias ocidentais, ela se inseriu num contexto muito diferente (com alguns impressionantes efeitos ideológicos sobre a ligação entre escravidão e racismo, que vou examinar no capítulo "Capitalismo e emancipação humana..."). A escravidão associada às plantações do sul dos Estados Unidos, por exemplo, não fazia parte de nenhuma economia agrária dominada por produtores camponeses, mas sim de uma agricultura comercial em grande escala inserida num sistema internacional de comércio em expansão. A principal força motriz no centro da economia mundial capitalista não foi o nexo entre senhor e escravo, nem do proprietário com o camponês, e sim do capital com o trabalho. O trabalho assalariado livre se tornou a forma dominante num sistema de relações de propriedade cada vez mais polarizado entre a propriedade absoluta e a falta absoluta de propriedade; e nesse sistema polarizado os escravos também deixaram de ocupar um grande espectro de funções econômicas. Não havia nada semelhante ao banqueiro Pasion ou ao funcionário público escravo. O trabalho escravo ocupava a posição mais humilde e servil na economia de *plantation*.

Governantes e produtores

Os historiadores geralmente concordam que a maioria dos cidadãos atenienses trabalhava para viver. Ainda assim, depois de colocar o cidadão trabalhador ao lado do escravo na vida produtiva da democracia, eles não se interessaram pelas consequências dessa formação única, desse trabalhador livre e desse *status* político sem precedentes. Onde existe a tentativa de estabelecer ligações entre as fundações materiais da sociedade ateniense e sua política ou cultura (e a tendência dominante é ainda a de separar a história política e cultural grega de toda raiz social), é a escravidão que fica no centro do palco como o grande fato determinante.

Esse descaso é realmente extraordinário se consideramos a excepcionalidade da posição da mão de obra livre e o alcance de suas consequências. Não seria exagero afirmar, por exemplo, que a verdadeira característica da pólis como forma de organização de Estado é exatamente essa, a união de trabalho e cidadania específica da *cidadania camponesa*. A pólis pertence certamente ao que em geral se denomina, ainda que imprecisamente, a "cidade-Estado" dos gregos e, em termos amplos, dos romanos, bem como dos fenícios e etruscos – ou seja, o pequeno Estado autônomo formado pela cidade e o campo que a contorna. Mas tal categoria deve ser ainda mais decomposta para identificarmos o que é mais distintivo da pólis grega.

Nas sociedades pré-capitalistas, em que os camponeses eram a principal classe produtora, a apropriação – seja pelo proprietário, seja por meio do Estado – assumia a forma do que se poderia chamar de propriedade politicamente constituída, ou seja, a apropriação conquistada por vários mecanismos de dependência política e jurídica, por coação direta – trabalho imposto sob a forma de dívida, escravidão, servidão, relações tributárias, impostos, corveia e outras. É o que acontecia nas civilizações avançadas do mundo antigo, nas quais a forma típica do Estado era uma variante do Estado "burocrático-redistributivo", ou "tributário", no qual um corpo governante se superpunha às comunidades dominadas de produtores diretos cuja mais-valia era apropriada pelo aparelho governante[8].

Essas formas já existiam na Grécia antes do advento da pólis, nos reinos da Idade do Bronze. Mas na Grécia surgiu uma nova forma de organização que uniu proprietários e camponeses numa unidade cívica e militar. Um padrão semelhante em linhas gerais viria a aparecer em Roma. A própria ideia de *comunidade cívica* e de *cidadania*, como algo diferente de um aparelho estatal ou de uma comunidade de governantes superpostos, era característica da Grécia e de Roma; e indicava uma relação inteiramente nova entre apropriadores e produtores. Em particular, o *cidadão camponês*, um tipo social específico das cidades-Estado gregas e romanas – e ainda assim a nem todos os Estados gregos[9] –, representou um rompimento radical com todas as outras civilizações avançadas conhecidas do mundo antigo, inclusive as formas de Estado anteriores a ele na Grécia durante a Idade do Bronze.

A pólis grega quebrou o padrão geral das sociedades estratificadas de divisão entre *governantes* e *produtores*, especialmente a oposição entre Estados apropriadores e comunidades camponesas subjugadas. Na comunidade cívica, a participação do produtor – especialmente na democracia ateniense – significava um grau sem paralelos de liberdade dos modos tradicionais de exploração, tanto na forma de obrigação por dívida ou de servidão quanto na de impostos.

Sob esse aspecto, a pólis democrática violou o que um filósofo chinês (numa passagem que, com alguns refinamentos filosóficos, poderia ter sido escrita por Platão) certa vez descreveu como um princípio universalmente reconhecido como direito "em todos os lugares sob o Céu":

> Por que se deveria pensar que aquele que conduz o governo de um reino tenha também tempo de lavrar o solo? A verdade é que alguns problemas são próprios dos grandes, e outros, dos pequenos. Mesmo que se suponha que um homem pudesse reunir em si todas as habilidades necessárias a todas as profissões, se ele tivesse de fazer sozinho tudo o que usa, todos acabariam completamente exaustos de fadiga. O ditado é verdadeiro: "Alguns trabalham com a mente, outros com o corpo. Os que trabalham com a mente governam, enquanto os que trabalham com o corpo são governados. Os que são governados produzem o alimento; os que governam são alimentados".[10]

Pode-se mesmo afirmar que a pólis (numa definição bem geral para incluir a cidade-Estado romana[11]) representou a emergência de uma nova dinâmica social na forma das relações de *classe*. Isso não quer dizer que a pólis tenha sido a primeira

---

[8] A primeira fórmula é usada por Karl Polanyi – por exemplo, em *The Great Transformation*; Boston, Beacon Press, 1957, p. 51-2; o modo "tributário de produção" é um conceito formulado por Samir Amin em *Unequal Development*, Hassocks, 1976, p. 13 e segs. [Ed. bras.: *O desenvolvimento desigual*. Rio de Janeiro, Forense-Universitária, 1976.]

[9] Por exemplo, os hilotas de Esparta e os servos de Creta e da Tessália representavam a antítese do cidadão camponês.

[10] MENCIUS, em *Three Way of Thought in Ancient China*, Arthur Wailey (ed.), Garden City, s/d, p. 140.

[11] Para um exemplo desse uso geral, ver FINLEY, *Politics in the Ancient World*, Cambridge, 1983. [Ed. bras.: *A política no mundo antigo*. Rio de Janeiro, Zahar, 1985.]

forma de Estado em que as relações de produção entre apropriadores e produtores tenha tido papel central. A questão é, pelo contrário, que essas relações assumiram uma forma radicalmente nova. A comunidade cívica representou uma relação direta, dotada de lógica própria de processo, entre proprietários e camponeses como indivíduos e como classes, separada da velha relação entre governantes e súditos.

A velha relação dicotômica entre o Estado apropriador e os súditos camponeses produtores foi prejudicada de alguma forma por todo o mundo greco-romano, em todos os lugares onde houvesse uma comunidade cívica unindo proprietários e camponeses, ou seja, onde os camponeses possuíam o *status* de cidadãos. Isso era verdade mesmo onde, tal como em Roma, a condição cívica dos camponeses era relativamente restrita. Havia, entretanto, diferenças significativas entre as condições da aristocrática Roma e da democrática Atenas. Tanto em Atenas como em Roma, o *status* político e jurídico do campesinato impunha restrições aos meios disponíveis de apropriação pelos proprietários e incentivou o desenvolvimento de alternativas, principalmente a escravidão. Mas na democracia ateniense o regime camponês era mais restritivo do que na Roma aristocrática e marcou de forma muito mais decisiva o conjunto da vida cultural, política e econômica da democracia, chegando mesmo a ajustar o ritmo e os objetivos da guerra às exigências do pequeno agricultor e seu calendário agrícola[12]. Na verdade, ainda que incentivasse o crescimento da escravidão, a democracia inibia ao mesmo tempo a concentração da propriedade, limitando assim as formas em que se podia utilizar a escravidão, especialmente na agricultura.

Em comparação, embora o regime aristocrático de Roma fosse restrito de diversas formas pela condição cívica e militar do camponês, a cidade-Estado romana era dominada pela lógica do proprietário de terras. A concentração da propriedade que tornava possível o uso intensivo de escravos na agricultura era uma manifestação importante dessa dominância aristocrática. Outra manifestação foi o drama espetacular da expansão imperial (em que a participação indispensável do soldado camponês o tornava vulnerável à perda de propriedades em sua própria terra), uma operação de açambarcação de terras feita numa escala desconhecida no mundo até então. Foi sobre essa fundação aristocrática que a cidade-Estado deu lugar ao império, e com ele declinou a condição do camponês cidadão. Nem os latifúndios escravistas, nem um vasto território imperial, duas das características definidoras de Roma, seriam compatíveis com o regime de pequenos proprietários da Atenas democrática.

Assim, em nenhum outro lugar o padrão típico de divisão entre governantes e produtores foi quebrado de forma tão completa quanto na democracia ateniense. Nenhuma explicação do desenvolvimento político e cultural ateniense será completa se não levar em conta essa formação distintiva. Embora os conflitos políticos entre democratas e oligarcas em Atenas nunca tenham coincidido exatamente com uma divisão entre classes apropriadoras e produtoras, permaneceu uma tensão entre cidadãos que tinham interesse na restauração do monopólio aristocrático da

---

[12] Para uma excelente discussão dessa questão, ver OSBORNE, Robin. *Classical Landscape with Figures: The Ancient Greek City and its Countryside*, Londres, 1987, p. 13, 138-9, 144.

condição política e os que resistiam a ela, uma divisão entre cidadãos para quem o Estado deveria servir como meio de apropriação e cidadãos para quem ele deveria servir como proteção contra a exploração. Em outras palavras, permaneceu a oposição entre os que tinham e os que não tinham interesse em restaurar a divisão entre governantes e produtores.

Em nenhum lugar essa oposição é tão visível quanto nos clássicos da filosofia grega. Sem meias palavras: a divisão entre governantes e produtores é o princípio fundamental da filosofia de Platão, não apenas de seu pensamento político, mas de sua epistemologia. É a sua obra que dá a medida real da condição do trabalho na democracia ateniense. Entretanto, isso é verdade não no sentido de que o desprezo evidente de Platão pelo trabalho e pelas capacidades moral e política dos que são tolhidos pela necessidade material de trabalhar para viver represente uma norma cultural. Pelo contrário, os textos de Platão representam um poderoso contraexemplo, uma negação deliberada da cultura democrática.

Há evidência suficiente em outros clássicos da cultura ateniense para indicar a presença de uma atitude com relação ao trabalho muito diferente da de Platão, uma atitude mais de acordo com as realidades de uma democracia em que camponeses e artesãos gozavam de todos os direitos da cidadania. De fato, o próprio Platão oferece testemunho dessa atitude quando, por exemplo, no diálogo *Protágoras*, no início do longo discurso em que Protágoras defende a prática ateniense de permitir que sapateiros e ferreiros possam fazer julgamentos políticos (320a e segs.), ele põe na boca do sofista uma versão do mito de Prometeu em que as "artes práticas" são o fundamento da vida civilizada. O herói do *Prometeu* de Ésquilo, aquele que traz o fogo e as artes, é um benfeitor da humanidade, enquanto na *Antígona* de Sófocles o Coro canta um hino de louvor às artes humanas e ao trabalho (350 e segs.). E a associação da democracia com a liberdade de trabalho é sugerida por um discurso em *As suplicantes* (429 e segs.), em que se diz que entre as bênçãos de um povo livre está não apenas o fato de que o governo da lei dá igual direito à justiça tanto ao rico quanto ao pobre, ou que qualquer um tem o direito de falar ao público, mas também o fato de que o trabalho do cidadão não se perde, ao contrário do que acontece nos Estados despóticos, nos quais as pessoas trabalham apenas para enriquecer os tiranos com sua faina. Também é sem dúvida significativo que a divindade epônima de Atenas, a deusa Atena, fosse a padroeira das artes e dos ofícios, e que não houvesse em nenhuma outra cidade da Grécia templo tão grande devotado a Hefestos, deus da forja, quanto o que foi construído no século V a.C., dominando a ágora ateniense. Mas nenhum desses pedaços de evidência confirma de forma tão eloquente o *status* do trabalho livre na democracia quanto a reação de Platão a ele[13].

---

[13] Isso também é verdade em relação a Aristóteles, cuja pólis ideal, descrita na *Política*, nega cidadania às pessoas engajadas no trabalho de oferecer os bens e serviços básicos da pólis. Essas pessoas são "condições" e não "partes" da pólis, diferentes dos escravos apenas pelo fato de desempenharem suas humildes tarefas para a comunidade e não para indivíduos (1277a-1278a). Ao discutir as atitudes dos gregos em relação ao trabalho em *Peasant-citizen and Slave*, p. 137-62, argumento, entre outras coisas, que se houvesse barreiras ideológicas ao desenvolvimento tecnológico elas não seriam tão relacionadas ao desprezo pelo trabalho derivado de sua associação com a escravidão quanto à independência dos pequenos produtores e à ausência de pressões para aumentar a produtividade do trabalho.

Governantes e produtores: Platão *versus* Protágoras

Em seu diálogo *Protágoras*, Platão define a orientação de grande parte de sua obra filosófica posterior. Aqui ele levantou questões relativas à virtude, ao conhecimento e à arte da política que iriam preocupá-lo em suas obras da maturidade, principalmente na *República*; e o contexto em que essas questões foram levantadas nos diz muito sobre a importância do trabalho no discurso político da democracia. Nesse diálogo, talvez pela última vez em sua obra, Platão deu atenção, no mínimo, razoável à oposição, apresentando o sofista Protágoras sob uma luz mais ou menos simpática à medida que este constrói a defesa da democracia, a única argumentação sistemática em favor da democracia a sobreviver da Antiguidade. Platão iria passar o resto de sua carreira refutando implicitamente os argumentos de Protágoras.

Protágoras se relaciona à natureza da virtude e à possibilidade de ela ser ensinada. A questão é levantada num contexto explicitamente político, no momento em que Sócrates define os termos do debate:

> Agora, que estamos reunidos em Assembleia, se o Estado se vê diante de um projeto de construção, observo que os arquitetos são convocados e consultados sobre a estrutura proposta, e quando se trata de uma questão relativa à construção de navios, são os projetistas de navios, e é assim com tudo que a Assembleia considere objeto de aprendizado e ensino. Se alguém oferece conselho, alguém que não seja considerado conhecedor, por mais belo ou rico ou bem-nascido ele seja, não importa: os membros o rejeitam ruidosamente e com desprezo, até que ele ou seja obrigado a se calar e desistir, ou seja expulso e retirado pela polícia por ordens do magistrado presidente. É assim que eles se comportam com relação a temas que consideram técnicos. Mas, quando se trata de debater algo relativo ao governo do país, o homem que se levanta para dar conselhos pode ser um construtor, ou mesmo um ferreiro ou sapateiro, mercador ou armador, rico ou pobre, nascido ou não de boa família. Ninguém o acusa, como sucede aos que mencionei há pouco, que esse homem não tem qualificações técnicas, incapaz de indicar quem o ensinou, e ainda assim tenta dar conselho. A razão deve ser que eles não consideram que este seja um assunto que possa ser ensinado.[14]

Em sua resposta a Sócrates, Protágoras demonstra que "seus compatriotas agem sabiamente ao aceitar o conselho de um ferreiro ou de um sapateiro em questões políticas"[15]. E assim as questões epistemológicas e éticas fundamentais que formam a base da filosofia grega, na realidade de toda a tradição filosófica ocidental, são situadas num contexto explicitamente político, relacionado à prática democrática de permitir a sapateiros ou ferreiros fazer julgamentos políticos.

A argumentação de Protágoras continua, primeiro por uma alegoria destinada a demonstrar que a sociedade política, sem a qual homens não se beneficiam das artes e ofícios que compõem o único presente dos deuses, não sobrevive a menos que a

---

[14] Protágoras, 319b-d.
[15] Idem, ibidem, 324d.

virtude cívica que prepara as pessoas para a cidadania seja uma qualidade universal. Passa então a mostrar que virtude pode ser uma qualidade universal sem ser inata, uma qualidade que pode ser ensinada. Todo aquele que vive numa comunidade civilizada, especialmente a pólis, é exposto desde o nascimento ao processo de aprendizagem que promove a virtude cívica, em casa, na escola, por admoestação e punição e, acima de tudo, por meio dos costumes e das leis da cidade, sua *nomoi*. A virtude cívica, tal como a língua mãe, é a um só tempo aprendida e universal. O sofista que, assim como o próprio Protágoras, afirma ensinar a virtude pode aperfeiçoar esse progresso contínuo e universal, e o homem possui as qualidades da boa cidadania sem o benefício da instrução do sofista.

A ênfase de Protágoras na universalidade da virtude é evidentemente crítica para sua defesa da democracia. Mas igualmente importante é sua concepção do processo pelo qual se transmite o conhecimento moral e político. A virtude é ensinada, mas o modelo de aprendizagem não é tanto a erudição quanto o *aprendizado*. Aprendizado, nas chamadas sociedades tradicionais, é mais que um meio de aprender habilidades técnicas. "É também", para citar um notável historiador inglês do século XVIII, "o mecanismo de transmissão intergeracional", o meio pelo qual as pessoas se iniciam nas habilidades de adultos ou em artes práticas particulares, e são, ao mesmo tempo, introduzidas "na experiência social e na sabedoria comum da comunidade"[16]. Não há forma melhor de caracterizar o processo de aprendizagem descrito por Protágoras, o mecanismo pelo qual a comunidade de cidadãos passa adiante a sabedoria coletiva, suas práticas, seus valores e suas expectativas fundados nos costumes.

O princípio invocado por Sócrates contra Protágoras – neste estágio de forma ainda tentativa e pouco sistemática – é que a virtude é conhecimento. Esse princípio viria a se tornar a base do ataque de Platão à democracia, especialmente em *O político* e *A República*. Nas mãos de Platão, ele representa a substituição do aprendizado moral e político de Protágoras por uma concepção mais exaltada da virtude como conhecimento filosófico, não a assimilação convencional dos costumes e valores da comunidade, mas um acesso privilegiado a verdades mais altas, universais e absolutas.

Ainda assim, Platão também constrói sua definição de virtude política e justiça sobre a analogia com as artes práticas. Também ele se baseia na experiência comum da Atenas democrática, apelando para a experiência familiar do cidadão trabalhador ao invocar a ética do artesão, *technē*. Mas, desta vez, a ênfase não recai na universalidade ou na transmissão orgânica do conhecimento convencional de uma geração para a seguinte, mas sobre a *especialização*, competência e exclusividade. Assim como os melhores sapatos são feitos por um sapateiro especialista, também a arte da política deveria ser praticada apenas por quem nela se especializa. Não deve haver sapateiros e ferreiros na Assembleia. A essência da justiça no Estado é o princípio de que o sapateiro deve se ater à sua fôrma.

---

[16] THOMPSON, E. P. *Customs in Common*, Londres, 1991, p. 7.

Tanto Protágoras quanto Platão colocam os valores culturais da *techne,* as artes práticas do cidadão trabalhador, no centro de sua respectiva argumentação política, embora o façam com objetivos antitéticos. Grande parte do que se segue na tradição da filosofia ocidental procede desse ponto de partida. Não é apenas a filosofia política ocidental que deve suas origens a esse conflito em torno do papel político de sapateiros e ferreiros. Para Platão, a divisão entre os que governam e os que trabalham com o corpo, entre os que governam e são alimentados e os que produzem o alimento e são governados não é somente o princípio básico da política. A divisão de trabalho entre governantes e produtores, que é a essência da justiça na *República*, é também a essência da teoria do conhecimento de Platão. A oposição radical e hierárquica entre os mundos sensível e inteligível, e entre as respectivas formas de cognição – uma oposição que foi identificada como a característica mais distintiva do pensamento grego e que definiu as bases da filosofia ocidental desde então[17] – foi criada por Platão com base numa analogia com a divisão social de trabalho que exclui da política o produtor.

O ECLIPSE DO TRABALHO LIVRE

Tão grande é o desequilíbrio entre a importância histórica do trabalho livre na Grécia Antiga e o descaso que a historiografia moderna lhe dedica que é necessário dizer algo acerca de como ocorreu esse desequilíbrio, sobre como o cidadão trabalhador, apesar de toda a sua característica distintiva histórica, perdeu-se na sombra da escravidão[18]. Mais uma vez, não se trata de os historiadores não terem reconhecido o fato de ser o corpo de cidadãos de Atenas composto em grande parte de cidadãos que trabalhavam para viver. Pelo contrário, trata-se de que esse reconhecimento não foi acompanhado de um esforço simultâneo para explorar a significação histórica desse fato notável. Como fator determinante do movimento da história, o trabalho livre no mundo antigo foi eclipsado pela escravidão, e não somente pela razão notável de terem nossos melhores instintos se chocado como os horrores daquela terrível instituição.

O eclipse do cidadão trabalhador na Atenas democrática tem menos a ver com as realidades da democracia ateniense do que com a política da Europa moderna. Antes da segunda metade do século XVIII, e principalmente antes das revoluções americana e francesa, não teria sido incomum uma caracterização da antiga democracia ateniense como uma comunidade "mecânica" em que a aristocracia era subordinada a uma multidão "utilitária" de cidadãos trabalhadores – em comparação, por exemplo, com Esparta, onde o conjunto dos cidadãos era formado por uma espécie de nobreza, "dos que vivem com fartura de suas próprias rendas, sem se engajar no trabalho de sua própria terra nem em qualquer outro trabalho para se manter"[19]. Caracteri-

---

[17] Jacques Gernet elabora essa questão em "Social History and the Evolution of Ideas in China and Greece from the Sixth to the Second Century BC". In: *Myth and Society in Ancient Greece de Jean Pierre Vernant*, Sussex, 1980. [Ed. bras.: *Mito e sociedade na Grécia antiga*. Rio de Janeiro, José Olympio, 1999.]

[18] Esta seção se baseia em meu livro, *Peasant-Citizen and Slave*, cap. I.

[19] HARRINGTON, James. "The Commonwealth of Oceana". In: *The Political Works of James Harrington*, J. G. A. Pocock, ed., Cambridge, 1977, p. 259-60. Harrington toma emprestada a definição de nobreza de Maquiavel.

zações semelhantes fizeram parte de uma longa tradição que se estende no passado até a própria Grécia antiga e a identificação de democracia com a dominação por um *demos* "utilitarista". Nesses relatos da democracia, o cidadão trabalhador ainda está vivo e forte.

Mas pelo final do século XVIII ocorreu uma alteração significativa. A multidão mecânica começou a ceder terreno à "ralé ociosa" mantida pelo trabalho de escravos. A explicação dessa mudança não é terem os historiadores de repente descoberto a extensão da escravidão na democracia de Atenas. Escritores precedentes dela já tinham ciência. Montesquieu, por exemplo, chegou mesmo a superestimar em muito o número de escravos em Atenas; e como autor de um influente ataque contra a escravidão ele não se teria inclinado a encontrar justificativas para as manifestações gregas. Mesmo assim, ele insistiu que a essência da democracia ateniense – ao contrário da de Esparta, cujos cidadãos eram "obrigados ao ócio" – era que seus cidadãos trabalhavam para viver[20]. Nem mesmo a aparência de ralé ociosa pode ser explicada por uma nova preocupação com os males da escravidão, gerada por uma consciência democrática ampliada na Idade das Revoluções. Pelo contrário, a ralé ociosa nasceu sobretudo das mentes dos antidemocratas reacionários.

Os principais culpados foram, no primeiro caso, os historiadores britânicos que escreveram as primeiras histórias políticas e narrativas modernas sobre a Grécia Antiga com o objetivo explícito de advertir os seus contemporâneos contra os perigos da democracia. O mais importante entre eles foi William Mitford, membro do Tóri, proprietário de terras e opositor da reforma parlamentar, que escreveu uma influente história da Grécia publicada em vários volumes entre 1784 e 1810. Quando, no período em que estava escrevendo sua obra, estourou a Revolução Francesa, ele interrompeu a narrativa para explicar por que os ingleses haviam sido poupados daquele mal; e sua explicação se relacionava com as formas pelas quais os ingleses eram diferentes da França moderna e da antiga Atenas. A Inglaterra gozava de harmonia sem paralelos entre os "vários níveis de cidadania", ao passo que a Grécia (e a França) carecia de mecanismo semelhante de harmonização. Em particular,

> por toda a Grécia, os nobres e os ricos, atendidos por escravos não apenas como empregados domésticos, mas como agricultores e artesãos, tinham poucas ligações com a multidão dos mais pobres, e apenas para governá-los nos Estados oligárquicos, e nos democráticos para temê-los, adulá-los, importuná-los e, ou enganá-los, ou por eles serem comandados. Nenhum interesse comum unia as duas descrições de homem (...)[21]

O resultado foi uma multidão licenciosa e turbulenta, "cidadãos sem propriedade, sem indústria e talvez sem objetos de indústria", uma multidão ociosa, mantida pela escravidão e por pagamentos públicos, sempre pronta a pilhar a riqueza dos ricos[22].

---

[20] SECONDAT, Charles de. Baron de Montesquieu, *The Spirit of the Laws*, Nova York, 1949, p. 46. [Ed. bras.: *O espírito das leis*. Brasília, Ed. UnB, 1982.]

[21] MITFORD, William. *The History of Greece*, vol V, Londres, 1814, p. 34-5.

[22] Idem, ibidem, p. 16.

Mas, se Mitford representa um exemplo particularmente extremo de retórica antidemocrática, a mesma multidão ociosa aparece em obras muito mais sóbrias e eruditas ao longo do século seguinte. Na influente história econômica de August Böckh, a escravidão e os pagamentos públicos mais uma vez são fontes de corrupção da democracia, acostumando a multidão à "indolência" e dando a ela o lazer de participar da política, "ao passo que nos países em que a escravidão não existia, os cidadãos, obrigados a trabalhar para garantir a própria sobrevivência, não tinham tanta disponibilidade para se empregar nos negócios do governo". O resultado foi que "Mesmo na mais nobre das raças da Grécia, entre as quais os atenienses devem ser relacionados, a depravação e a corrupção moral predominavam entre todo o povo"[23]. E mesmo Fustel de Coulanges atribuiria a turbulência da Grécia antiga à ausência de princípios econômicos que teriam compelido ricos e pobres a viver juntos em bons termos, como teriam feito "se, por exemplo, um tivesse necessidade do outro – se os ricos não pudessem ter enriquecido sem convocar o trabalho dos pobres, e se os pobres pudessem ter encontrado meios de vender o próprio trabalho para os ricos"[24]. Na realidade, "o cidadão encontrava poucos empregos, tinha pouco a fazer; a falta de ocupação logo o tornava indolente. Como via apenas escravos a trabalhar, ele desprezava o trabalho". E assim por diante.

Nenhum desses escritores desconhecia que os cidadãos atenienses trabalhavam como agricultores ou artesãos. A questão não era tanto o fato de eles não trabalharem, mas o de eles não trabalharem o *suficiente* e, acima de tudo, o fato de não *servirem*. Sua independência e o lazer de que desfrutavam para poder participar da política foram a causa da condenação da democracia grega. Para Mitford e Böckh, a participação da multidão era um mal em si mesma. Para o mais liberal Fustel, o mal era que, na ausência das formas tradicionais de controle político, se fazia necessária uma espécie de disciplina *econômica* tornada possível pela sociedade moderna pela necessidade material que força os trabalhadores sem propriedade a vender sua força de trabalho por um salário. Em outras palavras, faltavam o Estado e a economia burgueses modernos. Mas, em todos esses exemplos, a independência do cidadão trabalhador foi consistentemente traduzida como indolência da ralé ociosa, e com ela veio a predominância da escravidão.

Os efeitos dessa revisão histórica foram enormes, estendendo-se para muito além das motivações antidemocráticas originais de historiadores como Mitford. A ralé ociosa cobriu desde a descrição da democracia de Hegel, na qual a condição básica da política democrática era serem os cidadãos liberados da necessidade do trabalho e "que aquele que entre nós é executado por cidadãos livres – o trabalho da vida diária – deveria ser executado por escravos"[25], até a inversão marxista da ralé ociosa no "modo escravista de produção".

---

[23] BOECKH [Böckh], August. *The Public Economy of Athens*, 1842, p. 611-14.

[24] FUSTEL de COULANGES, Numa Denis. *The Ancient City*, Garden City, s.d, p. 337. [Ed. bras.: *Cidade antiga*. São Paulo, Hemus, 1975.]

[25] HEGEL, G. F. W. *The Philosophy of History*, Trad. J. Sibree, Nova York, 1912, p. 336. [Ed. bras.: *Filosofia da história*. Brasília, Ed. UnB, 1995.]

Entretanto, há aqui um paradoxo, porque o interesse intelectual pela escravidão era muito menor em proporção que o peso ideológico atribuído a ela[26]. Os antidemocratas que levaram os escravos à sua posição proeminente pelo uso do tema da ralé ociosa tinham interesse muito menor em explorar o próprio tema da escravidão do que em desacreditar a multidão democrática. Do outro lado, os liberais que invocaram o exemplo da Grécia antiga em defesa da reforma política moderna estavam ainda menos ansiosos em se deter no embaraço representado pela escravidão, enquanto, dada a sua ambivalência em relação à democracia, à extensão de direitos políticos à classe trabalhadora (por comparação com o aperfeiçoamento das instituições representativas e das liberdades civis), também não tinham tanto interesse em enfatizar o papel da multidão trabalhadora na democracia ateniense.

O resultado foi uma curiosa imprecisão em relação à economia política de Atenas, talvez ainda mais acentuada entre os liberais que entre os conservadores. George Grote, reformador político e autor de uma celebrada história da Grécia antiga, menciona apenas de passagem o trabalho dependente, e mesmo assim sobre os servos da Tessália e de Creta, em lugar dos escravos de Atenas; ao passo que seu amigo, J. S. Mill, inclinava-se menos a focalizar as características *democráticas* da democracia ateniense do que a elogiar seus valores *liberais*, a individualidade e a variedade da vida ateniense – em contraste com os espartanos não liberais, a quem, na resenha da história de Grote que escreveu para a *Edinburgh Review*, ele descreveu como "os tóris e conservadores hereditários da Grécia". Nenhum desses exemplos ajudou a esclarecer a posição da escravidão ou do trabalho livre na Antiguidade clássica.

O trabalho e o "espírito do capitalismo"

Não surpreende que a transição da multidão mecânica para a ralé ociosa tenha ocorrido no século XVIII (e especialmente na Inglaterra, apesar dos encômios de Mitford à constituição inglesa). Segundo Thompson:

> O século XVIII testemunhou uma mudança qualitativa nas relações de trabalho. Uma proporção substancial da força de trabalho ficou realmente *mais* livre da disciplina do trabalho diário, mais livre para escolher entre empregadores e entre trabalho e lazer, menos presa a uma posição de dependência em todo o seu modo de vida do que havia sido antes ou do que viria a ser nas primeiras décadas da disciplina da fábrica e do relógio. Trabalhando geralmente em suas próprias casas, possuindo ou alugando suas próprias ferramentas, trabalhando para pequenos empregadores, muitas vezes em horas irregulares em mais de um emprego, eles conseguiram fugir dos controles sociais da casa senhorial e ainda não estavam sujeitos à disciplina do trabalho na fábrica.
>
> O trabalho livre trouxe consigo um enfraquecimento dos velhos meios de disciplina social.[27]

---

[26] Para um esboço histórico dos fundamentos históricos do conhecimento da escravidão na Antiguidade, ver FINLEY, *Ancient Slavery*, p. 11-66, e GARLAND, *Slavery*, p. 1-14. Ver também CANFORA, Luciano. *Ideologie del Classicismo*, 1980, p. 11-9.
[27] THOMPSON. *Customs*, p. 38-42.

A linguagem com que esses desenvolvimentos foram saudados pela classe dominante inglesa é a própria linguagem da ralé ociosa. Os trabalhadores pobres da Inglaterra, desprezando a "grande lei da subordinação" e a tradicional deferência do servo para com o senhor, alternavam-se entre "o clamor e o motim", "amadurecendo para toda espécie de maus atos, seja a Insurreição pública, ou o saque privado", e, "insolentes, preguiçosos, ociosos e devassos (...) eles trabalham apenas dois ou três dias da semana"[28].

O mito da ralé ociosa ateniense é, portanto, uma queixa antiga de senhor contra servo, mas acrescida da urgência de uma nova ordem social na qual o trabalho assalariado e sem propriedade se tornava, pela primeira vez na história, o modo dominante de trabalho. No mesmo processo de desenvolvimento capitalista, o conceito de trabalho passava também por outras transformações. Frequentemente, se diz que o mundo moderno testemunhou a elevação do trabalho a um *status* cultural sem precedentes que deve muito à "ética protestante", e à ideia calvinista do "Chamamento". E, com ou sem a "Ética Protestante" de Max Weber, a associação do "espírito do capitalismo" com a glorificação do trabalho tornou-se parte do saber convencional.

Ainda assim, enquanto o capitalismo, com os imperativos do lucro e da produtividade do trabalho, trouxe consigo disciplinas de trabalho mais rigorosas, a glorificação do trabalho duro foi uma faca de dois gumes. A ideologia do trabalho teve um significado ambíguo para os trabalhadores, por justificar sua sujeição às disciplinas capitalistas pelo menos na mesma medida em que elevou o *status* cultural destas. Mas talvez o ponto mais importante relativo à transformação do *status* cultural do trabalho que acompanhou a ascensão do capitalismo seja a confusão entre trabalho e *produtividade*, que observamos na discussão de Weber. Essa transformação, como vimos, já é perceptível na obra de John Locke e sua concepção de "melhoramento". As virtudes do trabalho deixam de pertencer inequivocamente aos próprios trabalhadores. Passam a ser, acima de tudo, atributos do *capitalista*, e não porque este trabalhe, mas porque utiliza ativa e produtivamente sua propriedade, ao contrário da apropriação passiva do rentista tradicional. A "glorificação" do trabalho no "espírito do capitalismo" tem menos a ver com o *status* ascendente do trabalhador do que com o deslocamento pelo capital da propriedade arrendada.

A concepção de "trabalho" como "melhoramento" e produtividade, qualidades que pertencem menos aos trabalhadores que ao capitalista que as aciona, está no centro da "ideologia burguesa" e se reproduz constantemente na linguagem da economia moderna, na qual os "produtores" não são os trabalhadores, mas os capitalistas. Ela denuncia uma ordem econômica em que a produção se subordina a imperativos de mercado e em que o mecanismo motor é a competição e a maximização do lucro, não as coações "extraeconômicas" da propriedade politicamente constituída, mas os imperativos puramente "econômicos" do mercado que exigem produtividade crescente do trabalho.

---

[28] DEFOE, Daniel. *The Great Law of Subordination Consider'd; or; the Insolence and Unsufferable Behavior of Servants in England enquir'd into (1724)*, citado em Thompson, *Customs*, p. 37.

As relações sociais de propriedade que acionam esse mecanismo colocaram o trabalho numa posição histórica única. Submetido a imperativos econômicos que não dependem diretamente do *status* jurídico ou político, o trabalhador assalariado sem propriedade só pode desfrutar no capitalismo da liberdade e da igualdade jurídicas, e até mesmo de todos os direitos políticos de um sistema de sufrágio universal, desde que não retire do capital o seu poder de apropriação. É aqui que encontramos a maior diferença entre a condição do trabalho na antiga democracia ateniense e no capitalismo moderno.

Trabalho e democracia – o antigo e o moderno

Na democracia capitalista moderna, a desigualdade e a exploração socioeconômicas coexistem com a liberdade e a igualdade cívicas. Os produtores primários não são juridicamente dependentes nem destituídos de direitos políticos. Na antiga democracia, a identidade cívica também era dissociada do *status* socioeconômico, e nela a igualdade política também coexistia com a desigualdade de classe. Mas permanece a diferença fundamental. Na sociedade capitalista, os produtores primários são sujeitos a pressões econômicas independentes de sua condição política. O poder do capitalista de se apropriar da mais-valia dos trabalhadores não depende de privilégio jurídico nem de condição cívica, mas do fato de os trabalhadores não possuírem propriedade, o que os obriga a trocar sua força de trabalho por um salário para ter acesso aos meios de trabalho e de subsistência. Os trabalhadores estão sujeitos tanto ao poder do capital quanto aos imperativos da competição e da maximização dos lucros. A separação da condição cívica da situação de classe nas sociedades capitalistas tem, assim, dois lados: de um, o direito de cidadania não é determinado por posição socioeconômica – e, neste sentido, o capitalismo coexiste com a democracia formal –, de outro, a igualdade cívica não afeta diretamente a desigualdade de classe, e a democracia formal deixa fundamentalmente intacta a exploração de classe.

Em comparação, na democracia antiga havia uma classe de produtores primários juridicamente livres e politicamente privilegiados, e que eram, ao mesmo tempo, livres da necessidade de entrar no mercado para garantir o acesso às condições de trabalho e de subsistência. Sua liberdade civil não era, como a do trabalhador assalariado moderno, neutralizada pelas pressões econômicas do capitalismo. Como no capitalismo, o direito de cidadania não era determinado pela condição socioeconômica, mas, ao contrário do capitalismo, as relações entre classes eram direta e profundamente afetadas pela condição civil. O exemplo mais óbvio é a divisão entre cidadãos e escravos. Mas a cidadania determinava diretamente também de outras formas as relações econômicas.

A cidadania democrática em Atenas significava que os pequenos produtores estavam livres de extorsões extraeconômicas às quais os produtores diretos nas sociedades pré-capitalistas sempre foram submetidos. Por exemplo, estavam livres das pilhagens, mencionadas por Hesíodo, dos senhores "devoradores de presentes", que usavam poderes jurisdicionais para saquear o campesinato; ou da coação direta da classe dominante espartana, que explorava os hilotas por meio do equivalente a uma ocupação militar; ou das obrigações feudais dos camponeses medievais, sujeitos aos poderes jurisdicionais dos senhores; ou dos impostos do absolutismo europeu, em que a função pública era instrumento primário de apropriação privada; e assim por diante. Enquanto os produtores diretos continuassem livres de imperativos puramente "econômicos", a propriedade politicamente constituída continuaria a ser um recurso lucrativo, como instrumento de apropriação privada ou, alternativamente, como proteção contra a exploração; e, nesse contexto, a condição civil do cidadão ateniense era um bem valioso que tinha implicações econômicas diretas. A igualdade política não somente coexistia com a desigualdade socioeconômica, mas também a modificava substancialmente, e a democracia era mais substantiva que "formal".

Na antiga Atenas, a cidadania tinha profundas consequências para camponeses e artesãos; e, evidentemente, uma mudança da condição jurídica dos escravos – ou das mulheres – teria transformado inteiramente a sociedade. No feudalismo, seria impossível distribuir privilégio jurídico e direitos políticos sem transformar as relações sociais de propriedade existentes. Somente no capitalismo se tornou possível deixar fundamentalmente intactas as relações de propriedade entre capital e trabalho enquanto se permitia a democratização dos direitos políticos e civis.

Mas nunca foi óbvio que o capitalismo poderia sobreviver à democracia, pelo menos nesse sentido "formal". À medida que o crescimento das relações de propriedade capitalistas começou a separar propriedade de privilégio, principalmente onde o trabalho livre ainda não estava sujeito às novas disciplinas do capitalismo industrial e à falta absoluta de propriedade, as classes dominantes da Europa passaram a se preocupar muito com os perigos oferecidos pela multidão trabalhadora. Durante muito tempo, parecia que a única solução seria a preservação de algum tipo de divisão entre governantes e produtores, entre uma elite proprietária politicamente privilegiada e uma multidão trabalhadora destituída de direitos. Desnecessário dizer, os direitos políticos também não foram distribuídos generosamente quando por fim se garantiu às classes trabalhadoras o acesso a eles, depois de longas lutas populares que enfrentaram fortes resistências.

Nesse meio tempo, a antiga ideia grega fora derrotada por uma concepção completamente nova de democracia. O momento crítico dessa redefinição, que teve o efeito (e a intenção) de *diluir* o significado de democracia, foi a fundação dos Estados Unidos, de que vou tratar no próximo capítulo. Ainda assim, por mais que as classes dominantes da Europa e dos Estados Unidos tivessem temido a extensão dos direitos políticos para a multidão trabalhadora, no final, os direitos políticos na sociedade capitalista já não tinham a importância que tinha a cidadania na antiga democracia. A conquista da democracia formal e do sufrágio universal certamente representou um enorme avanço histórico, mas no final o capitalismo ofereceu uma nova solução para o velho problema de governantes e produtores. Já não era mais necessário corporificar a divisão entre privilégio e trabalho numa divisão política entre os governantes apropriadores e os súditos trabalhadores, uma vez que a democracia poderia ser confinada a uma esfera "política" formalmente separada, enquanto a "economia" seguia regras próprias. Se já não era possível restringir o tamanho do corpo de cidadãos, o alcance da cidadania podia então ser fortemente limitado, mesmo sem a imposição de limites constitucionais.

O contraste entre a condição do trabalho na antiga democracia e no capitalismo moderno convida a algumas perguntas de grande importância: num sistema em que o poder puramente "econômico" substituiu o privilégio político, qual o significado de cidadania? O que seria necessário para se recuperar, num contexto muito diferente, a importância da cidadania na antiga democracia e o *status* do cidadão trabalhador?

O *DEMOS VERSUS* "NÓS, O POVO":
DAS ANTIGAS ÀS MODERNAS CONCEPÇÕES DE CIDADANIA

O antigo conceito de democracia surgiu de uma experiência histórica que conferiu *status* civil único às classes subordinadas, criando, principalmente, aquela formação sem precedentes, o cidadão-camponês. O conceito moderno pertence, em tudo – ou em grande parte –, exceto no nome, a uma trajetória histórica diferente, cujo exemplo mais evidente é a experiência anglo-americana. Os principais marcos ao longo da estrada que leva à democracia antiga, tais como as reformas de Sólon e Clístenes, representam momentos fundamentais no processo de elevação do *demos* à condição de cidadania. Na outra história, que se origina não na democracia ateniense, mas no feudalismo europeu e que culmina no capitalismo liberal, os grandes marcos, tais como a Magna Carta e 1688, marcam a ascensão das classes proprietárias. Neste caso, não se trata de camponeses que se libertam da dominação política de seus senhores, mas da afirmação pelos próprios senhores de sua independência em relação às reivindicações da monarquia. É esta a origem dos princípios constitucionais modernos, das ideias de governo limitado, da separação de poderes etc., princípios que deslocaram as implicações do "governo pelo *demos*" – como o equilíbrio de poder entre ricos e pobres – como o critério central da democracia. Se o cidadão-camponês é a figura mais representativa do primeiro drama histórico, a do segundo é o barão feudal e o aristocrata Whig[1].

Se *cidadania* é o conceito constitutivo da democracia antiga, o princípio fundamental da outra variedade é, talvez, o *senhorio*. O cidadão ateniense afirmava não ter senhor, não ser servo de nenhum homem mortal. Não era devedor de serviço nem de deferência a nenhum senhor, nem se preocupava com a obrigação de enriquecer com seu trabalho algum tirano. A liberdade, *eleutheria*, que sua cidadania tornava possível era a liberdade do *demos em relação ao* senhorio. A Magna Carta, ao contrário, não foi um documento de um *demos* livre, mas dos próprios senhores que afirmaram privilégios feudais e a liberdade da aristocracia tanto contra a Coroa quanto a multidão popular, assim como a *liberdade* de 1688 representou o privilégio dos senhores proprietários de dispor como quisessem de sua propriedade e de seus servos.

---

[1] Whig: partido político que surgiu depois da revolução de 1688 e que pretendia subordinar o poder da Coroa ao do parlamento; foi substituído no final do século XIX pelo Partido Liberal.

Naturalmente, a afirmação do privilégio aristocrático contra a invasão das monarquias produziu a tradição da "soberania popular" de que deriva a concepção moderna de democracia; ainda assim, o "povo" em questão não era o *demos*, mas um estrato privilegiado que constituiu uma nação política exclusiva situada no espaço público entre a monarquia e a multidão. Enquanto a democracia ateniense teve o efeito de quebrar a oposição ancestral entre governantes e produtores, ao transformar camponeses em cidadãos, a divisão entre proprietários governantes e súditos camponeses foi condição constitutiva da "soberania popular" que surgiu no início da Europa moderna. De um lado, a fragmentação do poder do soberano e o poder da aristocracia que constituíram o feudalismo europeu, o controle da monarquia e da centralização do Estado exercida por esses princípios feudais, seriam a base de uma nova espécie de poder "limitado" de Estado, a fonte do que viriam a ser chamados de princípios democráticos, tais como o constitucionalismo, a representação e as liberdades civis. De outro, o reverso da aristocracia feudal era um campesinato dependente, enquanto a "nação política" que emergiu da comunidade de senhores feudais manteve sua exclusividade e a subordinação política das classes produtoras.

Na Inglaterra, a nação política exclusiva se corporificou no Parlamento, que, como escreveu Sir Thomas Smith na década de 1560,

> tem o poder de todo o reino, a cabeça e o corpo. Pois todo inglês deve lá estar presente, ou em pessoa, ou por meio de procuradores e representantes, seja qual for sua preeminência, dignidade, ou qualidade, desde o Príncipe (Rei ou Rainha) até a pessoa mais humilde da Inglaterra. E a anuência do deve ser entendida como a anuência de todos.[2]

É importante observar que um homem era considerado "presente" no Parlamento mesmo que não tivesse direito de eleger seu representante. Thomas Smith, assim como outros antes e depois dele, não questionava o fato de uma minoria de proprietários ter o direito de representar toda a população.

A doutrina da supremacia parlamentar viria a operar contra o poder popular mesmo quando a nação política já não se restringia a uma comunidade relativamente pequena de proprietários e quando se ampliou a ideia de "povo" para incluir a "multidão popular". Na Inglaterra de hoje, por exemplo, a política é a reserva especial de um Parlamento soberano. O Parlamento é o responsável último perante seu eleitorado, mas o "povo" não é realmente *soberano*. Para todos os efeitos, não existe *política* – pelo menos política legítima – fora do Parlamento. De fato, quanto mais inclusivo se tornava o termo "povo", mais as ideologias políticas dominantes – dos conservadores à corrente principal do trabalhismo – insistiam na despolitização do mundo fora do Parlamento e na deslegitimação da política "extraparlamentar". Paralelamente a esse processo, ocorreu uma centralização crescente do poder par-

---

[2] SMITH, Sir Thomas. *De Republica Anglorum*, ed. Mary Dewar, Cambridge, 1982, p. 79.

lamentar no executivo, produzindo algo semelhante à soberanização do gabinete, ou até mesmo do próprio cargo de primeiro-ministro.

Surgiu então, nos primórdios da Inglaterra moderna, um corpo de pensamento político – especialmente na obra de James Harrington, Algernon Sidney e Henry Neville – que parece contrariar essa tradição parlamentar dominante. Essa escola de teoria política, que veio a ser conhecida como republicanismo clássico, teve, ou pareceu ter, como princípio organizador central um conceito de cidadania que implicava não apenas o gozo passivo de direitos individuais que nos acostumamos a associar à "democracia liberal", mas uma comunidade de cidadãos ativamente engajados na busca do bem comum. Ainda assim, há um ponto fundamental sobre o qual os primeiros republicanos modernos, como James Harrington, concordaram com seus contemporâneos "liberais": a exclusividade da nação política[3]. Cidadania ativa seria reservada para os homens proprietários e deveria excluir não apenas as mulheres, mas também os homens que, conforme expressou Harrington, não tivessem "com que viver por si só" – ou seja, aqueles cuja sobrevivência dependesse do trabalho prestado a outros. Essa concepção de cidadania tinha em seu núcleo uma divisão entre uma elite proprietária e uma multidão trabalhadora. Não surpreende que os republicanos dessa espécie, quando buscavam modelos na Antiguidade, escolhessem a constituição aristocrática ("mista") de Esparta ou de Roma, em vez da democrática de Atenas.

Na verdade, essa divisão entre uma elite proprietária e uma multidão trabalhadora talvez tenha pertencido ainda mais absoluta e irredutivelmente à essência do republicanismo clássico inglês do que, digamos, ao liberalismo lockeano. Quando se propôs construir princípios políticos adequados a uma sociedade na qual a dominação feudal já não predominava, Harrington não abandonou completamente os princípios do feudalismo. É mesmo possível afirmar que sua concepção de cidadania fora modelada, sob certos aspectos importantes, nos princípios feudais. De um lado, deixou de existir a categoria de propriedade dependente, uma divisão jurídica e política entre diferentes formas de propriedade fundiária que existiu entre os senhores feudais e seus dependentes. Toda propriedade fundiária era jurídica e politicamente privilegiada. De outro, a propriedade em si ainda era definida como status político ou militar; em outras palavras, ela ainda se caracterizava pela unidade inseparável entre os poderes econômico e político-militar que haviam constituído o senhorio feudal.

Sob esse aspecto, o republicanismo clássico já era um anacronismo desde o momento de sua concepção. A propriedade fundiária na Inglaterra já estava assumindo uma forma *capitalista*, em que o poder econômico já não estava preso ao *status* jurídico, político e militar, e a riqueza dependia cada vez mais do "aperfeiçoamento" da propriedade, ou de seu uso produtivo, sujeito aos imperativos de um mercado competitivo. Nesse ponto, a concepção de propriedade e de "melhoria" agrícola de John Locke estava mais de acordo com as realidades correntes[4]. E ape-

---

[3] As diferenças práticas entre *whigs* e republicanos, ou pelo menos da ala mais radical dos *whigs*, na política do século XVII nem sempre foram muito claras.

[4] Ver WOOD, Neal. *John Locke and Agrarian Capitalism*, Berkeley e Los Angeles, 1984.

sar de o próprio Locke não ser um democrata é discutível que uma concepção de propriedade semelhante à dele atenderia melhor ao relaxamento das restrições à participação na nação política[5]. Expresso em termos simples, uma vez que o poder econômico das classes proprietárias já não dependia do *status* "extraeconômico", dos poderes jurídico, político e militar do senhorio, o monopólio da política já não era indispensável à elite. Em compensação, na estrutura dominada por uma concepção essencialmente pré-capitalista de propriedade, com todos os "enfeites" (como os chamou Marx) jurídicos e políticos, a igualdade formal tornada possível pela separação capitalista entre o "econômico" e o "político" não era apenas indesejável, mas absolutamente *impensável* (literalmente).

O CAPITALISMO E A CIDADANIA DEMOCRÁTICA

Ao deslocar o centro do poder do *senhorio* para a *propriedade*, o capitalismo tornou menos importante o status cívico, pois os benefícios do privilégio político deram lugar à vantagem puramente "econômica", o que tornou possível uma nova forma de democracia. Onde o republicanismo clássico havia resolvido o problema da elite proprietária e da multidão trabalhadora mediante a redução do corpo de cidadãos (como gostariam de ter feito os oligarcas atenienses), a democracia capitalista ou liberal permitiria a extensão da cidadania mediante a restrição de seus poderes (como o fizeram os romanos). Onde um propôs um corpo ativo, mas exclusivo, de cidadãos em que as classes proprietárias governariam a multidão trabalhadora, o outro foi capaz de imaginar um corpo abrangente, mas grandemente passivo, de cidadãos composto pela elite e pela multidão, embora sua cidadania tivesse alcance limitado.

O capitalismo transformou também de outras formas a esfera política. A relação entre capital e trabalho pressupõe indivíduos formalmente iguais e livres, sem direitos e obrigações normativas, privilégios ou restrições jurídicas. A separação do indivíduo das instituições e identidades corporativas começou muito cedo na Inglaterra (isso se reflete, por exemplo, na definição de Sir Thomas Smith de Estado como "sociedade ou bem comum de uma multidão de homens livres reunidos e unidos por acordos comuns entre si"[6], e no psicologismo individualista, que perpassa a tradição do pensamento social inglês, de Hobbes e Locke até Hume e outros); e a ascensão do capitalismo foi marcada pelo desligamento crescente dos indivíduos (para não mencionar a propriedade individual) das obrigações e identidades costumeiras, corporativas, normativas e comunitárias.

---

[5] Uma boa crítica sobre as tentativas de representar Locke como um democrata está em David McNally, "Locke, Levellers and Liberty: Property and Democracy in the Thought of the First Whigs", *History of Political Thought*, 10(1), 1989, p. 17-40. Já critiquei essas interpretações em "Locke Against Democracy: Consent, Representation and Suffrage in the Two Treatises", *History of Political Thought*, 13(4), 1992, p. 675-89, e "Radicalism, Capitalism and Historical Contexts: Not Only a Reply to Richard Ashcraft on John Locke", *History of Political Thought*, 15(3), 1994.

[6] SMITH. *De Republica Anglorum*, p. 57. Sob esse aspecto, é interessante comparar a definição de Smith com a de seu contemporâneo, Jean Bodin, que, em seus *Six Books of the Commonwealth*, trata "famílias, colégios e corpos corporativos", e não homens individualmente livres, como as unidades formadoras da comunidade, refletindo as realidades da França, onde as instituições e identidades corporativas continuaram a ter papel proeminente na vida política.

O surgimento desse indivíduo isolado teve, desnecessário dizê-lo, o seu lado positivo, cujas consequências emancipadoras a doutrina liberal hoje enfatiza, com seu conceito (mito?) constitutivo da soberania individual. Mas também houve um outro lado. Em certo sentido, a criação da soberania individual foi o preço pago pela multidão trabalhadora para entrar na comunidade política, ou, para ser mais preciso, no processo histórico que gerou a ascensão do capitalismo e o trabalhador assalariado "livre e igual" que se juntou ao corpo de cidadãos, foi o mesmo processo em que os camponeses foram despossuídos e desenraizados, arrancados de sua propriedade e de sua comunidade, com seus direitos comuns e costumeiros.

Consideremos por um momento o que isso significa. O camponês das sociedades pré-capitalistas, ao contrário do trabalhador assalariado moderno, permaneceu na posse da propriedade, neste caso a terra, o meio de trabalho e de subsistência. Isso significava que a capacidade do dono ou do Estado de se apropriar de seu trabalho dependia de uma força coercitiva superior, na forma do *status* jurídico, político e militar. Os principais modos de extração de mais-valia a que os camponeses eram submetidos – impostos e arrendamentos – tomavam geralmente a forma de vários tipos de dependência política e jurídica: servidão por dívida, servidão, relações tributárias, obrigação de corveia e outras. Da mesma forma, a capacidade dos camponeses de resistir à exploração por parte dos proprietários e do Estado, ou de limitá-la, dependia em grande parte da força de sua própria organização política, principalmente a comunidade aldeã. Na medida em que os camponeses fossem capazes de certo grau de independência política pela extensão da jurisdição da comunidade aldeã – por exemplo, ao impor os direitos locais ou substituir os representantes dos proprietários por seus próprios magistrados locais –, eles também ampliavam seus poderes econômicos de apropriação e de resistência à exploração. Mas, por mais forte que se tornasse vez por outra a comunidade aldeã, um obstáculo continuava intransponível à autonomia camponesa: o Estado. A aldeia camponesa permaneceu quase universalmente como que fora do Estado, e sujeita ao seu poder externo, já que o camponês estava excluído da comunidade de cidadãos.

É nessa característica que a democracia ateniense representa uma exceção única. Somente nela se quebrou a barreira entre Estado e aldeia, pois a aldeia se tornou efetivamente unidade constitutiva do Estado, e os camponeses se tornaram cidadãos. O cidadão ateniense adquiriu sua condição cívica em virtude de sua participação no *demo*, uma unidade geográfica geralmente baseada nas aldeias existentes. O estabelecimento do *demo* por Clístenes como unidade constituinte da pólis representou essencialmente a fundação da democracia. Ele criou uma identidade cívica que abstraía as diferenças de nascimento, uma identidade comum a aristocracia e *demos* simbolizada pela adoção de uma *demotikon* pelos cidadãos atenienses, um nome local, distinto do patronímico (embora nunca o substituísse, especialmente no caso da aristocracia). Mas, o que foi ainda mais fundamental, as reformas de Clístenes "politizaram o campo ático e nele enraizaram uma identidade democrática"[7]. Representaram, em outras palavras, a incorporação da aldeia no Estado, e do camponês na comunidade cívica. O corolário econômico dessa condição política foi para os camponeses um grau excepcional de liberdade de cobranças "extraeconômicas" sob a forma de rendas ou impostos[8].

O camponês medieval, em comparação, foi definitivamente excluído do Estado e correspondentemente mais sujeito à extração extraeconômica de mais-valia. As instituições e solidariedades da comunidade aldeã tinham condições de lhe oferecer certo grau de proteção contra os proprietários e o Estado (embora também pudessem servir como meio de controle por parte dos senhores – como, por exemplo, nos tribunais senhoriais), mas o Estado propriamente dito era ausente, reserva exclusiva dos senhores feudais. E, à medida que a "parcelização da soberania" abriu caminho a Estados mais centralizados, a exclusividade dessa esfera política sobreviveu na nação politicamente privilegiada[9]. Por fim, à medida que as relações feudais se rendiam ao capitalismo, especificamente na Inglaterra, perdeu-se até mesmo a mediação da comunidade aldeã que se havia colocado entre camponês e senhor. O indivíduo e sua propriedade foram separados da comunidade à medida que a produção fugia cada vez mais ao controle comunitário, fosse por meio dos tribunais senhoriais ou das comunidades aldeãs (o exemplo mais evidente desse processo é a substituição do sistema inglês de campo aberto pelo cercamento); direitos de posse reconhecidos por costume se transformaram em arrendamentos econômicos regulados pelas pressões competitivas impessoais do mercado; pequenos proprietários perderam os direitos costumeiros de uso da terra comum; foram expulsos em ritmo crescente, quer pelo despejo por coação, quer pelas pressões econômicas da competição. A posse da terra passou a se concentrar, o campesinato cedeu espaço para, de um lado, os grandes proprietários, de outro, os trabalhadores sem propriedade. Ao final, completou-se a "libertação" do indivíduo, à medida que o capitalismo, com sua indiferença característica pelas identidades "extraeconômicas" da multidão trabalhadora, dissipou os atributos normativos e as diferenças "extraeconômicas" no solvente do mercado de trabalho, em que indivíduos se transformam em unidades intercambiáveis de trabalho abstraídas de qualquer identidade social ou pessoal específica.

Foi como um agregado desses indivíduos isolados, sem propriedade e roubados das solidariedades comunitárias, que a "multidão trabalhadora" finalmente entrou para a comunidade de cidadãos. Evidentemente, a dissolução de identidades normativas tradicionais e de desigualdades jurídicas representou um avanço para esses indivíduos agora "livres e iguais"; e a aquisição da cidadania conferiu a eles novos poderes, direitos e privilégios. Mas não se pode medir seus ganhos e suas

---

[7] OSBORNE, Robin. *Demos: The Discovery of Classical Attika*, Cambridge, 1985, p. 189.

[8] Para mais dados sobre essas questões, ver meu *Peasant-Citizen and Slave: The Foundations of Athenian Democracy*, Londres, 1988. p. 101-7.

[9] Para uma discussão da relação entre camponeses, senhores e Estado na Europa medieval e no início da moderna, ver BRENNER, Robert. "The Agrarian Roots of European Capitalism". In: *The Brenner Debate: Agrarian Class Structure and Economic Development in Pre-Industrial Europe*, Cambridge: T. H. Aston e C. H. E. Philips, (eds.), 1985, p. 213-327.

perdas sem lembrar que o pressuposto histórico de sua cidadania foi a *desvalorização* da esfera política, a nova relação entre "econômico" e "político" que reduziu a importância da cidadania e transferiu alguns de seus poderes exclusivos para o domínio totalmente econômico da propriedade privada e do mercado, em que a vantagem puramente econômica toma o lugar do privilégio e do monopólio jurídico. A desvalorização da cidadania decorrente das relações sociais capitalistas é atributo essencial da democracia moderna. Por essa razão, a tendência da doutrina liberal de representar os desenvolvimentos históricos que produziram a cidadania formal como nada além de uma ênfase na liberdade do indivíduo – a libertação do indivíduo de um Estado arbitrário, bem como das restrições da tradição e das hierarquias normativas, da repressão comunitária ou das exigências da virtude cívica – é indesculpavelmente tendenciosa.

Pode-se agora avaliar os efeitos ideológicos da relação moderna entre o cidadão individual e a comunidade cívica ou *nação*, sem considerar até que ponto aquela "comunidade imaginada" não passa de ficção, uma abstração mítica, em conflito com a experiência da vida diária do cidadão[10]. A nação é certamente real o bastante para inspirar indivíduos a morrer pela pátria, mas é necessário considerar até que ponto essa abstração é capaz de servir como instrumento ideológico para negar ou disfarçar a experiência mais imediata dos cidadãos, para desagregar ou deslegitimar, ou no mínimo despolitizar, as solidariedades que se colocam entre os níveis do indivíduo e da nação, tais como as que se forjam no local de trabalho, na comunidade local ou na experiência comum de classe. Quando a nação política era privilegiada e exclusiva, a "comunidade" correspondia em grande parte a uma comunidade real de interesses no meio da aristocracia proprietária. Nas democracias modernas, em que a comunidade cívica une os dois extremos da desigualdade social e de interesses conflitantes, o "bem comum" partilhado pelos cidadãos passa a ser uma noção muito mais tênue e abstrata.

Mais uma vez, nesse caso o contraste com a democracia antiga é assustador. Erguida sobre a fundação do *demo*, a pólis democrática foi construída sobre o que Aristóteles chamou de comunidade *natural* na *Ética ao Nicômano*. Que essa "comunidade real" tinha implicações políticas reais é sugerido pelas consequências tangíveis da cidadania camponesa. Também a contradição entre a comunidade cívica e as realidades da vida social não era tão grande na democracia ateniense quanto no Estado democrático moderno. A democracia liberal moderna tem em comum com a antiga democracia grega a dissociação entre a identidade cívica e o *status* socioeconômico que permite a coexistência da igualdade política formal com a desigualdade de classe. Mas essa semelhança disfarça uma diferença mais profunda entre as duas formas de democracia, refletindo relações radicalmente diferentes entre os planos "político" e "social" ou "econômico" nos dois casos.

Na antiga democracia ateniense, como já demonstrei no capítulo "O trabalho e a democracia...", o direito à cidadania não era determinado pela condição socioeco-

---

[10] Sobre a nação como "comunidade imaginada", ver ANDERSON, Benedict. *Imagined Communities*, Londres, 1983.

nômica; mas o poder de apropriação e as relações entre as classes eram diretamente afetados pela cidadania democrática. Na Atenas democrática, cidadania significava que os pequenos produtores, em particular os camponeses, eram em grande parte livres da exploração "extraeconômica". Sua participação política – na assembleia, nos tribunais e nas ruas – limitava a exploração política. Ao mesmo tempo, ao contrário dos trabalhadores no capitalismo, eles ainda não estavam sujeitos às pressões puramente "econômicas" da falta de propriedade. As liberdades política e econômica eram inseparáveis – a liberdade dupla do *demos* em seu significado simultâneo de condição política e de classe social, o homem comum ou o pobre; ao passo que a igualdade política não apenas coexistia com a desigualdade socioeconômica, mas a modificava substancialmente. Neste sentido, a democracia em Atenas não era apenas formal, mas substantiva.

Na democracia capitalista, a separação entre a condição cívica e a posição de classe opera nas duas direções: a posição socioeconômica não determina o direito à cidadania – e é isso o democrático na democracia capitalista –, mas, como o poder do capitalista de apropriar-se do trabalho excedente dos trabalhadores não depende de condição jurídica ou civil privilegiada, a igualdade civil não afeta diretamente nem modifica significativamente a desigualdade de classe – e é isso que limita a democracia no capitalismo. As relações de classe entre capital e trabalho podem sobreviver até mesmo à igualdade jurídica e ao sufrágio universal. Neste sentido, a igualdade política na democracia capitalista não somente coexiste com a desigualdade socioeconômica, mas a deixa fundamentalmente intacta.

A REDEFINIÇÃO AMERICANA DE DEMOCRACIA

Então o capitalismo tornou possível conceber uma "democracia formal", uma forma de igualdade civil coexistente com a desigualdade social e capaz de deixar intocadas as relações econômicas entre a "elite" e a "multidão trabalhadora". Entretanto, a *possibilidade* conceitual de uma "democracia formal" não fez dela uma realidade histórica. Houve muitas lutas árduas antes que o "povo" passasse a incluir a multidão trabalhadora, isso sem mencionar as mulheres. É um fato curioso que nas ideologias dominantes da cultura política anglo-americana essas lutas não tenham atingido a condição de marcos na história da democracia. Pelos cânones do liberalismo de língua inglesa, a principal estrada que conduz à democracia moderna passa por Roma, pela Magna Carta, pela Petição de Direito e pela Revolução Gloriosa, passando ao largo de Atenas, dos Levellers, Diggers e do cartismo[11]. Também não se trata de o registro histórico pertencer aos vitoriosos; pois se é 1688, e não os Levellers ou Diggers, quem representa os vitoriosos não seria de esperar que a história registrasse ser a democracia o lado derrotado?

---

[11] *Levellers*: Grupo de reformadores políticos que propunha o nivelamento das classes na sociedade inglesa. *Diggers*: Grupo de reformadores do século XVII que protestava contra o cercamento das terras comunitárias. *Digger* é o que revolve ou trabalha a terra, e esta era a sua forma de manifestação. Cartismo: Grupo político do século XIX que propunha melhores condições de trabalho e vida para os operários.

Foi aqui que a experiência americana mostrou ser decisiva. Os whigs ingleses poderiam ter se contentado com a celebração do avanço do Parlamento sem proclamá--lo como uma vitória da *democracia*. Os americanos não tinham essa opção. Apesar de, na luta para determinar a forma da nova república, os antidemocratas terem sido vitoriosos, no momento mesmo da fundação o impulso para uma democracia de massa já era forte demais para que tal vitória fosse completa. Também aqui a ideologia dominante separou a elite governante da multidão governada; e quem sabe os federalistas tivessem desejado, se tal fosse possível, criar uma nação política exclusiva, uma aristocracia de cidadãos proprietários, em que a propriedade – e especificamente a propriedade da terra – permanecesse como um *status* jurídico e político-militar privilegiado. Mas as realidades econômicas e políticas das colônias já haviam excluído essa opção. A propriedade havia abandonado os enfeites extraeconômicos numa economia baseada na troca de mercadorias e em modos puramente "econômicos" de apropriação, que solaparam e tomaram direitos da multidão trabalhadora. E a experiência colonial que culminou na revolução havia criado uma população politicamente ativa.

Portanto, os federalistas tinham pela frente uma tarefa sem precedentes, a de preservar o que fosse possível da divisão entre massa e elite no contexto de franquias crescentemente democráticas e de um corpo de cidadãos cada vez mais ativo. Hoje, mais que até algum tempo atrás, reconhece-se que a democracia americana tinha profundos defeitos em suas bases por aceitar a exclusão das mulheres, a opressão dos escravos e o colonialismo genocida dirigido contra as populações indígenas. O que talvez não seja tão evidente são os princípios antidemocráticos contidos na ideia de cidadania democrática tal como definida pelos "Pais Fundadores". Os criadores da constituição se engajaram na primeira experiência de criação de um conjunto de instituições políticas que corporificariam, e simultaneamente limitariam, o poder popular, num contexto em que já não era possível manter um corpo exclusivo de cidadãos. Onde já não existia a opção de uma cidadania ativa, mas excludente, teria sido necessário criar um corpo de cidadãos inclusivo, porém passivo, cujos poderes tivessem alcance limitado.

O ideal federalista pode ter sido a criação de uma aristocracia que combinasse riqueza e virtude republicana (um ideal que inevitavelmente cederia espaço à dominância apenas da riqueza); mas a tarefa prática era manter uma oligarquia proprietária com o apoio eleitoral da multidão popular. Isso também exigiu dos federalistas uma ideologia, e, especificamente, uma redefinição de democracia, que disfarçasse as ambiguidades de seu projeto oligárquico. Foram os antidemocratas vitoriosos nos Estados Unidos que ofereceram ao mundo moderno a sua definição de democracia, uma definição em que a diluição do poder popular é ingrediente essencial. Se as instituições políticas americanas não chegaram a ser imitadas por toda parte, a experiência americana deixou um legado universal[12].

---

[12] Para uma discussão esclarecedora desse modelo e de suas implicações, ver MANICAS, Peter. "The Foreclosure of Democracy in America", *History of Political Thought*, 9(1), 1988, p. 137-60. Sobre os federalistas no contexto dos debates em torno da Constituição, e que levaram a ela, ver WOOD, Gordon S. *The Creation of American Republic*, 1776-1787, Nova York, 1972.

No capítulo anterior, citei uma passagem do *Protágoras* de Platão referente à prática ateniense de permitir a sapateiros e ferreiros, tanto aos ricos como aos pobres, emitir julgamentos políticos. Essa passagem, que expressa o princípio da *isegoria*, não somente a liberdade, mas também a igualdade de fala, identifica claramente a essência da democracia ateniense. Aqui, para efeito de comparação, reproduzo uma citação de Alexander Hamilton do *Federalist* nº 35:

> A ideia da representação real de todas as classes de pessoas por pessoas de todas as classes é absolutamente visionária. (...) Mecânicos e manufatureiros, com poucas exceções, sempre se inclinarão a dar votos para os comerciantes de preferência a pessoas de sua própria profissão (...) eles sabem que, por maior que seja a confiança que tenham em seu próprio bom-senso, seus interesses são mais eficientemente promovidos pelos comerciantes do que por si mesmos. Eles sabem que seus hábitos na vida não lhes oferecem esses dons adquiridos sem os quais, numa assembleia deliberativa, as maiores habilidades naturais são em geral inúteis. (...) Devemos portanto considerar os comerciantes como os representantes naturais de todas essas classes da comunidade.

Algumas das diferenças mais essenciais entre a democracia antiga e a moderna estão muito bem resumidas nessas duas citações. Alexander Hamilton enuncia o princípio do que chama de "democracia representativa", uma ideia sem precedente histórico no mundo antigo, uma inovação americana. E nela os sapateiros e ferreiros são representados por seus superiores sociais. O que está em discussão nessa comparação não é simplesmente a distinção convencional entre as democracias direta e representativa. Há outras diferenças ainda mais fundamentais de princípio entre as duas concepções de democracia contidas nessas duas citações.

O conceito de *isegoria* é certamente o conceito mais característico associado à democracia ateniense, o que mais se distancia de qualquer análogo na democracia liberal moderna – inclusive da ideia que dele mais se aproxima, o conceito moderno de liberdade de palavra. Alexander Hamilton era evidentemente um advogado da liberdade da palavra no sentido liberal democrático moderno, associado à proteção do direito dos cidadãos de se expressarem sem interferências, especialmente as do Estado. Mas não existe na concepção de Hamilton incompatibilidade entre defender as liberdades civis, e entre elas a liberdade de expressão é uma das mais importantes, e a visão de que no domínio político o comerciante rico é o representante natural dos artesãos humildes. O homem de propriedade responde politicamente pelo sapateiro e pelo ferreiro. Evidentemente, Hamilton não propõe silenciar essas vozes populares. Nem pretende tomar delas o direito de escolher seus próprios representantes. Ainda que com certa relutância, ele se sente obrigado a aceitar uma franquia democrática muito ampla e socialmente inclusiva. Mas, tal como outros *anti*democratas anteriores a ele, Hamilton parte de certas premissas relativas à representação segundo as quais a multidão trabalhadora, assim como as "pessoas inferiores" de Sir Thomas Smith, deve buscar em seus superiores sociais a sua própria voz política.

Essas premissas devem também ser colocadas no contexto da visão federalista de que a representação não é um meio de implantar, mas um meio de *evitar*, ou de pelo menos contornar parcialmente, a democracia. Os federalistas afirmavam não que a representação era necessária a uma grande república, mas, pelo contrário, que uma grande república é desejável por tornar necessária tal representação – e quanto menor a proporção entre representantes e representados, quanto maior a distância entre eles, tanto melhor. Como afirmou Madison no *Federalist* 10, o efeito da representação é "redefinir e ampliar as visões públicas, passando-as pelo filtro de um corpo de cidadãos escolhidos (...)". E uma república extensa é claramente preferível a uma pequena, "mais favorável à eleição dos melhores guardiães do bem comum", com base em "duas considerações óbvias": que haveria uma proporção menor entre representantes e representados, e que cada representante seria escolhido por um eleitorado maior. Em outras palavras, a representação deve ter o efeito de um *filtro*. Sob esses aspectos, a concepção federalista de representação – especialmente a de Hamilton – é a própria antítese da *isegoria*.

Já nos acostumamos tanto à fórmula "democracia representativa" que tendemos a esquecer a novidade da ideia americana. Pelo menos em sua forma federalista, ela significou que algo até então percebido como a *antítese* do autogoverno democrático passava a ser não apenas compatível com a democracia, mas também um de seus componentes: não o exercício do poder político, mas *renúncia* a este poder, sua *transferência* a outros, sua *alienação*.

A alienação do poder político era tão estranha à concepção grega de democracia que até mesmo uma eleição poderia ser vista como prática oligárquica, que as democracias poderiam adotar para alguns fins específicos, mas que não faziam parte da essência da constituição democrática. Assim, Aristóteles, ao delinear a forma como se poderia construir uma constituição "mista" com elementos dos principais tipos constitucionais, como oligarquia ou democracia, sugere a inclusão da eleição como característica oligárquica. Era oligárquica porque tendia a favorecer os *gnorimoi*, os notáveis, os ricos e bem-nascidos, que talvez fossem menos simpáticos à democracia. Os atenienses poderiam se valer de uma eleição no caso de funções que exigissem competência técnica, principalmente para cargos financeiros ou militares mais importantes (tais como a função militar de *strategos* para a qual Péricles foi eleito); mas essas funções eram protegidas por medidas restritivas que garantiam a responsabilização do ocupante, e eram claramente percebidas como exceções à regra segundo a qual todos os cidadãos eram dotados do tipo de sabedoria política necessária ao exercício de funções políticas gerais. O método quintessencial da democracia era a seleção por grupos, uma prática que, apesar de reconhecer as restrições práticas impostas pelo tamanho do Estado e pelo número de seus cidadãos, corporifica um critério de seleção que se opõe em princípio à alienação da cidadania e à premissa de que o *demos* é politicamente incompetente.

A república americana estabeleceu firmemente uma definição de democracia em que a transferência do poder para os "representantes do povo" constituiu não somente uma concessão necessária ao tamanho e à complexidade, mas a própria essência da democracia em si. Os americanos então, apesar de não terem inventado a representação, podem receber o crédito pelo estabelecimento de uma ideia constitutiva essencial da democracia moderna: a identificação desta com a alienação do poder. Mas a questão crítica aqui não é simplesmente a substituição da democracia direta pela representativa. Sem dúvida, há muitas razões que justificam a aceitação da representação até mesmo pelo mais democrático dos Estados. Pelo contrário, o que se discute são as premissas sobre as quais se baseou a concepção federalista de representação. Os "Pais Fundadores" não somente concebiam a representação como uma forma de *distanciar* o povo da política, mas advogavam-na pela mesma razão que justificava as suspeitas dos atenienses contra as eleições: por ela favorecer as classes proprietárias. A "democracia representativa", tal como uma das misturas de Aristóteles, é a democracia civilizada com um toque de oligarquia.

Um "povo" sem conteúdo social

O argumento federalista, baseado na concepção de que o "bem público" está mais longe, e não mais perto, da vontade dos cidadãos, exibe um conceito muito particular de cidadania que contrasta nitidamente com a ideia ateniense. A moderna concepção americana de cidadania talvez seja mais inclusiva e universalista do que a ateniense, mais indiferente às particularidades de parentesco, laços de sangue ou etnia. Sob esse aspecto, ela lembra mais a cidadania romana do que a ateniense. Mas se a cidadania americana tem mais em comum com a identidade cívica romana do que com a grega, na sua universalidade, na capacidade de extensão aos "estrangeiros", ela talvez tenha, sob esse aspecto, mais alguma coisa em comum com Roma (não apenas a republicana, mas também a imperial), ou seja, uma distância maior entre o "povo" e a esfera da ação política, uma ligação menos imediata entre cidadania e participação política. Nos Estados Unidos, assim como em Roma, a cidadania talvez seja mais expansiva e inclusiva do que a cidadania democrática de Atenas, mas pode também ser mais *abstrata* e mais passiva.

Se a intenção dos "Pais Fundadores" era criar esse tipo de cidadania passiva, ou pelo menos temperar o ativismo cívico da cultura revolucionária, ela difere da cidadania ateniense em mais um aspecto. Já se disse que, tanto no caso americano quanto no ateniense, a emergência da democracia resultou entre outras coisas, de "uma cultura democrática preexistente" fora do espaço político, dos hábitos igualitários na "sociedade civil"[13]. O ato de "fundação" de Clístenes teria tido o efeito de institucionalizar essa cultura democrática preexistente. Mas, se isso é verdade, então a Constituição dos Estados Unidos se relaciona de uma forma muito diferente com essa cultura democrática preexistente.

Os fundadores da Constituição americana se viam diante não apenas de uma cultura democrática, mas também de instituições democráticas bastante desenvolvidas; e estavam no mínimo tão preocupados em *conter* quanto em enraizar os hábitos democráticos que haviam se estabelecido na América colonial e revolucionária, não somente na "sociedade civil", mas também na esfera política, desde as

---

[13] Ver CONNER, W. R. "Festival and Democracy". In: *Democracy Ancient and Modern*, Charles Hedrick e Josiah Ober (eds.) (não publicado, 1994).

reuniões municipais até as assembleias representativas. Esse desejo se realizou em parte pelo aumento da distância entre identidade cívica e ação no espaço público – não somente pela interposição do filtro da representação entre o cidadão e a esfera política, mas por meio de um deslocamento geográfico real. Onde Clístenes tinha feito do *demo* local a base da cidadania ateniense, os federalistas se esforçaram para mudar o foco da política da localidade para o centro federal.

Diz muito do significado de cidadania e de soberania popular tal como foram concebidas pelos Pais Fundadores o fato de alguns antifederalistas terem atacado as implicações antidemocráticas da constituição proposta, rejeitando a fórmula "Nós, o povo (...)"[14]. Essa fórmula, aparentemente o apelo mais claro à soberania popular, parecia aos críticos, ao contrário, uma receita de despotismo para um extenso império governado do centro por um Estado tirânico e não representativo. Para esses críticos, a fórmula mais democrática, que reduzia a distância entre o povo e o domínio da política, teria sido "Nós, os Estados (...)". A invocação do "povo" pelos federalistas foi, de acordo com esses antifederalistas, apenas um meio de transferir a verdadeira soberania para o governo federal, dando-lhe o selo de soberania popular, enquanto na verdade contornava instituições mais diretamente responsáveis perante o povo, transformando assim em imperial o governo republicano.

Mais tarde, os americanos descobririam as possibilidades antidemocráticas da doutrina dos "direitos dos Estados", que não podiam ter sido previstas nem pelos críticos nem pelos advogados da Constituição; mas para seus contemporâneos parecia claro que os federalistas estavam invocando a soberania popular em apoio a um esforço para afastar o povo da política e para redefinir a cidadania, transferindo o equilíbrio do ativismo republicano para a passividade imperial. O "povo" já não era definido, tal como o fora no *demo* ateniense, como uma comunidade ativa de cidadãos, mas como uma coleção desagregada de cidadãos privados cujo aspecto público era representado por um Estado central distante. Em comparação com essa noção antiga de cidadania como *participação* na comunidade política, até mesmo o conceito de *direitos* individuais, que talvez sejam a maior prova de superioridade da democracia moderna sobre a antiga, traz uma conotação de passividade[15].

Nas mãos dos federalistas, o "povo" foi submetido a outra importante transformação que mais uma vez afasta sua concepção de democracia dos princípios democráticos corporificados na ideia de *isegoria*. A própria possibilidade de conciliar a concepção particular de representação de Hamilton com a ideia de democracia exigiu uma importante inovação que ainda hoje é parte de nossa definição de democracia. O próprio conceito de "democracia representativa" dificilmente teria sido absorvido pelos atenienses, mas posso imaginar concepções de representação baseadas em premissas mais democráticas que as de Hamilton (como as de Tom

---

[14] Sobre essa questão, ver WOOD, G. *Creation*, p. 526-7.

[15] Ver OSTWALD, Martin. "Shares and Rights: 'Citizenship' Greek and American Style", em *Democracy*, Hedrick e Ober (eds.).

Paine). O mais importante nesse caso é o fato de a concepção de Hamilton ter exigido um esvaziamento completo de todo conteúdo social do conceito de democracia e um conceito político de povo de que foram suprimidas as conotações sociais.

Consideremos, em comparação, a definição clássica de democracia de Aristóteles como uma constituição em que os "homens livres e os pobres controlam o governo – sendo ao mesmo tempo a maioria" (*Política* 1290b), em vez de uma oligarquia em que "os ricos e os mais bem-nascidos controlam o governo – sendo ao mesmo tempo a minoria". Os critérios sociais – pobreza num caso, riqueza e berço no outro – desempenham um papel central nessas definições. De fato, elas são mais importantes que o critério numérico. Aristóteles enfatiza que a verdadeira diferença entre democracia e oligarquia é a diferença entre pobreza e riqueza (1279b), de forma que a pólis seria democrática mesmo que, caso improvável, seus governantes pobres fossem ao mesmo tempo uma minoria.

Na descrição da pólis ideal, Aristóteles propõe uma distinção social mais específica, que talvez seja ainda mais decisiva que a divisão entre ricos e pobres (*Política* 1238a-1329a). Na pólis, sugere ele, como em todo complexo natural, há uma diferença entre os elementos que são partes integrantes e os que são condições necessárias. Estes últimos servem apenas aos primeiros e não devem ser vistos como partes orgânicas do todo. Na pólis, as "condições" são pessoas, sejam elas livres ou escravas, que trabalham para suprir as necessidades da comunidade, ao passo que as "partes" são os homens de propriedade. A categoria de pessoas "necessárias" – que não podem ser partes orgânicas, ou cidadãos, da pólis ideal – inclui os *banausoi*, aqueles que se dedicam às artes e aos ofícios "humildes e mecânicos", bem como outros – entre eles os pequenos agricultores – que precisam trabalhar para viver e não têm lazer (nem liberdade de espírito?) para "produzir a bondade" nem para se engajar na política. Essa talvez seja então a linha divisória crítica entre oligarcas e democratas: se as pessoas necessárias devem ou não ser incluídas no corpo de cidadãos.

As distinções sociais estabelecidas pelos antidemocratas gregos – entre as partes e condições da pólis, ou entre os necessários e as pessoas boas e dignas, *kaloi kagathoi* ou *chrestoi* – também definiram a concepção antidemocrática de liberdade, por oposição ao ideal constitucional democrático de liberdade, *eleutheria*. Os críticos da democracia poderiam recusar completamente o conceito de *eleutheria*, identificando-a com a licenciosidade e a desordem social; mas foi essa apenas uma das estratégias adotadas pelos oligarcas e pelos oponentes filosóficos da democracia. Outra foi a redefinição de *eleutheria* para excluir os trabalhadores, artesãos e comerciantes que não eram *escravos*. Aristóteles na *Retórica* (1376a), por exemplo, define o *eleutheros* como um cavalheiro que não vive para os outros, nem a serviço de outros porque não pratica uma atividade sórdida e humilde – razão por que, segundo ele, cabelos longos em Esparta são um símbolo de senhorio, a marca do homem livre, pois (estranhamente observa Aristóteles) é difícil realizar trabalho manual quando se tem o cabelo comprido. E o que ele tem a dizer na *Política* a respeito do Estado ideal sugere, entre outras coisas, que essa distinção –

não a distinção entre homens livres e escravos, mas a que existe entre cavalheiros e *banausoi*, bem como outras pessoas "necessárias" – deveria ter implicações outras além das políticas e constitucionais. Nesse caso, todos os que atendem às necessidades básicas da comunidade – fazendeiros, artesãos, comerciantes – não podem ser considerados cidadãos.

Esse tipo de distinção entre liberdade e servilismo é ainda mais enfática em Platão, para quem a escravidão às necessidades materiais é desqualificação inalterável para a prática da política. Em o *Estadista* (289c e segs.), por exemplo, qualquer um que forneça bens e serviços necessários, qualquer um que pratique as artes "contribuintes", é basicamente servil e incapaz para a arte política – por exemplo, o trabalho na agricultura só deveria ser feito por escravos estrangeiros. Assim, tanto para Platão quanto para Aristóteles, a distinção entre liberdade e servilismo, *douleia*, corresponderia não apenas à diferença jurídica entre homens livres e escravos, mas à diferença entre os que são livres da necessidade de trabalho e os que são obrigados a trabalhar para viver.

A definição de M. I. Finley de que "homem livre era alguém que não vivia sob restrições impostas por outro, nem estava empregado em benefício de outro; que vivia de preferência no seu pedaço ancestral de terra, com seus oratórios e túmulos ancestrais"[16] sugere que essa concepção de *eleutheria* não se distanciava tanto de pelo menos alguns usos mais convencionais. Mas, se esse era realmente o uso convencional, teria havido algumas diferenças significativas entre a forma como o cidadão ateniense comum entendia suas implicações e o significado atribuído a ela por Platão ou Aristóteles. Para estes oponentes da democracia, nem mesmo o artesão independente ou o pequeno agricultor, por exemplo, podiam se considerar livres nesse sentido, já que sua sobrevivência dependia da oferta – e da venda – de bens e serviços necessários a outras pessoas. Duvido que o artesão ou o camponês ateniense estivessem preparados para aceitar essa definição estendida de *douleia*, ainda que metafórica. Mas o principal é que, para o democrata, ela não seria relevante para a definição de cidadania, ao passo que para Platão e Aristóteles, pelo menos idealmente, ela o seria. Mesmo na melhor pólis praticável de Aristóteles, há problemas referentes à cidadania do artesão, sem mencionar o trabalhador assalariado.

Isso não quer dizer que a definição de democracia de Aristóteles fosse a convencional. O próprio conceito de *demokratia* pode ter tido origem antidemocrática[17], e talvez tenham sido os antidemocratas os que definiriam democracia tomando *demos* no seu sentido *social*, de classes inferiores ou pobres. Um democrata moderado, como Péricles, não definiria a constituição ateniense como uma forma de governo por classe, mas simplesmente como um governo por muitos em vez de por poucos. Entretanto, era crucial para a sua definição que o conceito de classe não fosse critério para as honras públicas e a pobreza não fosse obstáculo para a

---

[16] FINLEY, M. I. *Ancient Slavery and Modern Ideology*, Londres, 1980, p. 90.

[17] Ver CARTLEDGE, Paul. "Comparatively Equal", em *Democracy*, Hedrick e Ober (eds.).

função pública. Para Péricles, assim como para Aristóteles, uma pólis governada por uma comunidade política que não incluísse o *demos* em seu significado social não poderia ser qualificada de democracia[18].

Talvez Péricles, tal como Aristóteles, não tivesse definido democracia como o governo pelos pobres; mas era certamente o governo por muitos, inclusive os pobres. Mais que isso, era uma democracia exatamente *porque* a comunidade política incluía os pobres. De fato, misturar os significados em que *demos* representasse tanto as classes inferiores quanto o conjunto da comunidade política é sugestivo de uma cultura democrática. É como se a categoria romana de *plebs*, com todas as suas conotações sociais, tivesse substituído a categoria *populus* – e nem mesmo assim se entenderiam as implicações democráticas do uso grego, pois *plebs*, diferentemente de *demos*, não pode ser identificada com os pobres nem com as massas.

No contexto grego, a definição política de *demos* já tinha um significado social por ser deliberadamente oposta à exclusão das classes inferiores, dos sapateiros e ferreiros, da política. Era uma afirmação de democracia contra as definições antidemocráticas de pólis e cidadania. Quando os federalistas, por sua vez, invocaram o povo como categoria política, não foi com o objetivo de afirmar os direitos dos "mecânicos" contra aqueles que gostariam de excluí-los da esfera pública. Pelo contrário, há evidências abundantes nas manifestações explícitas dos líderes federalistas de que seu objetivo – e o objetivo de muitas das medidas incluídas na Constituição – era diluir o poder da multidão popular, principalmente em defesa da propriedade[19]. Para eles, o "povo" era invocado a favor de *menos* e não *mais* princípios democráticos.

Para os federalistas, o "povo" era, assim como para os gregos, uma categoria política inclusiva; mas aqui a questão da definição política era não acentuar a igualdade política dos não iguais sociais. A relação se dava mais com a ênfase do poder do governo federal; e, caso o critério de classe social não fosse politicamente relevante, não seria apenas no sentido de que pobreza ou indefinição de classe não fosse obstáculo ao acesso à função pública, mas no sentido especial de o equilíbrio de poder de classe não representar um critério de democracia. Não deveria haver incompatibilidade entre democracia e governo pelos ricos. É nesse sentido que os critérios sociais continuam ainda hoje a ser politicamente irrelevantes; e que a definição moderna de democracia é tão compatível com o governo pelos ricos quanto o era no tempo de Alexander Hamilton.

Houve uma base estrutural oculta sob essas diferenças na relação entre os significados político e social de "povo" tal como era entendido em Atenas e na América pós-revolucionária. Os federalistas, independentemente de suas inclinações, não tinham mais a opção, à disposição das classes dominantes em outras partes, de dar

---

[18] TUCÍDIDES, *The Peloponesian War* II. 37. [Ed. bras.: *História da guerra do Peloponeso*. Brasília, UnB, 1982.]

[19] As opiniões de Hamilton são razoavelmente claras, mas até o mais jeffersoniano Madison sentiu a necessidade de diluir os poderes da multidão popular para proteger a propriedade. Ver, por exemplo, WOOD, G. *Creation*, p. 221, 410-11, 503-4.

a "povo" uma definição limitada, como sinônimo de uma nação política exclusiva. A experiência política das colônias e da Revolução tornava-o impossível (embora, por definição, mulheres e escravos estivessem evidentemente excluídos da nação política). Mas ainda existia outra possibilidade para os americanos que não havia existido para os gregos: deslocar a democracia para uma esfera puramente política, distinta e separada da "sociedade civil", ou seja, a "economia". Em Atenas não havia essa divisão clara entre "Estado" e "sociedade civil", não havia uma "economia" distinta e autônoma, nem mesmo o conceito de Estado como algo distinto da comunidade de cidadãos – não havia o Estado de "Atenas" ou da "Ática", havia apenas os atenienses.

Os poderes e os direitos políticos e econômicos, em outras palavras, não se separavam tão facilmente em Atenas como nos Estados Unidos, onde a propriedade já atingira uma definição puramente "econômica", separada do privilégio jurídico ou do poder político, e onde a "economia" estava adquirindo vida própria. Grandes segmentos de experiência e atividade humanas e muitas variedades de opressão e indignidade não foram tocadas pela igualdade política. Se cidadania passava a ter precedência sobre outras identidades sociais mais particularizadas, ela estava, ao mesmo tempo, tornando-se de muitas formas inconsequente.

A possibilidade de uma democracia esvaziada de conteúdo social – e a ausência dessa possibilidade na Grécia Antiga – está, mais uma vez, relacionada às vastas diferenças entre as relações de propriedade da Antiguidade grega e do capitalismo moderno. Já sugeri que a estrutura social do capitalismo altera o significado de cidadania, assim a universalidade dos direitos políticos – em particular, o sufrágio adulto universal – deixa intactas as relações de propriedade e de poder de uma maneira até então desconhecida. É o capitalismo que torna possível uma forma de democracia em que a igualdade formal de direitos políticos tem efeito mínimo sobre as desigualdades ou sobre as relações de dominação e de exploração em outras esferas. Esses desenvolvimentos avançaram bastante nos Estados Unidos durante o século XVIII, possibilitando a redefinição de democracia esvaziada de conteúdo social, a invenção da "democracia formal", a supressão dos critérios sociais na definição de democracia e na concepção de liberdade associada a ela. Portanto, tornou-se possível aos federalistas reivindicar o uso da linguagem da democracia, enquanto se dissociavam enfaticamente do governo pelo *demos* no seu significado grego original. Pela primeira vez, "democracia" podia significar algo inteiramente diferente do que significava para os gregos.

Para os federalistas em particular, a antiga democracia era um modelo a ser expressamente evitado – o governo pela multidão, a tirania da maioria, e outros nomes semelhantes. Mas o que tornou interessante esse problema conceitual foi que, nas condições da América pós-revolucionária, eles tiveram de rejeitar a democracia antiga não em nome de um ideal político contrário, não em nome da oligarquia, mas em nome da própria democracia. A experiência colonial e revolucionária já havia tornado impossível rejeitar simplesmente a democracia, como já vinham fazendo desavergonhadamente as classes governantes e proprietárias em outras partes. As realidades políticas dos Estados Unidos já forçavam as pessoas a fazer o que hoje se tornou convencional e universal, quando todas as boas coisas políticas são "democráticas" e tudo que nos desagrada na política é antidemocrático: todos podiam se declarar democratas. O problema era então construir uma concepção de democracia que, por definição, excluísse o modelo antigo.

Os debates constitucionais representam um momento histórico único, sem paralelo que eu conheça em que haja uma transição visível da acusação à democracia para a naturalização retórica da democracia para todos os fins políticos, inclusive os que teriam sido considerados *anti*democráticos de acordo com a definição antiga. Podemos mesmo observar o processo de redefinição à medida que ele avança. Os federalistas alternam desde o estabelecimento de um contraste nítido entre democracia e a forma republicana de governo que advogam até a adoção do nome "democracia representativa" para o seu modelo republicano. Essa transformação ideológica ocorre não apenas na esfera da teoria política, mas também no simbolismo da nova república. Basta considerar o significado do apelo aos símbolos romanos – os pseudônimos romanos adotados pelos federalistas, o nome do Senado, e outros exemplos. E considerar a águia romana como um ícone americano. Não Atenas, mas Roma. Não Péricles, mas Cícero como modelo a ser seguido. Não o governo pelo *demos*, mas SPQR, a "constituição mista" do Senado e do povo romanos, o *populus* ou *demos* com direitos de cidadania, mas governados por uma aristocracia.

Da democracia ao liberalismo

Até o último quarto do século XVIII, pelo menos até a redefinição americana, o significado predominante de "democracia", tanto no vocabulário de seus defensores quanto no dos detratores, era essencialmente o significado adotado pelos gregos que inventaram a palavra: governo pelo *demos*, o "povo", com o significado duplo de *status* cívico e categoria social. Isso explica a difamação generalizada da democracia pelas classes dominantes. Desde então ela se submeteu a uma transformação que tornou possível aos seus inimigos de ontem abraçá-la, oferecer a ela as mais altas expressões de louvor em seu vocabulário político. A redefinição americana foi decisiva; mas não foi o fim do processo, e seria necessário mais de um século para completá-lo. Na "democracia representativa", o governo pelo povo continuou a ser o principal critério de democracia, ainda que o *governo* fosse filtrado pela representação controlada pela oligarquia, e *povo* foi esvaziado de conteúdo social. No século seguinte, o conceito de democracia iria se distanciar ainda mais de seu significado antigo e literal.

Nos Estados Unidos e na Europa, a questão essencial da composição social e da inclusão do "povo" que tinha o direito de escolher seus representantes ainda não tinha sido resolvida, e continuou a ser um terreno ferozmente disputado até meados do século XX. Foi necessário muito tempo, por exemplo, para os americanos remediarem a exclusão de mulheres e escravos na Grécia antiga, e as classes trabalhadoras só obtiveram completa inclusão depois que se aboliram as últimas qualificações de propriedade (e ainda assim permaneceram muitos instrumentos de exclusão dos pobres, especialmente os negros). Mas já na segunda metade do século XIX estava suficientemente claro que a questão estava se decidindo em favor da "democracia de massa"; e as vantagens ideológicas da redefinição de democracia se tornaram cada vez mais evidentes com o progresso da era da mobilização de massa – e da política eleitoral de massa.

Os imperativos e restrições impostos às classes dirigentes pelo crescimento inevitável da democratização foram muito bem descritos por Eric Hobsbawm:

> Infelizmente para o historiador, esses problemas [postos pela mobilização de massa a governos e classes dominantes] desaparecem da cena de discussão aberta na Europa, à medida que a democratização crescente tornava impossível debatê-las em público com qualquer grau de franqueza. Que candidato teria coragem de dizer a seus eleitores que os considerava estúpidos e ignorantes demais para saber o que havia de melhor na política e que suas exigências eram absurdas por serem perigosas para o futuro do país? Que estadista, cercado de repórteres capazes de levar suas palavras à taverna mais remota, teria coragem de dizer o que realmente estava pensando? Bismarck provavelmente só se dirigiu a plateias de elite. Gladstone introduziu as campanhas eleitorais de massa na Inglaterra (e talvez na Europa) na campanha de 1879. As implicações esperadas da democracia não poderiam mais ser discutidas, a não ser por não políticos, com a franqueza e o realismo dos debates que acompanharam a Lei Inglesa de Reforma de 1867. A era da democratização transformou-se na era da hipocrisia, ou melhor, da duplicidade, política pública e também esta na da sátira política.[20]

Em tempos idos, democracia havia significado o que dizia, e ainda assim seus críticos não hesitaram em denunciar a estupidez, a ignorância e a baixa confiabilidade do "rebanho comum". No século XVIII, Adam Ferguson falava em nome de uma longa tradição de antidemocratas quando perguntou:

> Como se pode confiar a conduta das nações a alguém que confinou suas ideias à própria subsistência ou preservação? Tais homens, quando admitidos a deliberar sobre questões de Estado, trazem aos conselhos confusão e tumulto, ou então servilismo e corrupção; e raramente é possível evitar facções ruinosas, ou os efeitos de resoluções mal tomadas e mal conduzidas.[21]

Essa espécie de transparência já não era possível no final do século XIX. Assim como as classes dominantes buscaram diversas maneiras de limitar na prática a democracia de massa, elas também adotaram estratégias ideológicas que visavam estabelecer limites para a democracia na teoria. E, assim como "domesticaram" as teorias revolucionárias – por exemplo, as classes dominantes francesa, americana e até mesmo a inglesa[22] –, também se apropriaram da democracia e a naturalizaram, incorporando seu significado aos bens políticos que seus interesses particulares

---

[20] HOBSBAWM, Eric. *The Age of Empire*: 1875-19114, Londres, 1987, p. 87-8. [Ed. bras.: *A era dos impérios: 1875-1914*. Rio de Janeiro, Paz e Terra, 1989.]

[21] FERGUSON, Adam. *An Essay on the History of Civil Society*. Edimburgo: Duncan Forbes, ed., 1978. p. 187.

[22] HOBSBAWM, Eric. *The Age of Empire*, p. 93-4.

podiam tolerar. A reformulação do conceito de democracia pertence, pode-se dizer, ao novo clima de hipocrisia e duplicidade políticas.

Num tempo de mobilização de massa, o conceito de democracia foi submetido a novas pressões ideológicas pelas classes dominantes, exigindo não somente a alienação do poder "democrático" mas a separação clara entre a "democracia" e o "*demos*" – ou, no mínimo, o afastamento decidido do poder popular como principal critério de valor democrático. O efeito foi a mudança do foco da "democracia", que passou do exercício ativo do poder popular para o gozo passivo das salvaguardas e dos direitos constitucionais e processuais, e do poder coletivo das classes subordinadas para a privacidade e o isolamento do cidadão individual. Mais e mais, o conceito de "democracia" passou a ser identificado com *liberalismo*[23].

É difícil isolar o momento dessa mudança de valores, associada a árduas lutas políticas e ideológicas. Mas é possível encontrar indícios nas tensões e contradições não resolvidas na teoria e na prática do liberalismo do século XIX, dividido entre a repugnância pela democracia de massa e o reconhecimento de sua inevitabilidade, talvez sua necessidade e justiça, ou, no mínimo as vantagens da mobilização de massa na promoção dos programas de reforma e o bom-senso de domesticar a "hidra de muitas cabeças", a multidão turbulenta, atraindo-a para a comunidade cívica.

John Stuart Mill talvez seja o exemplo mais extremado das contradições que formaram o liberalismo do século XIX. De um lado, ele demonstrou evidente repugnância pelas tendências "niveladoras" e pela "mediocridade coletiva" da democracia de massa (principalmente no *locus classicus* que foi seu ensaio "On Liberty"), seu platonismo, elitismo, a convicção imperialista de que os povos coloniais se beneficiariam do período de tutela sob o governo dos senhores coloniais; de outro, a defesa dos direitos da mulher, do sufrágio universal (que podia ser compatível como uma espécie de tutela de classe pela manutenção do voto ponderado, como propõe em *Considerations on Representative Government*); ele chegou mesmo a flertar com ideias socialistas (sempre sob a condição de que se preservasse o capitalismo até que "melhores mentes" tivessem erguido a multidão da necessidade de "estímulos grosseiros", da motivação de ganhos materiais e da sujeição a apetites inferiores). Mill nunca resolveu essa ambivalência em relação à democracia, mas é possível encontrar indício de uma possível solução no local mais curioso, no julgamento que ele fez da democracia original da Antiguidade ateniense.

O mais impressionante no julgamento de Mill é a identificação que ele faz da democracia ateniense, que incentivava a variedade e a individualidade, comparada ao conservadorismo estulto e estreito de Esparta – a quem Mill denominava, como já vimos, os tóris da Grécia. Essa caracterização de Atenas contrasta nitidamente com o relato que ele faz da democracia moderna e com a ameaça que, na sua

---

[23] O significado da palavra "liberalismo" é claramente ilusório e variável. Eu o estou usando aqui para me referir a um corpo de princípios geralmente relacionados a governo "limitado", a liberdades civis, a proteção da esfera de privacidade contra a invasão pelo Estado, junto com a ênfase na individualidade, na diversidade e no pluralismo.

opinião, ela representaria para a individualidade e a excelência. Mas essa avaliação tão diferente da antiga forma da democracia só foi possível pela forma conspicuamente evasiva com que via a única característica literalmente democrática da democracia ateniense, a extensão da cidadania às classes trabalhadoras "inferiores" e "mecânicas". Embora advogasse a extensão (limitada) do direito de voto para a "multidão", Mill demonstrava uma notável falta de entusiasmo pelo governo pelo *demos* e não se dispunha a avaliar seu papel na democracia antiga. Antes invocar os valores *liberais* da Atenas clássica.

E chegamos assim à "democracia liberal". A familiaridade desta fórmula disfarça tudo o que é histórica e ideologicamente problemático nessa composição claramente moderna, e vale a pena decompô-la criticamente. Há nessa fórmula muito mais que a extensão do "liberalismo" para a "democracia liberal" – ou seja, a adição de princípios democráticos, como o sufrágio universal, aos valores pré-democráticos do constitucionalismo e do "governo limitado". Questões muito mais problemáticas são levantadas pela *contração* da democracia em liberalismo. Já há algum tempo, existe uma convenção segundo a qual o progresso político ou a "modernização" tomou a forma de um movimento da monarquia na direção de um governo "limitado" ou constitucional até a democracia, e mais particularmente do absolutismo para o "liberalismo" e para a "democracia liberal". Em certo sentido, o processo que estou descrevendo reverte a sequência convencional: a democracia foi superada pelo liberalismo.

Não existia "liberalismo" – constitucionalismo, governo limitado, "direitos individuais" e "liberdades civis" – na Antiguidade clássica. A democracia antiga, em que o "Estado" não tinha existência separada como entidade isolada da comunidade de cidadãos, não produziu uma concepção clara da separação entre "Estado" e "sociedade civil", nenhum conjunto de ideias nem de instituições para controlar o poder do Estado ou para proteger a "sociedade civil" e o cidadão individual da interferência dele. O "liberalismo" teve como precondições fundamentais o desenvolvimento de um Estado centralizado separado e superior a outras jurisdições mais particularizadas.

Mas, ainda que o "liberalismo" fosse uma criação moderna que pressupõe o Estado "moderno" (pelo menos o absolutismo moderno inicial), suas concepções centrais de liberdade e de limites constitucionais têm origem anterior. As concepções liberais de governo constitucional ou limitado e de liberdades individuais afirmadas contra o Estado têm origem no final do período medieval e início do período moderno, na afirmação dos poderes independentes do *senhorio* por parte das aristocracias europeias contra o avanço das monarquias centralizadoras. Essas concepções, em outras palavras, já no início representaram uma tentativa de garantir as liberdades, os poderes e os privilégios feudais. Não foram democráticas em seus objetivos nem em suas consequências, representando reivindicações saudosistas a um pedaço da antiga soberania parcelizada do feudalismo, não uma reivindicação progressista a uma ordem política democrática mais moderna. E a associação dessas ideias com o senhorio persistiu por longo tempo, até bem depois da morte do feudalismo.

Não há dúvida de que esses princípios essencialmente feudais foram mais tarde apropriados para objetivos mais democráticos por forças mais "modernas" ou progressistas. Desde o século XVII, eles se expandiram dos privilégios do senhorio para liberdades civis mais universais e direitos humanos; e foram enriquecidos pelos valores da tolerância religiosa e intelectual. Mas os princípios originais do liberalismo são derivados de um sistema de relações sociais muito diferente daquele do qual foram adaptados. Não foram concebidos para enfrentar as disposições de poder social inteiramente novas que surgiram com o capitalismo moderno. Essa limitação intrínseca (à qual voltaremos logo) é composta pelo fato de a ideia do liberalismo ter servido a objetivos muito maiores do que se esperava de seus princípios originais. O liberalismo entrou no discurso político moderno não apenas como um conjunto de ideias e instituições criadas para limitar o poder do Estado, mas também como um *substituto* da democracia.

A ideia aristocrática original, de controles sobre o poder monárquico, não teve relação com a ideia de democracia. Sua identificação com "democracia" foi um desenvolvimento muito posterior, que teve mais a ver com a afirmação do poder das classes dominantes *contra* o povo. Os benefícios indiscutíveis dessa ideia "liberal" não devem ocultar que o fato de ter *substituído* a democracia foi na verdade um projeto contrarrevolucionário – ou no mínimo um meio de conter revoluções já em andamento, não permitindo que ultrapassassem limites aceitáveis.

O primeiro embate significativo entre democracia e constitucionalismo pode ter ocorrido na Guerra Civil Inglesa. Neste caso, um exército popular revolucionário sem precedentes foi mobilizado por Oliver Cromwell. Mas quando os radicais do exército exigiram o direito de voto e perguntaram por que haviam lutado pela revolução se teriam negado esse direito, o direito de serem governados por seu próprio consentimento, os grandes do exército, liderados por Cromwell e seu genro Ireton, responderam que eles já tinham ganhado muito. Haviam conquistado direito de ser governados por um governo constitucional parlamentarista, e não pelo comando arbitrário de um único homem.

Nunca ocorreu a Cromwell afirmar que estava propondo uma *democracia*. Pelo contrário, ele estava deliberadamente oferecendo um substituto. Poderia ter dito que a autoridade política em algum sentido misterioso, embora em grande parte nocional, era em última análise "derivada" do povo (uma ideia de origem medieval), mas sabia que *democracia* era outra coisa. Assim como seus contemporâneos em geral, ele teria entendido a ideia de democracia mais ou menos no seu sentido antigo e literal. Seus sucessores no acordo de 1688, assim como ele, não tinham dúvidas de que governo parlamentarista (ou monarquia constitucional) significava uma oligarquia.

Essa oposição entre democracia e constitucionalismo pode ter sido resolvida pela posterior democratização do governo parlamentarista; mas o processo em si foi ambíguo. Não foi apenas uma questão de adaptação do governo constitucional a princípios democráticos. Houve também uma assimilação de democracia ao constitucionalismo. Os criadores da constituição dos Estados Unidos, apesar de ainda obrigados a se ajustar à antiga definição, deram um passo significativo para se afastar dela e se aproximar do constitucionalismo oligárquico, tentando se apropriar do nome da democracia para algo não muito diferente do republicanismo antidemocrático de Cromwell. Também nesse caso, a intenção era conter a revolução dentro de limites aceitáveis – embora nas condições da América revolucionária não tivessem, como teve Cromwell, a opção de limitar o direito de voto a uma minoria e fossem obrigados a encontrar outros meios de afastar o "povo" do poder, assegurando-se de que os direitos políticos seriam em geral passivos e teriam alcance limitado.

Hoje estamos completamente acostumados a definir democracia menos (ou quase nunca) em termos de governo pelo *demos* ou poder popular do que em termos de liberdades civis, liberdade de expressão, de imprensa e de reunião, tolerância, proteção de uma esfera de privacidade, defesa do indivíduo e da "sociedade civil" contra o Estado, e coisas tais. Assim, por exemplo, Margaret Thatcher disse em 1988, na abertura da cerimônia de comemoração no Parlamento do tricentenário da revolução de 1688 – um acontecimento ambíguo –, que "A Revolução Gloriosa estabeleceu as qualidades duradouras da democracia – tolerância, respeito à lei, respeito à administração imparcial da justiça".

São todas qualidades admiráveis. Teria sido bom se o Acordo de 1688 as tivesse realmente estabelecido, como teria sido uma evidente melhoria do regime de Thatcher se seu governo tivesse realmente se comprometido com elas. Mas elas pouco têm a ver com *democracia*. Conspicuamente ausente dessa relação de características democráticas, está exatamente a qualidade que dá à democracia o seu significado específico e literal: governo pelo *demos*. Coube à ala esquerda do Partido Trabalhista, na pessoa de Tony Benn, demonstrar em sua resposta a essas festividades parlamentaristas que houve pouca democracia numa "revolução" que nada fez para promover o poder popular, enquanto consolidava firmemente o governo da classe dominante – de fato, estabelecendo um regime ainda menos democrático no sentido literal que aquele que o havia precedido[24].

A própria possibilidade de identificar na Revolução Gloriosa um momento definidor da história da "democracia" denuncia uma disposição ideológica muito particular (que não se limita, de forma alguma, aos tóris de Thatcher). O processo de reescrever a história que forjou um novo *pedigree* para o conceito de democracia – que se origina não na democracia antiga, mas no senhorio medieval – afastou

---

[24] A "tolerância" do Acordo de 1688 foi estritamente limitada, excluindo os católicos da monarquia e, na verdade, todos os não anglicanos das funções públicas e das universidades estabelecidas. Quanto ao "respeito à lei", tratou-se claramente da lei da classe dominante proprietária, reunida num Parlamento que, especialmente durante o século XVIII, empreendeu uma orgia legislativa em seu próprio interesse, multiplicando o número de crimes capitais para proteger a propriedade privada, promovendo uma série de cercos parlamentares etc. A "administração imparcial da justiça" é uma estranha maneira de descrever a justiça da aristocracia administrada pela própria classe proprietária, principalmente nas pessoas dos Juízes de Paz. Mas essa louvação sem limites à Revolução Gloriosa veio de um primeiro-ministro que presidiu o ataque mais insistente ao poder popular e também às liberdades civis na Grã-Bretanha desde o advento do sufrágio universal – na forma de leis de segurança, destruição de autoridades locais, legislação sindical profundamente restritiva etc. O ano de 1688 representou o recuo do poder democrático, não somente em relação ao período mais radical da Guerra Civil Inglesa, mas, sob certos aspectos, mesmo quando comparado à monarquia restaurada. Na verdade, o direito de voto foi mais restrito durante o século XVIII do que na maior parte do século XVII.

todas as outras histórias para as entrelinhas do discurso político. A tradição alternativa que surgiu no início da Europa moderna – as tradições igualitária, popular e democrática – foi efetivamente suprimida, já que a Roma oligárquica, a Magna Carta e a Revolução Gloriosa tiveram precedência sobre a Atenas democrática, os Levellers, os Diggers e os cartistas, enquanto nos Estados Unidos, a solução federalista expulsou da história seus competidores mais democráticos. Democracia, no seu significado original e literal, sempre ficou do lado perdedor. Até mesmo os movimentos socialistas democráticos que mantiveram viva a outra tradição passaram a aceitar crescentemente a domesticação liberal da democracia.

Democracia liberal e capitalismo

Os oligarcas de 1688, defendendo os direitos do Parlamento contra a Coroa, fizeram sua "revolução" em nome da liberdade. Afirmavam o seu direito, a liberdade de dispor de sua propriedade – e dos servos – como quisessem, contra a interferência do rei. A propriedade que defendiam já era em grande parte capitalista, mas a liberdade que invocavam para protegê-la, o que era praticamente um sinônimo de *privilégio*, estava enraizada no senhorio pré-capitalista.

Isso nos leva ao núcleo das contradições da "democracia liberal". O que torna particularmente interessante e problemática a história da democracia moderna é que, no momento exato em que a história da democracia estava sendo confundida com a história do *senhorio*, o próprio senhorio já havia sido substituído como a principal forma de dominação. Havia sido substituído não somente por um Estado centralizado, mas também por uma nova forma de propriedade privada, em que o poder puramente econômico estava separado da condição jurídica e do privilégio. O senhorio e os meios extraeconômicos de exploração haviam sido substituídos pela propriedade capitalista. É possível que, por algum tempo, as ideias de liberdade enraizadas no privilégio tradicional ainda se ajustassem aos interesses das classes proprietárias, e hoje podem mesmo atender a objetivos mais democráticos em transações entre o cidadão e o Estado; mas não foram criadas como restrição às novas formas de poder geradas pelo capitalismo.

Liberdades que significavam muito para as primeiras aristocracias modernas, e cuja extensão à multidão *naquele momento* teria transformado completamente a sociedade, não podem ter hoje o mesmo significado – entre outras coisas por ter a assim chamada economia adquirido vida própria, completamente fora do âmbito da cidadania, da liberdade política ou da responsabilização democrática. A essência da "democracia" moderna não é tanto o fato de ter ela *abolido* o privilégio ou *estendido* os privilégios tradicionais à multidão, mas, sim, o fato de ter tomado emprestada uma concepção de liberdade criada para um mundo no qual o privilégio era uma categoria relevante, para aplicar a um mundo em que o privilégio não é o problema. Num mundo em que a condição política ou jurídica não é o determinante principal das nossas oportunidades de vida e em que nossas atividades e experiências estão em grande parte fora do alcance de nossas identidades políticas e legais, liberdade definida nesses termos deixa muita coisa sem explicação.

Há aqui um paradoxo. O liberalismo é uma ideia moderna baseada em formas pré-modernas e pré-capitalistas de poder. Ao mesmo tempo, se os princípios básicos do liberalismo são anteriores ao capitalismo, o que torna possível a identificação de *democracia* com liberalismo é o próprio capitalismo. A ideia de "democracia liberal" só se tornou pensável – e quero dizer literalmente pensável – com o surgimento das relações sociais capitalistas de propriedade. O capitalismo tornou possível a *redefinição* de democracia e sua redução ao liberalismo. De um lado, passou a existir uma esfera política separada na qual a condição "extraeconômica" – política, jurídica ou militar – não tinha implicações diretas para o poder econômico, o poder de apropriação, de exploração e distribuição. Do outro lado, passou a existir uma esfera econômica com suas próprias relações de poder que não dependiam de privilégio político nem jurídico.

Assim, as condições reais que tornam possível a democracia liberal também limitam o alcance da responsabilidade democrática. A democracia liberal deixa intocada toda a nova esfera de dominação e coação criada pelo capitalismo, sua transferência de poderes substanciais do Estado para a sociedade civil, para a propriedade privada e as pressões do mercado. Deixa intocadas vastas áreas de nossa vida cotidiana – no local de trabalho, na distribuição do trabalho e dos recursos – que não estão sujeitas à responsabilidade democrática, mas são governadas pelos poderes da propriedade, pelas "leis" do mercado e pelo imperativo da maximização do lucro. Isso permaneceria verdade mesmo no caso improvável de nossa "democracia formal" ser aperfeiçoada de forma que riqueza e poder econômico já não significassem a grande desigualdade de acesso ao poder do Estado que hoje caracteriza a realidade, se não o ideal, da democracia capitalista moderna.

A maneira característica com que a democracia liberal trata essa nova esfera de poder não é restringi-la, e sim libertá-la. De fato, o liberalismo nem mesmo a reconhece como uma esfera de poder ou de coerção. Isso vale principalmente em relação ao mercado, que tende a ser percebido como uma oportunidade, não como uma coação. O mercado é percebido como uma esfera de liberdade, de escolha, até mesmo por aqueles que sentem necessidade de regulá-lo. Qualquer limite necessário para corrigir os efeitos danosos dessa liberdade são vistos apenas como limites. Como se dá com muitos tipos de liberdade, pode haver algumas restrições ou regulamentações impostas a ela para manter a ordem social; mas nem por isso ela deixa de ser um tipo de liberdade. Em outras palavras, na estrutura conceitual da democracia liberal não se pode falar, nem mesmo *pensar*, em liberdade *do* mercado. Não se pode pensar em libertação do mercado como uma espécie de autonomia, como a libertação de uma coação, a emancipação da coerção e da dominação.

O que dizer da tendência atual a *identificar* democracia com "mercado livre"? O que dizer dessa nova definição, conforme a qual as "novas democracias" da Europa Oriental são democráticas na proporção do seu progresso em marketização; o acréscimo de poder do presidente Yeltsin é "democrático" porque é conduzido em nome do mercado e da privatização, ou o general Pinochet foi mais "democrático" que Salvador Allende, livremente eleito? Esse novo uso representa uma subversão ou uma distorção da democracia liberal?

O pêndulo foi muito afastado do centro, mas não é completamente inconsistente com os princípios fundamentais da democracia liberal. A própria condição que torna possível definir democracia como se faz nas sociedades liberais capitalistas modernas é a separação e o isolamento da esfera econômica e sua invulnerabilidade ao poder democrático. Proteger essa invulnerabilidade passou a ser um critério essencial de democracia. Essa definição nos permite invocar a democracia *contra* a oferta de poder ao povo na esfera econômica. Torna mesmo possível invocar a democracia em defesa da *redução* dos direitos democráticos em outras partes da "sociedade civil" ou no domínio político, se isso for necessário para proteger a propriedade e o mercado contra o poder democrático.

A esfera de poder econômico no capitalismo se expandiu para muito além da capacidade de enfrentamento da democracia; e a democracia liberal, seja como conjunto de instituições ou de sistemas de ideias, não foi criada para ampliar seu alcance naquele domínio. Se estamos enfrentando o "fim da história", talvez não seja no sentido de que a democracia liberal triunfou, mas, pelo contrário, no sentido de que ela se aproximou de seus limites. Há muita coisa boa no liberalismo que deve ser preservada, protegida e aperfeiçoada, não apenas nas partes do mundo em que ela mal existe, mas também nas democracias capitalistas nas quais ainda é imperfeita e geralmente ameaçada. Mesmo assim, o desenvolvimento histórico adicional pode pertencer a *outra* tradição de democracia, a tradição superada pela democracia liberal, a ideia de democracia no seu sentido literal como poder popular.

Embora tenhamos descoberto novas formas de proteger a "sociedade civil" do Estado, e o "privado" das interferências do "público", temos ainda de descobrir formas novas e modernas de igualar a profundidade da liberdade e da democracia desfrutadas pelo cidadão ateniense sob outros aspectos. Em *Os persas* (242), Ésquilo faz um coro de anciãos persas contar que ser cidadão ateniense é não ter senhor, não ser servo de nenhum homem mortal. Ou lembrar o discurso em *As suplicantes*, de Eurípedes (429 e segs.), em que se descreve uma pólis livre como aquela em que o domínio da lei permite justiça igual para rico e pobre, forte e fraco, onde qualquer um que tenha algo útil a dizer tem o direito de falar ao público – ou seja, onde existe *isegoria* –, mas também onde o cidadão livre não é obrigado a trabalhar apenas para enriquecer um tirano. Algo aqui está completamente ausente de, e é até mesmo antitético ao, conceito europeu posterior de liberdade. É a liberdade do *demos em relação aos* senhores, não a liberdade dos próprios senhores. Não é a *eleutheria* do oligarca, em que ser livre *do* trabalho é a qualificação ideal para a cidadania, mas a *eleutheria* do *demos* trabalhador e a liberdade *do* trabalho.

Na prática, a democracia ateniense era certamente excludente, tanto que parece estranho dar-lhe o nome de democracia. A maioria da população – mulheres, escravos e estrangeiros residentes (metecos) – não desfrutava dos privilégios da cidadania. Mas a necessidade de trabalhar para viver e mesmo a falta de propriedade não constituíam motivo de exclusão do pleno gozo dos direitos políticos. Sob esse aspecto, Atenas excedia os critérios de todos menos os mais visionários democratas ao longo dos muitos séculos que se seguiram.

Também não é evidente por si mesmo que até a mais democrata das políticas de hoje confira às suas classes não proprietárias e trabalhadoras poderes iguais aos desfrutados pelos cidadãos "banáusicos" de Atenas. A democracia moderna tornou-se mais inclusiva, aboliu finalmente a escravidão e ofereceu cidadania às mulheres e aos trabalhadores. Também ganhou muito da absorção dos princípios "liberais", do respeito às liberdades civis e dos "direitos humanos". Mas o progresso da democracia moderna está muito longe da falta de ambiguidades, pois à medida que os direitos políticos se tornavam menos exclusivos também perdiam muito de seu poder.

Ficamos, então, com mais perguntas que respostas. Como poderia a cidadania, nas condições atuais e com um corpo inclusivo de cidadãos, recuperar a importância que já teve? Qual o significado, numa democracia capitalista moderna, de não apenas preservar os ganhos do liberalismo, das liberdades civis e da proteção da "sociedade civil", não apenas para inventar concepções mais democráticas de representação e novos modos de autonomia, mas também para recuperar os poderes perdidos para a "economia"? O que seria necessário para recuperar a democracia da separação formal entre o "político" e o "econômico", quando o privilégio político foi substituído pela coação econômica, exercida não apenas pela propriedade capitalista diretamente, mas também por meio do mercado? Se o capitalismo substituiu o privilégio político pela força da coerção econômica, qual o significado da extensão da cidadania – e isso quer dizer não somente maior igualdade de "oportunidade", ou direitos passivos de bem-estar, mas também a responsabilidade democrática ou independência ativa – na esfera econômica?

Seria possível imaginar uma forma de cidadania democrática que penetrasse o domínio lacrado pelo capitalismo moderno? Seria possível que o capitalismo sobrevivesse a essa extensão da democracia? O capitalismo é compatível com a democracia em seu sentido literal? Se persistirem as suas dificuldades atuais, continuará o capitalismo sendo compatível com o liberalismo? Poderá o capitalismo se apoiar na sua capacidade de garantir a prosperidade material, e será ele capaz de triunfar junto com a democracia liberal, ou sua sobrevivência em tempos difíceis vai depender da redução dos direitos democráticos?

Seria a democracia liberal, na teoria e na prática, adequada para enfrentar as condições do capitalismo moderno, para não falar do que existe fora e além dele? A democracia liberal parece o fim da história por haver ultrapassado todas as alternativas imagináveis ou por ter exaurido sua própria capacidade, enquanto esconde outras possibilidades? Ela realmente superou todos os rivais ou apenas os ocultou da vista temporariamente?

A tarefa que o liberalismo estabelece para si mesmo é, e continuará a ser, indispensável. Enquanto houver Estados, haverá a necessidade de controlar seu poder e proteger os poderes e as organizações independentes que existem fora do Estado.

Quanto a isso, qualquer tipo de poder social precisa ser cercado pela proteção da liberdade de associação, de comunicação, de diversidade de opiniões, de uma esfera privada inviolável etc. Qualquer futura democracia continuará a receber lições sobre esses temas da tradição liberal, tanto na teoria quanto na prática. Mas o liberalismo – até mesmo como ideal, para não falar de sua realidade carregada de imperfeições – não está equipado para enfrentar as realidades do poder numa sociedade capitalista, muito menos para abranger um tipo mais inclusivo de democracia do que o que existe hoje.

Sociedade civil e política de identidade

Numa época em que a crítica do capitalismo é mais urgente do que nunca, as tendências teóricas dominantes da esquerda se ocupam em abandonar a conceptualização da própria ideia de capitalismo. Dizem que o mundo "pós-moderno" é um pastiche de fragmentos e de "diferenças". A unidade sistêmica do capitalismo, suas "estruturas objetivas" e seus imperativos totalizantes deram lugar (se é que chegaram a existir) a um bricolage de múltiplas realidades sociais, uma estrutura pluralista tão variada e flexível que pode ser reorganizada pela construção discursiva. A economia capitalista tradicional foi substituída pela fragmentação "pós-fordista", em que todo fragmento abre espaço para lutas emancipadoras. As relações de classe constitutivas do capitalismo representam apenas uma "identidade" pessoal entre muitas outras, identidade esta já não "privilegiada" pela centralidade histórica. E por aí vai.

Por mais diferentes que sejam os métodos para dissolver conceitualmente o capitalismo – o que inclui tudo desde a teoria do pós-fordismo até os "estudos culturais" pós-modernos e a "política de identidade" –, eles em geral têm em comum um conceito especialmente útil: "sociedade civil". Depois de uma história longa e tortuosa, depois de uma série de marcos representados pelas obras de Hegel, Marx e Gramsci, essa ideia versátil se transformou numa expressão mágica adaptável a todas as situações da esquerda, abrigando uma ampla gama de aspirações emancipadoras, bem como – é preciso que se diga – um conjunto de desculpas para justificar o recuo político. Por mais construtiva que seja essa ideia na defesa das liberdades humanas contra a opressão do Estado, ou para marcar o terreno de práticas sociais, instituições e relações desprezadas pela "velha" esquerda marxista, corre-se o risco hoje de ver "sociedade civil" transformar-se num álibi para o capitalismo.

A IDEIA DA SOCIEDADE CIVIL: UM BREVE ESBOÇO HISTÓRICO

Há no Ocidente uma longa tradição intelectual, originária da Antiguidade clássica, que de várias forma delineou um terreno de associação humana, uma noção de sociedade diferente do corpo de reivindicações políticas e morais independentes da autoridade do Estado, e às vezes até opostas a ela. Independentemente de outros fatores que teriam influenciado a produção de tais conceitos, sua evolução prendeu-se desde o início ao desenvolvimento da propriedade privada como a sede distinta e autônoma do poder social. Por exemplo, embora os romanos antigos, tal como os gregos, ainda tendessem a identificar o Estado com a comunidade de cidadãos, o "povo romano", eles produziram alguns dos principais avanços na separação conceitual de Estado e "sociedade", especialmente no direito romano, que distinguia a esfera pública da privada e dava à propriedade privada um *status* e uma clareza legais de que ela nunca gozou antes[1].

Nesse sentido, embora o conceito moderno de "sociedade civil" esteja associado às relações de propriedade específicas do capitalismo, trata-se ainda assim de uma variação sobre um velho tema. Apesar disso, a variação é crítica; e qualquer tentativa de diluir a especificidade dessa "sociedade civil", de obscurecer sua diferenciação em relação a concepções anteriores de "sociedade", corre o risco de disfarçar a particularidade do capitalismo como forma social distinta com suas próprias relações sociais características, seus próprios modos de apropriação e de exploração, suas próprias regras de reprodução, seus próprios imperativos sistêmicos[2].

A concepção moderna de "sociedade civil" – uma concepção que aparece sistematicamente pela primeira vez no século XVIII – é algo muito diferente das noções anteriores de "sociedade": sociedade civil representa uma esfera diferenciada do Estado, separada das relações e da atividade humanas, mas nem pública nem privada, ou talvez as duas coisas ao mesmo tempo, incorporando toda uma gama de interações sociais fora da esfera privada do lar e da esfera do mercado, a arena de produção, distribuição e troca. Uma precondição necessária, mas não suficiente, para essa concepção de sociedade civil foi a ideia moderna de Estado como uma entidade abstrata com sua própria identidade corporativa, que evoluiu com a ascensão do absolutismo europeu; mas a completa diferenciação conceitual de "sociedade civil" exigiu o surgimento de uma "economia" autônoma, separada da unidade do "político" e do "econômico" que ainda caracterizava o Estado absolutista.

Paradoxalmente – talvez nem tanto assim –, os significados primitivos do termo "sociedade civil" no nascedouro do capitalismo, nos primórdios da Inglaterra moderna, longe de estabelecer a oposição entre sociedade civil e Estado, confundiram os dois. No pensamento político inglês dos séculos XVI e XVII, "sociedade civil" era geralmente sinônimo de "sociedade política" ou o Estado visto como a coisa pública. Essa confusão entre Estado e "sociedade" representou a subordinação do Estado à comunidade de proprietários (em oposição tanto à monarquia quanto à "multidão") que constituía a nação política. Ela refletia uma organização política única em que a classe dominante dependia, para garantir a própria riqueza e o poder, de modos puramente "econômicos" de apropriação, e

---

[1] Uma prova de que os romanos, especialmente Cícero, tinham um conceito de "sociedade" está na obra de Neal Wood, *Cicero's Social and Political Thought*, Berkeley e Los Angeles, 1988; esp. p. 136-42.
[2] Por exemplo, grande parte da discussão feita por John Keane em *Democracy and Civil Society*, Londres, 1988, se desenvolve em torno de uma crítica do marxismo por identificar "sociedade civil" com capitalismo, com o que ele não concorda, invocando a longa tradição de conceituações de "sociedade" no Ocidente, cujas origens são muito anteriores ao advento do capitalismo.

não de modos de acumulação "extraeconômicos" por meios políticos ou militares, como acontecia no caso dos arrendamentos feudais ou no caso dos impostos e do controle da administração pública do absolutismo como os principais meios de apropriação privada.

Mas se o significado inglês tendeu a confundir a distinção entre Estado e sociedade civil, foram as condições inglesas – o mesmo sistema de relações de propriedade e de apropriação capitalista, mas agora mais avançado e dotado de um mecanismo de mercado mais bem desenvolvido – que tornaram possível a moderna oposição conceitual entre os dois. Quando construiu sua dicotomia conceitual, Hegel tomou Napoleão como sua inspiração para o Estado moderno; mas foi principalmente a economia capitalista da Inglaterra – por meio de economistas políticos clássicos ingleses, como Smith e Steuart – que ofereceu o modelo de "sociedade civil" (com algumas correções e aprimoramentos claramente hegelianos).

A identificação de Hegel de sociedade "civil" com sociedade burguesa foi mais que um simples acaso da língua alemã. O fenômeno que ele designou de *bürgerliche Gesellschaft* era uma forma social historicamente específica. Embora essa "sociedade civil" não se referisse exclusivamente a instituições puramente "econômicas" (ela foi, por exemplo, suplementada pela moderna adaptação de Hegel dos princípios corporativos medievais), a "economia" moderna era sua condição essencial. Para Hegel, a possibilidade de preservação tanto da liberdade individual quanto da "universalidade" do Estado, e não a subordinação de uma à outra como haviam feito as sociedades anteriores, estava alicerçada no surgimento de uma nova classe e de uma esfera inteiramente nova da existência social: uma "economia" distinta e autônoma. É nessa nova esfera que público e privado, particular e universal, se encontrariam por meio da interação de interesses privados num terreno que não era o lar, nem o Estado, mas uma mediação entre os dois.

Marx transformou a distinção de Hegel entre Estado e "sociedade civil" ao negar a universalidade do Estado e insistir que o Estado expressava as particularidades da "sociedade civil" e suas relações de classe, uma descoberta que o forçou a dedicar sua vida ao trabalho de explorar a anatomia da "sociedade civil" sob a forma de uma crítica da economia política. A diferenciação conceitual de Estado e sociedade civil foi assim uma precondição da análise de Marx do capitalismo, mas o efeito dessa análise foi privar de racionalidade a distinção hegeliana. O dualismo Estado–sociedade civil mais ou menos desapareceu da corrente principal do discurso político.

Foi necessária a reformulação de Gramsci para ressuscitar o conceito de sociedade civil como princípio organizador central da teoria socialista. O objetivo dessa nova formulação foi reconhecer a complexidade do poder político nos Estados parlamentares ou constitucionais do Ocidente, em comparação com as autocracias mais abertamente coercitivas e a dificuldade de suplantar um sistema de dominação de classe em que o poder de classe não apresenta ponto de concentração visível no Estado, mas se difunde pela sociedade e suas práticas culturais. Gramsci assim se apropriou do conceito de sociedade civil para marcar o terreno de uma nova espécie de luta que levaria a batalha contra o capitalismo não somente a suas fundações econômicas, mas também às suas raízes culturais e ideológicas na vida diária.

O NOVO CULTO À SOCIEDADE CIVIL

Para Gramsci, o conceito de "sociedade civil" deveria ser, sem ambiguidades, uma arma contra o capitalismo, nunca uma acomodação a ele. Apesar do peso de sua autoridade, invocada pelas teorias sociais contemporâneas da esquerda, o conceito, no seu uso corrente, já não exibe a mesma intenção inequivocamente anticapitalista. Ele adquiriu todo um conjunto de significados e consequências, alguns muito positivos para os fins emancipatórios da esquerda, outros muito menos. Os dois impulsos contrários podem ser assim resumidos: o novo conceito de "sociedade civil" indica que a esquerda aprendeu as lições do liberalismo relativas à opressão do Estado, mas, ao que parece, estamos esquecendo as lições que aprendemos da tradição socialista acerca das opressões da sociedade civil. De um lado, os defensores da sociedade civil fortalecem nossa defesa de instituições e relações não estatais para enfrentar o poder do Estado; de outro, tendem a enfraquecer nossa resistência às coerções do capitalismo.

O conceito de "sociedade civil" está sendo mobilizado para servir a tantos e tão variados fins que é impossível isolar uma única escola de pensamento associada a ele; mas surgiram alguns temas comuns. "Sociedade civil" é geralmente usado para identificar uma arena de liberdade (pelo menos potencial) fora do Estado, um espaço de autonomia, de associação voluntária e de pluralidade e mesmo conflito, garantido pelo tipo de "democracia formal" que se desenvolveu no Ocidente. O conceito também pretende reduzir o sistema capitalista (ou a "economia") a uma de muitas esferas na complexidade plural e heterogênea da sociedade moderna. De uma entre duas formas principais, o conceito de "sociedade civil" pode obter esse efeito. Ele pode designar a própria multiplicidade contra as coerções do Estado e da economia capitalista; ou, o que é mais comum, ele pode englobar a "economia" numa esfera maior de instituições e relações não estatais[3]. Nos dois casos, a ênfase está na pluralidade das relações e práticas sociais, entre as quais a economia capitalista é apenas uma entre muitas.

Os principais usos comuns se originam da distinção entre sociedade civil e Estado. "Sociedade civil" é definida pelos defensores dessa distinção em termos de algumas oposições simples: por exemplo, "o Estado (e seus órgãos militares, policiais, legais, administrativos, produtivos e culturais) e o espaço não estatal (regulado pelo mercado, controlado pelo poder privado ou organizado voluntariamente) da sociedade civil"[4]; ou poder "político" *versus* "social", direito "público" *versus* "privado", "propaganda e (des)informação sancionadas pelo Estado" *versus*

---

[3] Coisa semelhante ao primeiro conceito pode ser extraído de *Class and Civil Society: The Limits of Marxian Critical Theory*, de Jean L. Cohen, Amherst, 1982. A segunda posição foi elaborada por John Keane em *Democracy and Civil Society* (ver sua crítica à concepção de Cohen em nota da página 86).
[4] KEANE, John (ed.), *Civil Society and the State*, Londres, 1988, p. 1.

"livre circulação da opinião pública"[5]. Nesta definição, "sociedade civil" abrange uma ampla série de instituições e relações, de lares, sindicatos, associações voluntárias, hospitais e igrejas, até o mercado, empresas capitalistas, enfim, toda a economia capitalista. As antíteses significativas são o Estado e o não Estado, ou talvez o político e o social.

Essa dicotomia corresponde aparentemente à oposição entre coação, corporificada pelo Estado, e liberdade e ação voluntária, que na prática pertencem, em princípio se não necessariamente, à sociedade civil. De várias formas e graus, a sociedade civil pode ser submersa ou eclipsada pelo Estado, e diferentes sistemas políticos ou "regiões históricas" inteiras podem variar de acordo com o grau de "autonomia" que se atribui à esfera não estatal. Por exemplo, o Ocidente tem uma característica especial, que é o fato de ele ter gerado uma separação ímpar e bem desenvolvida entre o Estado e a sociedade civil e, portanto, uma forma de liberdade política particularmente avançada.

Os defensores dessa distinção entre Estado e sociedade civil geralmente atribuem a ela dois benefícios principais. Em primeiro lugar, ela concentra nossa atenção nos perigos da opressão pelo Estado e na necessidade de definir limites adequados para as ações do Estado, por meio da organização e do reforço das pressões contra ele no âmbito da sociedade. Em outras palavras, ela revive a preocupação liberal com a limitação e legitimação do poder político, e, principalmente, o controle desse poder pela liberdade de associação e de organização autônoma dentro da sociedade, que a esquerda geralmente despreza, tanto na teoria como na prática. Em segundo lugar, o conceito de sociedade civil reconhece e celebra a diferença e a diversidade. Seus advogados fazem do pluralismo um bem primário, em contraste com o marxismo, que é, segundo eles, essencialmente monístico, reducionista e economístico[6]. Este novo pluralismo nos convida a apreciar toda uma nova gama de instituições e relações desprezadas pelo socialismo tradicional em sua preocupação com economia e classe.

O ímpeto do renascimento dessa dicotomia conceitual veio de muitas direções. O impulso mais forte veio sem dúvida da Europa Oriental, na qual a "sociedade civil" era uma importante arma do arsenal ideológico das forças de oposição contra a opressão do Estado. Nesse caso, as questões eram bem claras: o Estado – inclusive seus aparelhos econômico e político de dominação – se colocava de maneira mais ou menos clara contra um espaço (potencialmente) livre fora do Estado. Podia-se afirmar, então, que a antítese entre sociedade civil e Estado corresponderia claramente à oposição do Solidariedade ao Partido e ao Estado[7].

A crise dos Estados comunistas deixou também uma profunda impressão na esquerda do Ocidente, convergindo com outras influências: as limitações da social-

---

[5] Idem, ibidem, p. 2.
[6] Norman Geras destrói esses mitos a respeito do marxismo em "Seven Types of Obliquy: Travesties of Marxism". In: *Socialist Register*, 1990.
[7] Para a aplicação do conceito de "sociedade civil" aos acontecimentos da Polônia, ver ARATO, Andrew. "Civil Society Against the State: Poland 1980-81", *Telos*, 47, 1981 e "Empire versus Civil Society: Poland 1981-82", *Telos*, 50, 1982.

-democracia, com sua fé ilimitada no Estado como agente de melhoria social, bem como a emergência das lutas emancipatórias por movimentos sociais não baseados em classe, com uma sensibilidade às dimensões da experiência humana que foi geralmente subestimada pela esquerda socialista tradicional. Essa sensibilidade aos perigos oferecidos pelo Estado e às complexidades da experiência humana pode ter-se associado a uma ampla gama de ativismos, abarcando tudo desde o feminismo, a ecologia e a paz, até a reforma constitucional. Todos esses projetos se basearam no conceito de sociedade civil.

Nenhum socialista há de duvidar do valor dessas novas sensibilidades, mas deve-se ter sérias dúvidas sobre esse método particular de concentrar a atenção sobre elas. Temos de pagar um alto preço pelo conceito abrangente de "sociedade civil". Esse abrigo conceitual, que a tudo cobre, desde os lares e as associações voluntárias até o sistema econômico do capitalismo, confunde e disfarça tanto quanto revela. Na Europa Oriental, ele inclui tudo, desde a defesa dos direitos políticos e das liberdades culturais até o marketização das economias pós-comunistas e a restauração do capitalismo. "Sociedade civil" pode ser entendida como um código ou máscara para o capitalismo, e o mercado pode se juntar a outros bens menos ambíguos, como as liberdades políticas e intelectuais, como um objetivo desejável acima de qualquer dúvida.

Mas se os perigos dessa estratégia conceitual e da entrega ao mercado do espaço livre da "sociedade civil" parecem empalidecer diante da enormidade da opressão stalinista no Leste, problemas de uma ordem muito diferente surgem no Ocidente, onde realmente existe um capitalismo completamente desenvolvido e onde a opressão pelo Estado não é um mal poderoso e imediato que oculta todos os males sociais. Uma vez que, neste caso, o conceito de "sociedade civil" deve abranger toda uma camada de realidade social que não existia nas sociedades comunistas, as implicações de seu uso, sob certos importantes aspectos, são ainda mais problemáticas.

Neste caso, o perigo está no fato de a lógica totalizadora e o poder coercitivo do capitalismo se tornarem invisíveis quando se reduz todo o sistema social do capitalismo a um conjunto de instituições e relações, entre muitas outras, em pé de igualdade com as associações domésticas ou voluntárias. Essa redução é, de fato, a principal característica distintiva da "sociedade civil" nessa nova encarnação. O efeito é fazer desaparecer o conceito de capitalismo ao desagregar a sociedade em fragmentos, sem nenhum poder superior, nenhuma unidade totalizadora, nenhuma coerção sistêmica – ou seja, sem um sistema capitalista expansionista e dotado da capacidade de intervir em todos os aspectos da vida social.

É a estratégia típica do argumento da "sociedade civil" – na verdade, sua *raison d'être* – atacar o "reducionismo" ou o "economicismo" marxista. O marxismo, dizem, reduz a sociedade civil ao "modo de produção", à economia capitalista. A importância de outras instituições – como famílias, igrejas, associações científicas e literárias, prisões e hospitais – é desprezada"[8].

---

[8] KEANE. *Democracy and Civil Society*, p. 32.

Tenham ou não os marxistas dado muito pouca atenção a essas "outras" instituições, a fraqueza dessa justaposição (a economia capitalista e outras instituições como hospitais?) deve ser imediatamente evidente. Com certeza deve ser possível, mesmo para os não marxistas, reconhecer, por exemplo, a verdade simples de que no Ocidente os hospitais estão situados no interior da economia capitalista, o que afetou profundamente a organização da assistência à saúde e a natureza das instituições médicas. Mas seria possível conceber uma proposição semelhante relativa aos efeitos dos hospitais sobre o capitalismo? Essa observação sobre "outras instituições" significa que Marx não deu o devido valor a lares e hospitais, ou, pelo contrário, que ele não atribuiu a elas a mesma força historicamente determinativa? Não haveria base para distinguir entre essas diversas "instituições", sobre todas as bases quantitativas e qualitativas, desde o tamanho e o alcance até o poder social e a eficácia histórica? O emprego atual de "sociedade civil" evita perguntas como estas. Tem também o efeito de confundir as reivindicações morais das "outras" instituições com seu poder determinativo, ou melhor, de desprezar completamente a questão essencialmente empírica das determinações históricas e sociais.

Há outra versão do mesmo argumento que, em vez de simplesmente evitar a totalidade sistêmica do capitalismo, a nega explicitamente. A própria existência de outros modos de dominação que não as relações de classe, outros princípios de estratificação que não a desigualdade de classe, outras lutas sociais que não a luta de classes, é considerada uma demonstração de que o capitalismo, cuja relação constitutiva é a classe, não é um sistema totalizante. A preocupação marxista com relações "econômicas" e classes em prejuízo de outras relações e identidades sociais é vista como uma demonstração de que as tentativas de "totalizar toda a sociedade do ponto de vista de uma esfera, a economia ou o modo de produção", é errada pela razão simples de que evidentemente existem outras "esferas"[9].

Trata-se de um argumento circular, uma petição de princípio. Para negar a lógica totalizante do capitalismo, não basta apenas indicar a pluralidade de identidades e relações sociais. A relação de classe que constitui o capitalismo não é, afinal, apenas uma identidade pessoal, nem mesmo um princípio de "estratificação" ou de desigualdade. Não se trata apenas de um sistema específico de relações de poder, mas também da relação constitutiva de um processo social distinto, a dinâmica da acumulação e da autoexpansão do capital. É possível mostrar facilmente que classe não é o único princípio de "estratificação", a única forma de desigualdade e dominação. Mas isso nada nos diz sobre a lógica totalizante do capitalismo.

Para negar a lógica totalizante do capitalismo seria necessário demonstrar convincentemente que essas outras esferas e identidades não vêm – pelo menos de nenhuma forma significativa – dentro da força determinativa do capitalismo, seu sistema de relações sociais de propriedade, seus imperativos expansionistas, seu impulso de acumulação, a transformação de toda vida social em mercadoria, a criação do mercado como uma necessidade, um compulsivo mecanismo de com-

---

[9] COHEN. *Class and Civil Society*, p. 192.

petição e de "crescimento" autossustentado etc. Mas os argumentos da "sociedade civil" (ou os argumentos pós-marxistas de modo geral) não assumem a forma da refutação histórica e empírica dos efeitos determinativos das relações capitalistas. Pelo contrário (quando não adotam a fórmula circular: o capitalismo não é um sistema totalizante porque existem outras esferas que não a economia), tendem a se apresentar como argumentos filosóficos abstratos, como críticas internas da teoria marxista ou, o que é mais comum, como prescrições morais acerca dos perigos de desvalorizar as "outras" esferas da experiência humana.

De uma forma ou de outra, o capitalismo é reduzido ao tamanho e ao peso de "outras" instituições singulares e específicas e desaparece na noite conceitual em que todos os gatos são pardos. A estratégia de dissolver o capitalismo numa pluralidade desestruturada e indiferenciada de instituições e relações sociais não ajuda, apenas enfraquece, a força analítica e normativa da "sociedade civil", sua capacidade de enfrentar a limitação e legitimação do poder, bem como sua utilidade na orientação de projetos emancipatórios. As teorias atuais ocultam a "sociedade civil" em seu sentido característico de forma social específica do capitalismo, uma totalidade sistêmica dentro da qual se situam todas as outras instituições e na qual todas as forças sociais têm de encontrar seu caminho, uma esfera específica e sem precedentes de poder social, que propõe problemas inteiramente novos de legitimação e controle, problemas que ainda não foram encarados pelas teorias tradicionais do Estado, nem pelo liberalismo contemporâneo.

Capitalismo, "democracia formal" e a especificidade do Ocidente

Uma das principais acusações feitas ao marxismo pelos defensores da "sociedade civil" é que ele coloca em risco as liberdades democráticas quando identifica a "democracia formal" ocidental – as formas legais e políticas que garantem espaço livre para a "sociedade civil" – com o capitalismo: a sociedade "burguesa" seria o mesmo que a "civil". O perigo, dizem eles, é que poderíamos ser tentados a jogar fora o bebê com a água do banho, rejeitar a democracia liberal junto com o capitalismo[10]. Deveríamos, ao contrário, reconhecer os benefícios da democracia formal e expandir, ao mesmo tempo, seus princípios de liberdade e igualdade individual, dissociando-os do capitalismo para negar que este seja o único, ou o melhor, meio de promover tais princípios.

É preciso que se diga que a crítica do marxismo moderno nesses termos despreza o grosso da teoria política marxista desde a década de 1960, especialmente depois do renascimento da teoria do Estado com o debate "Miliband-Poulantzas". Com certeza, as liberdades civis foram uma preocupação importante dos dois lados daquela controvérsia, e de muitas outras que se seguiram a ela. Até mesmo a afirmação de que o marxismo "clássico" – na pessoa de Marx ou de Engels – era indiferente às liberdades civis está aberta a questionamento. Mas, sem reduzir essa

---

[10] Ver, por exemplo, idem, ibidem, p. 49; KEANE, *Democracy and Civil Society*, p. 59; HELLER, Agnes. "On Formal Democracy". In: KEANE, *Civil Society and the State*, p. 132.

discussão a um mero debate textual sobre a atitude do marxismo ("clássico" ou contemporâneo) com relação às liberdades "burguesas", devemos admitir que todos os socialistas, marxistas ou não, devem apoiar as liberdades civis (hoje chamadas geralmente, ainda que de forma um tanto vaga, de "direitos humanos"), princípios da legalidade, da liberdade de expressão e de associação, e a proteção da esfera "não estatal" contra interferências por parte do Estado. É preciso que reconheçamos que algumas proteções individuais desse tipo são condições necessárias de qualquer espécie de democracia, ainda que não aceitemos a identificação de democracia com as salvaguardas formais do "liberalismo", ou que democracia seja confinada a tais salvaguardas, e mesmo que acreditemos que as proteções "liberais" terão de assumir na democracia socialista uma forma institucional diferente da sua forma no capitalismo[11].

Mas permanecem as dificuldades da discussão da "sociedade civil". Há outras maneiras (que são, de fato, as maneiras principais na teoria marxista) de associar a "democracia formal" com o capitalismo além da rejeição de uma com o outro. Podemos aceitar as ligações históricas e estruturais sem negar o valor das liberdades civis. A aceitação dessas ligações não implica a obrigação de depreciar as liberdades civis, mas também não nos obriga a aceitar o capitalismo como o único ou o melhor meio de manter a autonomia individual; e nos deixa perfeitamente livres para também reconhecer que o capitalismo, embora possa sob certas condições históricas levar à "democracia formal", é perfeitamente capaz de se recusar a fazê-lo – como já ocorreu mais de uma vez na história recente. De qualquer forma, não perceber essas ligações, ou não entender seu caráter, limita nossa compreensão sobre a democracia e o capitalismo.

A ligação histórica e estrutural entre a democracia formal e o capitalismo pode certamente ser formulada com referência à separação entre Estado e sociedade civil. Entretanto, muita coisa depende de como interpretamos essa separação e o processo histórico que a gerou. Há uma visão da história, e uma interpretação simultânea da separação entre Estado e sociedade civil, que é incapaz de ver a evolução do capitalismo como outra coisa que não uma evolução progressiva. Trata-se de uma visão da história geralmente associada ao liberalismo, ou ideologia "burguesa", mas que parece se ocultar por trás das concepções de democracia da esquerda.

Os pressupostos históricos subjacentes à defesa da "sociedade civil" raramente são definidos com clareza. Entretanto, há um relato particularmente útil e sofisticado de um intelectual húngaro, publicado em tradução inglesa num volume dedicado à reanimação da "sociedade civil" (Leste e Oeste), que talvez sirva como modelo de interpretação histórica relevante. Numa tentativa de caracterizar as três diferentes "regiões históricas da Europa" – o Ocidente, o Oriente e alguma coisa entre os dois –, Jenö Szücs (seguindo os passos de Istvan Bibo) oferece a seguinte descrição do modelo "ocidental" na "busca das raízes

---

[11] Discuti essas questões em mais detalhe no meu livro *The Retreat from Class: A New "True" Socialism*, Londres, 1986, cap. 10.

mais profundas de um 'modo democrático de organização da sociedade'"[12]. O "atributo mais característico do Ocidente é a separação estrutural – e teórica – entre 'sociedade' e 'Estado'", uma forma única de desenvolvimento que está no âmago da democracia ocidental, enquanto sua ausência no Leste explica uma evolução da autocracia até o totalitarismo[13]. As raízes dessa evolução, segundo ele, estão no feudalismo ocidental.

A unicidade da história ocidental está, de acordo com essa discussão, numa "'decolagem' absolutamente incomum no crescimento das civilizações. Essa 'decolagem' se deu em meio à desintegração, em vez da integração, e em meio ao declínio de uma civilização, ao reagrarianismo e à anarquia política crescente"[14]. Essa fragmentação e essa desintegração foram as precondições da separação entre "sociedade" e "Estado". Nas altas civilizações do Leste, onde essa separação não ocorreu, a função política continuou a ser exercida "de cima para baixo".

No processo de "fragmentação" feudal do Ocidente, as antigas relações políticas entre Estado e súditos foram substituídas por novos laços, de natureza contratual, entre senhores e vassalos. Essa substituição das relações políticas por importantes relações sociocontratuais teve, entre suas principais consequência, um novo princípio de dignidade humana, liberdade e "honra" do indivíduo. E a desintegração territorial em pequenas unidades, cada uma com seu próprio direito consuetudinário, gerou uma descentralização do direito que foi capaz de resistir aos "mecanismos 'descendentes' de exercício do poder"[15]. Mais tarde, quando as monarquias ocidentais recuperaram a soberania, o novo Estado foi essencialmente constituído "verticalmente de baixo para cima"[16]. Foi a unidade na pluralidade que transformou as "liberdades" nos "princípios organizadores internos" da estrutura social ocidental "e levou ao que definiu tão nitidamente a linha que separa o Ocidente medieval de muitas outras civilizações: o nascimento da 'sociedade' como entidade autônoma"[17].

Muita coisa nessa argumentação é de fato esclarecedora, mas também é instrutiva a tendenciosidade de seu ângulo de visão. Estão aqui todas as características da história liberal: o progresso da civilização (pelo menos no Ocidente) visto como a ascensão contínua da "liberdade" e da "dignidade" individuais (se existe alguma diferença crítica entre o relato de Szücs e a visão liberal tradicional é o fato de a segunda ser mais franca em relação à identificação de individualidade com propriedade privada); o foco principal de tensão entre indivíduo ou "sociedade" e o Estado como força motriz da história; até mesmo – talvez especialmente – a tendência a associar o avanço da civilização e da própria democracia a marcos da

---

[12] SZÜCS, Jenö. "Three Historical Regions of Europe", em Keane, *Civil Society and the State*, p. 294.
[13] Idem, ibidem, p. 295.
[14] Idem, ibidem, p. 296.
[15] Idem, ibidem, p. 302.
[16] Idem, ibidem, p. 304.
[17] Idem, ibidem, p. 306.

ascensão das classes proprietárias. Embora nada haja de democrático com relação ao Ocidente medieval, admite Szücs, é ali que se encontram as "raízes mais profundas" da democracia. Embora não o afirme em tantas palavras, parece que para ele a "ideia constitutiva" da democracia moderna foi o *senhorio*.

Vamos examinar a mesma sequência de eventos de um ponto de vista diferente. Vistas de outro ângulo, a mesma "fragmentação", a mesma substituição das relações políticas pelos laços sociais e contratuais, a mesma "parcelização" da soberania, a mesma "autonomia da sociedade", mesmo quando se reconhece sua unicidade e sua importância na trajetória do desenvolvimento ocidental, podem ter consequências muito diferentes para nossa avaliação da "sociedade civil" e do desenvolvimento da democracia ocidental.

A divergência do "Ocidente" em relação ao padrão "oriental" de formação de Estado começou muito antes do feudalismo ocidental. Recua até a Antiguidade grega, mas para nossos fins é possível identificar um marco crítico no Império Romano. Essa divergência, é preciso que se diga, relacionou-se não somente com as formas políticas, mas, acima de tudo, com os modos de apropriação – e aqui a evolução do sistema romano de propriedade privada foi decisiva. (É uma característica curiosa, mas também "sintomática" da argumentação de Szücs que modos de apropriação e de exploração não apareçam com destaque, se é que aparecem, na sua diferenciação das três regiões históricas da Europa – o que talvez também explique sua insistência no rompimento radical entre Antiguidade e feudalismo. No mínimo, a sobrevivência do direito romano, o símbolo quintessencial do regime de propriedade romano, deveria ter indicado a Szücs alguma forma de continuidade fundamental entre a "autonomia" da sociedade civil ocidental e o sistema romano de apropriação.)

Roma representa um contraste gritante com outras "altas" civilizações – tanto no mundo antigo como nos séculos posteriores –, nas quais o acesso à grande riqueza, ao trabalho excedente de outros em grande escala, foi geralmente conquistado por meio do Estado (por exemplo, a China já no final do império, que tinha um sistema muito desenvolvido de propriedade privada, mas onde a grande riqueza e o poder não se concentravam tanto na terra quanto no Estado, na hierarquia burocrática cujo pináculo era a corte e os funcionários imperiais). Roma foi distinta na ênfase que deu à propriedade privada, na aquisição de enormes propriedades fundiárias, como meio de apropriação. A aristocracia romana tinha um apetite insaciável por terra que criou concentrações de riqueza sem precedentes e um poder imperial predatório sem rival entre todos os outros impérios antigos na avidez não somente de impostos, mas também de territórios. E foi Roma quem estendeu seu regime de propriedade privada por todo um império vasto e diferenciado, governado sem necessidade de uma burocracia pesada, mas por meio de um sistema "municipal" que constituía efetivamente uma federação de aristocracias locais. O resultado foi uma combinação específica de um Estado imperial forte e uma classe proprietária dominante e autônoma em relação a ele, um Estado forte que, ao mesmo tempo, incentivava, em vez de impedir, o desenvolvimento autônomo da propriedade privada. Foi Roma, em resumo, que estabeleceu firme e deliberadamente a propriedade privada como uma sede autônoma de poder social, separada do Estado, mas mantida por ele.

A "fragmentação" do feudalismo deve ser vista sob essa luz, enraizada na privatização do poder já inerente ao sistema de propriedade romano e na administração "municipal" fragmentada. Quando finalmente se resolveram as tensões entre o Estado imperial romano e o poder autônomo da propriedade privada pela desintegração do Estado central, permaneceu o poder autônomo da propriedade. As antigas relações políticas entre governantes e súditos se dissolveram gradualmente em relações "sociais" entre senhores e vassalos, e, particularmente, entre senhores e camponeses. Na instituição do senhorio, os poderes político e econômico se uniram como haviam sido unidos onde o Estado era a principal fonte de riqueza privada; mas, dessa vez, essa unidade passava a existir numa forma privatizada e fragmentada.

Dessa perspectiva, o desenvolvimento do Ocidente dificilmente pode ser visto como apenas o crescimento da individualidade, o domínio do direito, o progresso da liberdade ou do poder que vem de "baixo"; e a autonomia da "sociedade civil" adquire um significado diferente. A própria evolução descrita por Szücs nesses termos é também e ao mesmo tempo a evolução de novas formas de exploração e dominação (o poder constitutivo originado de "baixo" é, afinal, o poder do senhor), novas relações de dependência e servidão pessoal, a privatização da extração de excedentes e a transferência de antigas opressões do Estado para a "sociedade" – ou seja, a transferência de relações de poder e dominação do Estado para a propriedade privada. Essa nova divisão de trabalho entre o Estado e a sociedade também lançou as fundações (como condição necessária, mas não suficiente) para a crescente separação entre a apropriação privada e as responsabilidades públicas que se realizou no capitalismo.

O capitalismo representa então a culminação de um longo desenvolvimento, mas também constitui um rompimento qualitativo (que ocorreu espontaneamente apenas nas condições históricas particulares da Inglaterra). Ele não se caracteriza apenas por uma transformação de poder social, uma nova divisão de trabalho entre o Estado e a propriedade privada ou classe, mas também marca a criação de uma forma nova de coerção, o mercado – o mercado não apenas como uma esfera de oportunidade, liberdade e escolha, mas como compulsão, necessidade, disciplina social capaz de submeter todas as atividades e relações humanas às suas exigências.

A SOCIEDADE CIVIL E A DESVALORIZAÇÃO DA DEMOCRACIA

Não basta então afirmar que a democracia pode se expandir pela separação dos princípios da "democracia formal" de toda associação com o capitalismo. Também não basta afirmar que a democracia capitalista é incompleta, um estágio de um desenvolvimento progressivo que deve se aperfeiçoar pelo socialismo e avançar além das limitações da "democracia formal". A questão é antes que a associação do capitalismo com a "democracia formal" representa uma unidade contraditória de avanço e recuo, tanto um aperfeiçoamento quanto uma desvalorização da democracia. A "democracia formal" é com certeza um aperfeiçoamento das formas políticas a que faltam liberdades civis, o domínio do direito e o princípio da representação. Mas ela é também, e ao mesmo tempo, uma subtração da substância da ideia democrática, aquela que se liga história e estruturalmente ao capitalismo[18].

Já discuti alguns desses temas em capítulos anteriores. Aqui, basta observar um certo paradoxo na insistência com que se afirma que não devemos permitir que nossa concepção de emancipação humana se restrinja pela identificação da "democracia formal" com o capitalismo. Se pensarmos a emancipação humana como pouco mais que uma extensão da democracia liberal, então talvez nos convençamos de que afinal o capitalismo é a melhor garantia.

A separação entre Estado e sociedade civil no Ocidente certamente gerou novas formas de liberdade e igualdade, mas também criou novos modos de dominação e de coerção. Uma das maneiras de se caracterizar a especificidade da "sociedade civil" como uma forma social particular única no mundo moderno – as condições históricas particulares que tornaram possível a distinção moderna entre Estado e sociedade civil – é dizer que ela constituiu uma nova forma de poder social, em que muitas funções coercitivas que pertenceram antes ao Estado foram deslocadas para a esfera "privada", a propriedade privada, a exploração de classe e os imperativos de mercado. Em certo sentido, trata-se da privatização do poder público que criou o mundo historicamente novo da "sociedade civil".

"Sociedade civil" constitui não somente uma relação inteiramente nova entre o "público" e o "privado", mas um reino "privado" inteiramente novo, com clara presença e opressão pública própria, uma estrutura de poder e dominação única e uma cruel lógica sistêmica. Representa uma rede particular de relações sociais que não apenas se coloca em oposição às funções coercitivas, "policiais" e "adminis-

---

[18] A defesa da democracia formal é às vezes explicitamente acompanhada de um ataque à democracia "substantiva". Agnes Heller, em "On Formal Democracy", escreve: "A afirmação de Aristóteles, um analista altamente realista, de que todas as democracias se transformam imediatamente em anarquia, e esta em tirania, foi a declaração de um fato, não uma calúnia aristocrática feita por um antidemocrata. A república romana nunca foi democrática. E quero acrescentar que mesmo que a degradação das democracias modernas em tiranias esteja longe de ser eliminada (fomos testemunhas disso no caso do fascismo italiano e alemão), a permanência das democracias modernas se deve precisamente ao seu caráter formal" (p. 130). Consideremos uma frase de cada vez. A denúncia da democracia antiga como o prenúncio inevitável da anarquia e tirania (o que é mais característico de Platão ou de Políbio que de Aristóteles) é uma calúnia antidemocrática. Ela não tem qualquer relação com sequências históricas, causais ou cronológicas. A democracia ateniense trouxe o fim da instituição da tirania e sobreviveu por quase dois séculos, para finalmente ser derrotada não pela anarquia, mas por uma força militarmente superior. Durante aqueles séculos, evidentemente, Atenas produziu uma cultura muito frutífera e influente que sobreviveu à própria derrota e também lançou as bases das concepções ocidentais de cidadania e domínio do direito. A república romana realmente "nunca foi democrática", e o resultado mais notável de seu regime aristocrático foi a morte da república e sua substituição por um governo autocrático imperial. (Aquela república antidemocrática foi, por acaso, a grande inspiração do que Heller considera o documento constitutivo da democracia moderna, a Constituição dos Estados Unidos.) Dizer que a "degradação da democracia moderna em tirania está longe de ser eliminada" parece um pouco tímido numa associação com o fascismo – para não mencionar a história da guerra e do imperialismo que está inseparavelmente ligada ao regime da democracia formal. Quanto à duração, vale a pena mencionar que ainda não existe nenhuma democracia formal que tenha durado tanto quanto a democracia ateniense. Nenhuma "democracia" europeia, pelos critérios de Heller, tem um século de vida (na Grã-Bretanha, por exemplo, a votação plural sobreviveu até 1948); e a república americana, a quem ela atribui a "ideia constitutiva" da democracia formal, levou um longo tempo até aperfeiçoar a exclusão ateniense das mulheres e dos escravos, ao passo que não se pode considerar que nem mesmo os homens trabalhadores livres – cidadãos integrais da democracia ateniense – tenham ganhado acesso irrestrito à cidadania "formal" até que os últimos Estados abolissem as qualificações por propriedade no final do século XIX (sem mencionar a variedade de estratagemas usados para desencorajar o voto dos pobres em geral e dos negros em particular, que até hoje não foram completamente removidos). Assim, na melhor das hipóteses (e apenas para os homens brancos), existe um registro de duração de talvez um século e meio para as "democracias formais" existentes.

trativas" do Estado, mas também a transferência dessas funções, ou, no mínimo, de uma parte significativa delas. Ela gera uma nova divisão do trabalho entre a esfera "pública" do Estado e a esfera "privada" da propriedade capitalista e do imperativo de mercado, em que apropriação, exploração e dominação se desligam da autoridade pública e da responsabilidade social – enquanto esses novos poderes privados dependem da sustentação do Estado por meio de um poder de imposição mais concentrado do que qualquer outro que tenha existido anteriormente.

A "sociedade civil" deu à propriedade privada e a seus donos o poder de comando sobre as pessoas e sua vida diária, um poder reforçado pelo Estado, mas isento de responsabilidade, que teria feito a inveja de muitos Estados tirânicos do passado. Mesmo as atividades e experiências que estejam fora da estrutura imediata de comando da empresa capitalista, ou fora do alcance do grande poder político do capital, são reguladas pelos ditames do mercado, pela necessidade de competição e de lucro. Mesmo quando o mercado não é, como em geral acontece nas sociedades capitalistas avançadas, um mero instrumento de poder para conglomerados gigantescos e empresas multinacionais, ele ainda assim é uma força coercitiva capaz de submeter todos os valores, atividades e relações humanos aos seus imperativos. Nenhum déspota antigo teria esperado invadir a vida privada de seus súditos – suas oportunidades de vida, escolhas, preferências, opiniões e relações – com a mesma abrangência e detalhe, não somente no local de trabalho, mas em todos os cantos de sua vida. E o mercado criou novos instrumentos de poder a serem manipulados não apenas pelo capital multinacional, mas também pelos Estados capitalistas avançados, que têm capacidade de impor "disciplinas de mercado" draconianas sobre outras economias enquanto protegem capital doméstico próprio. Em outras palavras, coerção não é apenas um defeito da "sociedade civil", mas um de seus mais importantes princípios constitutivos. As funções coercitivas do Estado foram em grande parte ocupadas na imposição da dominação na sociedade civil.

A realidade histórica tende a solapar as distinções nítidas exigidas pelas teorias correntes que nos pedem para tratar a sociedade civil como, pelo menos em princípio, a esfera da liberdade e da ação voluntária, a antítese do princípio irredutivelmente coercitivo que pertence intrinsecamente ao Estado. É verdade que na sociedade capitalista, com a separação entre as esferas "política" e "econômica", ou seja, o Estado e a sociedade civil, o poder coercitivo público está mais centralizado e concentrado do que nunca, mas isso apenas quer dizer que uma das principais funções de coerção "pública" por parte do Estado é apoiar o poder "privado" na sociedade civil.

Um dos exemplos mais óbvios da visão distorcida produzida pela mera dicotomia entre o Estado como a sede da coação e a "sociedade civil" como o espaço livre é o grau em que as liberdades civis, como a liberdade de expressão ou de imprensa nas sociedades capitalistas, são medidas não pela variedade de opiniões e debate oferecidos pela mídia, mas pelo grau em que as empresas de comunicação são propriedade privada e o capital é livre para lucrar com elas. A imprensa é "livre" quando é privada, mesmo que seja uma "fábrica de consenso".

As atuais teorias da sociedade civil reconhecem o fato de ela não ser o espaço de liberdade e democracia perfeitas. Ela sofre com a opressão na família, nas relações de gênero, no local de trabalho, pelas atitudes racistas, pela homofobia etc. Na verdade, pelo menos nas sociedades capitalistas avançadas, tais opressões se tornaram o foco principal de luta, enquanto a política, no seu sentido antigo, relacionada ao poder do Estado, partidos e oposição a eles, fica cada vez mais fora de moda. Ainda assim, essas opressões são tratadas como componentes da sociedade civil, mas como disfunções dela. Em princípio, a coação pertenceria ao Estado, ao passo que a sociedade civil seria o local onde se enraíza a liberdade; e a emancipação humana, de acordo com tais argumentos, consiste na autonomia da sociedade civil, sua expansão e seu enriquecimento, sua libertação do Estado, e na proteção oferecida pela democracia formal. Mais uma vez, o que tende a desaparecer de vista são as relações de exploração e dominação que irredutivelmente constituem a sociedade civil, não apenas como um defeito alheio e corrigível, mas como sua própria essência, a particular estrutura de dominação e coação que é específica do capitalismo como totalidade sistêmica – e que também determina as funções coercitivas do Estado.

O NOVO PLURALISMO E A POLÍTICA DE IDENTIDADE

Portanto, a redescoberta do liberalismo no renascimento da sociedade civil tem dois lados. É admirável pela intenção de tornar a esquerda mais sensível às liberdades civis e aos perigos da opressão pelo Estado. Mas o culto da sociedade civil tende também a reproduzir as mistificações do liberalismo, mascarando as coerções da sociedade civil e ocultando as maneiras pelas quais a opressão se enraíza nas relações de exploração e de coação da sociedade civil. Então, o que dizer dessa dedicação ao pluralismo? Como o conceito de sociedade civil se sai ao tratar a diversidade de relações e "identidades" sociais?

É aqui que o culto da sociedade civil, a sua representação como a esfera da diferença e da diversidade, fala mais diretamente às preocupações dominantes da nova esquerda. Se há algo que une os vários "novos revisionismos" – desde as mais herméticas teorias "pós-marxistas" e "pós-modernistas" até o ativismo dos "novos movimentos sociais" – é a ênfase na diversidade, na "diferença", no pluralismo. De três maneiras, o novo pluralismo supera o reconhecimento liberal de interesses divergentes e tolerância (em princípio) de opiniões diversas: 1) sua concepção de diversidade penetra as externalidades dos "interesses" e vai até a profundidade psíquica da "subjetividade" ou "identidade" e avança para além da opinião ou do "comportamento" político até a totalidade dos "estilos de vida"; 2) ele não pressupõe que alguns princípios universais e indiferenciados do direito possam acomodar todas as diferentes identidades e estilos de vida (por exemplo, para serem livres e iguais, as mulheres necessitam de direitos diferentes dos dos homens); 3) apoia-se numa visão cuja característica essencial, a diferença específica histórica, do mundo contemporâneo – ou, mais especificamente, o mundo capitalista contemporâneo –, não é a força totalizadora e homogênea do capitalismo, mas a heterogeneidade única da sociedade "pós-moderna", seu grau sem precedentes de diversidade, até mesmo de fragmentação, que exige princípios novos, mais complexos e pluralistas.

Os argumentos são mais ou menos assim: a sociedade contemporânea se caracteriza por fragmentação crescente, diversificação de relações e experiências sociais, pluralidade de estilos de vida, multiplicação de identidades pessoais. Em outras palavras, estamos vivendo num mundo "pós-moderno", um mundo em que diversidade e diferença dissolveram todas as antigas certezas e todas as antigas universalidades. (Neste ponto, algumas teorias pós-marxistas oferecem uma alternativa ao conceito de sociedade civil, afirmando não ser mais possível falar de sociedade, porque esse conceito sugere uma totalidade fechada e unificada[19].) Romperam-se velhas solidariedades – o que significa especialmente as solidariedades de classe – e proliferaram movimentos sociais baseados em outras identidades e contra outras opressões, movimentos relacionados à raça, ao gênero, à etnicidade, à sexualidade etc. Ao mesmo tempo, esses acontecimentos ampliaram enormemente as oportunidades de escolha individual, tanto nos padrões de consumo como nos estilos de vida. É o que algumas pessoas chamam de a tremenda expansão da "sociedade civil"[20]. A esquerda, continua a argumentação, deve reconhecer esses acontecimentos e construir sobre eles. Deve construir uma política baseada nessa diversidade e diferença. Deve tanto celebrar a diferença quanto reconhecer a pluralidade das formas de opressão ou dominação, a multiplicidade das lutas emancipadoras. A esquerda tem de reagir a essa multiplicidade de relações sociais com conceitos complexos de igualdade, que reconheçam as necessidades e experiências diferentes das pessoas[21].

Há variações em torno desses temas, mas este é um bom resumo do que se tornou uma corrente substancial da esquerda. Ela se orienta para nos fazer abrir mão da ideia de socialismo e substituí-la pelo – ou incorporá-la ao – que se supõe seja uma categoria mais inclusiva, a democracia, um conceito que não "privilegia" classe, como o faz o socialismo tradicional, mas trata igualmente todas as opressões. Ora, como declaração geral de princípios, há aqui coisas admiráveis. Nenhum socialista duvida da importância da diversidade ou da multiplicidade de opressões que precisam ser abolidas. E democracia é – ou deveria ser – o que propõe o socialismo. Mas não fica claro que o novo pluralismo – ou o que passou a ser chamado de "política da identidade" – é capaz de nos levar muito além da afirmação de princípios gerais e de boas intenções.

Pode-se testar os limites do novo pluralismo pela exploração de seu princípio constitutivo, o conceito de "identidade". Ele afirma ter a virtude de, ao contrário das noções "reducionistas" ou "essencialistas" como classe, ter a capacidade de – igualmente e sem preconceito ou privilégio – abranger tudo, desde gênero a classe, de etnia até raça ou preferência sexual. A "política da identidade" afirma então ser

---

[19] É esta, por exemplo, a visão de Ernesto Laclau e Chantal Mouffe em *Hegemony and Socialist Strategy*, Londres, 1985.

[20] Ver, por exemplo, HALL, Stuart. *Marxism Today*, outubro de 1988.

[21] A noção de igualdade complexa é primariamente obra de Michael Walzer, *Spheres of Justice* [ed. port.: *As esferas da justiça*. Lisboa, Presença, 1999.]; *A Defence of Pluralismo and Equality*, Londres, 1983. Ver também KEANE, *Democracy and Civil Society*, p. 12.

mais afinada em sua sensibilidade com a complexidade da experiência humana e mais inclusiva no alcance emancipatório do que a velha política do socialismo.

Então, o que se perde – se é que realmente se perde – por se ver o mundo através do prisma desse conceito que a tudo engloba (ou qualquer outro semelhante)? O novo pluralismo aspira a uma comunidade democrática que reconheça todo tipo de diferença, de gênero, cultura, sexualidade, que incentive e celebre essas diferenças, mas sem permitir que elas se tornem relações de dominação e de opressão. A comunidade democrática ideal une seres humanos diferentes, todos livres e iguais, sem suprimir suas diferenças nem negar suas necessidades especiais. Mas a "política da identidade" revela suas limitações, tanto teóricas quanto políticas, no momento em que tentamos situar as diferenças de *classe* na sua visão democrática.

É possível imaginar as diferenças de classe sem exploração e dominação? A "diferença" que define uma classe como "identidade" *é*, por definição, uma relação de desigualdade e poder, de uma forma que não é necessariamente a das "diferenças" sexual ou cultural. Uma sociedade verdadeiramente democrática tem condições de celebrar diferenças de estilo de vida, de cultura ou de preferência sexual; mas em que sentido seria "democrático" celebrar as diferenças de *classe*? Se se espera de uma concepção de liberdade ou igualdade adaptada a diferenças culturais ou sexuais que ela amplie o alcance da liberação humana, pode-se fazer a mesma afirmação de uma concepção de liberdade e igualdade que acomode as diferenças de *classe*? É claro que existem muitos pontos fracos no conceito de "identidade" tal como é aplicado às relações sociais, e isso é verdade não apenas com referência a classe; mas se emancipação e democracia exigem a celebração de "identidade" num caso, e sua supressão em outro, isso certamente já é suficiente para sugerir que algumas diferenças importantes estão sendo ocultadas numa categoria abrangente que se propõe a cobrir fenômenos sociais muito diferentes, como classe, gênero, sexualidade ou etnicidade. No mínimo, igualdade de classe significa algo diferente e exige condições diferentes das que se associam a igualdade sexual ou racial. Em particular, a abolição da desigualdade de classe representaria por definição o fim do capitalismo. Mas o mesmo se aplica necessariamente à abolição da desigualdade sexual ou racial? Em princípio, as desigualdades sexual e racial, como vou discutir no próximo capítulo, não são incompatíveis com o capitalismo. Em compensação, o desaparecimento das desigualdades de classe é por definição incompatível com o capitalismo. Ao mesmo tempo, embora a exploração de classe seja um componente do capitalismo, de uma forma que não se aplica às diferenças sexual e racial, o capitalismo submete todas as relações sociais às suas necessidades. Ele tem condições de cooptar e reforçar desigualdades e opressões que não criou e adaptá-las aos interesses da exploração de classe.

O velho conceito liberal de igualdade política, legal e formal, ou uma noção do que se convencionou chamar de "igualdade de oportunidades", é capaz de acomodar as desigualdades de classe – e por isso não representa desafio fundamental ao capitalismo e seu sistema de relações de classe. Na verdade, é uma característica específica do capitalismo que seja possível um tipo particular de igualdade universal que não se estenda às relações de classe – ou seja, exatamente a igualdade formal, associada a princípios e procedimentos políticos e jurídicos, e não ao controle do poder social ou de classe. Nesse sentido, a igualdade formal teria sido impossível nas sociedades pré-capitalistas em que apropriação e exploração eram inseparavelmente ligadas ao poder jurídico, político e militar.

Por essas razões, o velho conceito de igualdade formal satisfaz o critério mais fundamental do novo pluralismo, ou seja, ele não atribui *status* privilegiado a classe. Pode mesmo ter implicações radicais para gênero e raça, pois, em relação a essas diferenças, nenhuma sociedade capitalista atingiu nem mesmo os limites estreitos de igualdade que o capitalismo aceita. Também não está claro que o novo pluralismo tenha encontrado uma maneira melhor de lidar com as variadas desigualdades de uma sociedade capitalista, algo que supera em muito a velha acomodação liberal ao capitalismo.

Muitos esforços foram feitos para construir novas concepções complexas e pluralistas de igualdade que reconheçam as diversas opressões sem "privilegiar" classe. Diferenciam-se da ideia liberal-democrática por desafiar explicitamente a *universalidade* do liberalismo tradicional, sua aplicação de padrões uniformes de liberdade e igualdade cegos às diferenças de identidade e de condição social. Ao reconhecer as complexidades da experiência social, essas novas concepções de igualdade devem aplicar critérios diferentes a circunstâncias e relações diferentes. Sob esse aspecto, as noções pluralistas alegam ter vantagens em relação aos princípios mais universalistas, ainda que percam alguns dos benefícios de padrões universais[22]. Pode-se objetar aqui que a dissociação do novo pluralismo de todos os valores universais pode permitir que ele venha a servir como desculpa para a supressão dos *antigos* princípios pluralistas de liberdade civil, liberdade de expressão, tolerância, e, assim, corrermos o perigo de voltar à estaca zero, na medida em que o respeito à diversidade se transforme no seu contrário. Ainda assim, mesmo que esqueçamos essa objeção, e sejam quais forem as vantagens das concepções "complexas" ou "pluralistas" de igualdade em relação ao liberalismo tradicional, elas deixaram intocada a acomodação liberal ao capitalismo, no mínimo por omissão ao evitar o problema; pois bem no centro do novo pluralismo existe a incapacidade de enfrentar (em geral, de negar explicitamente) a totalidade abrangente do capitalismo como sistema social constituído pela exploração de classe, mas formador de *todas* as "identidades" e relações sociais.

O sistema capitalista, sua unidade totalizadora, foi conceitualmente suprimido pelas concepções difusas de sociedade civil e pela submersão de classe em categorias abrangentes como "identidade" que desagregam o mundo social em realidades particulares e separadas. As relações sociais do capitalismo se dissolveram numa pluralidade fragmentada e desestruturada de identidades e diferenças. Pode-se evitar as questões relativas à causalidade histórica e à eficácia política, e não há necessidade de se perguntar como tantas identidades se situam na estrutura social dominante porque deixou de existir o próprio conceito de estrutura social.

Sob todos esses aspectos, o novo pluralismo tem muito em comum com outro velho pluralismo, que era dominante na ciência política convencional – o pluralismo

---

[22] Para uma discussão das vantagens e desvantagens da concepção de Walzer de igualdade complexa, ver RUSTIN, Michael. *For a Pluralist Socialism*, Londres, 1985, p. 70-95.

não apenas como princípio ético de tolerância, mas como uma teoria de distribuição do poder social. O conceito de "identidade" substituiu o de "grupos de interesse", e os dois pluralismos talvez difiram entre si no fato de o antigo reconhecer uma totalidade política inclusiva – o "sistema político", a nação ou o corpo de cidadãos –, ao passo que o novo insiste na irredutibilidade da fragmentação e da "diferença". Mas os dois negam a importância da classe nas democracias capitalistas, ou pelo menos ocultam-na numa multiplicidade de "interesses" e "identidades". Ambos têm o efeito de negar a unidade sistêmica do capitalismo, ou mesmo a própria existência dele como sistema social. Ambos insistem na heterogeneidade da sociedade capitalista e perdem de vista a força global crescente da homogeneização. O novo pluralismo afirma ter sensibilidade única às complexidades do poder e das diversas opressões; mas, tal como a variedade antiga, ele tem o efeito de tornar invisíveis as relações de poder que constituem o capitalismo, a estrutura dominante de coerção que interfere em todos os cantos de nossa vida pública e privada. Incapazes de reconhecer que as várias identidades ou grupos de interesse se situam em posições diferentes em relação à estrutura dominante, os dois pluralismos reconhecem menos a *diferença* que a simples *pluralidade*.

Essa negação mais recente da lógica sistêmica e totalizadora do capitalismo é, paradoxalmente, um reflexo daquilo que tenta negar. A atual preocupação com a diversidade e a fragmentação "pós-modernas" expressa sem dúvida uma realidade do capitalismo contemporâneo, mas é uma realidade vista através das lentes deformadoras da ideologia. Ela representa o definitivo "fetichismo do produto", o triunfo da "sociedade de consumo", em que a diversidade de "estilos de vida", medida pela mera quantidade de mercadorias e padrões variados de consumo, mascara a unidade sistêmica oculta, os imperativos que criam a diversidade enquanto impõem uma homogeneidade maior e mais global.

O que é alarmante com relação a esses desenvolvimentos teóricos não é tanto o fato de eles violarem algum preconceito doutrinário marxista relativo ao *status* privilegiado da classe. O problema é que teorias que não distinguem – e, na verdade "privilegiam", se isso significa atribuir prioridade causal ou explicativa – entre as muitas instituições e "identidades" sociais são incapazes de enfrentar criticamente o capitalismo. Como forma social específica, o capitalismo simplesmente desaparece diante de nossos olhos, enterrado sob um monte de fragmentos e "diferenças".

E aonde vai o capitalismo também vai a ideia socialista. O socialismo é a alternativa específica do capitalismo. Sem o capitalismo, não precisamos do socialismo; aceitamos conceitos muito difusos e indeterminados de democracia que não se oponham especificamente a nenhum sistema identificável de relações sociais, na verdade nem chegam a reconhecer um sistema assim. Nada permanece além de uma pluralidade fragmentada de opressões e de lutas emancipatórias. Aquele que se afirma como projeto mais inclusivo do que o socialismo tradicional na verdade é o menos inclusivo. Em vez das aspirações universalistas do socialismo e da política integradora da luta contra a exploração de classe, temos uma pluralidade de lutas particulares isoladas que terminam na submissão ao capitalismo.

É possível que o novo pluralismo esteja, na verdade, se inclinando na direção da aceitação do capitalismo, no mínimo como a melhor ordem social a que teremos acesso. O colapso do comunismo fez mais que qualquer outra coisa no passado para generalizar esse modo de ver. Mas, nas respostas da esquerda a esses desenvolvimentos, é difícil distinguir o otimismo panglossiano do desespero profundo. De um lado, torna-se cada vez mais comum o argumento de que, por mais infiltrado que esteja o capitalismo, suas estruturas rígidas e velhas já estão mais ou menos desintegradas, ou se tornaram tão permeáveis, abriram tantos espaços, que as pessoas estão livres para construir suas próprias realidades sociais de formas ainda sem precedentes. É exatamente isso o que se quer dizer ao falar da enorme expansão da sociedade civil no capitalismo pós-moderno (pós-fordista?). De outro, e às vezes na mesma frase, ouvimos um conselho ditado pelo desespero: quaisquer que sejam os males do capitalismo triunfante, existem poucas esperanças de que ele seja desafiado além das resistências locais e particulares.

Talvez esta não seja uma hora de otimismo, mas a confrontação crítica com o capitalismo é, no mínimo, um bom começo. Talvez sejamos então forçados a distinguir, não menos, mas muito mais radicalmente, entre as muitas espécies de desigualdade e opressão aceitas até mesmo pelo novo pluralismo. Será possível, por exemplo, reconhecer que, ainda que todas as opressões tenham o mesmo peso moral, a exploração de classe tem um *status* histórico diferente, uma posição mais estratégica no centro do capitalismo; e a luta de classes talvez tenha um alcance mais universal, um maior potencial de progresso não somente da emancipação de classe, mas também de outras lutas emancipadoras.

O capitalismo é constituído pela exploração de classe, mas é mais que um mero sistema de opressão de classe. É um processo totalizador cruel que dá forma a nossa vida em todos os aspectos imagináveis, e em toda parte, não apenas na relativa opulência do Norte capitalista. Entre outras coisas, mesmo sem considerar o poder direto brandido pela riqueza capitalista tanto na economia quanto na esfera política, ele submete toda vida social às exigências abstratas do mercado, por meio da mercantilização da vida em todos os seus aspectos, determinando a alocação de trabalho, lazer, recursos, padrões de produção, de consumo, e a organização do tempo. E assim se tornam ridículas todas as nossas aspirações à autonomia, à liberdade de escolha e ao autogoverno democrático.

O socialismo é a antítese do capitalismo; e a substituição do socialismo por um sistema indeterminado de democracia, ou a diluição das relações sociais diversificadas e diferentes em categorias gerais como "identidade" ou "diferença", ou conceitos frouxos de "sociedade civil", representa a rendição ao capitalismo e a todas as suas mistificações ideológicas. Diversidade, diferença e pluralismo são obviamente necessários; mas não um pluralismo indiferenciado e desestruturado. Precisamos de um pluralismo que realmente reconheça a diversidade e a diferença, não apenas a pluralidade e a multiplicidade. Ou seja, que reconheça a unidade sistêmica do capitalismo e que tenha a capacidade de distinguir entre as relações constitutivas do capitalismo e outras desigualdades e opressões. O projeto socialista deve ser enriquecido com os recursos e as ideias dos "novos movimentos sociais" (que não são tão novos), e não empobrecidos pelo uso desses recursos e ideias como desculpa para desintegrar a resistência ao capitalismo. Não devemos confundir respeito pela pluralidade da experiência humana e das lutas sociais com a dissolução completa da causalidade histórica, em que nada existe além de diversidade, diferença e contingência, nenhuma estrutura unificadora, nenhuma lógica de processo, em que não existe o capitalismo e, portanto, nem a sua negação, nenhum projeto de emancipação humana.

Capitalismo e emancipação humana:
raça, gênero e democracia

Falando aos estudantes americanos no auge do ativismo estudantil dos anos 1960, Isaac Deutscher lançou uma mensagem que não foi de todo bem aceita: "Vocês estão em atividade efervescente às margens da vida social, e os trabalhadores estão passivos no centro dela. É esta a tragédia de nossa sociedade. Se não enfrentarem esse contraste, vocês serão derrotados"[1]. Esse aviso talvez seja mais importante hoje do que naquela época. Há hoje em ação impulsos emancipatórios fortes e promissores, que talvez não estejam agindo no centro da vida social, no coração da sociedade capitalista.

Já não se admite sem discussão na esquerda que a batalha decisiva pela emancipação humana vai ocorrer no campo "econômico", o terreno da luta de classes. Para muitas pessoas, a ênfase se transferiu para o que denomino bens *extraeconômicos* – emancipação de gênero, igualdade racial, paz, saúde ecológica, cidadania democrática. Todo socialista deveria estar comprometido com esses objetivos – na verdade, o projeto socialista de emancipação de *classe* sempre foi, ou deveria ter sido, um meio para o objetivo maior da emancipação humana. Mas esses compromissos não resolvem as questões cruciais relativas a agentes e modalidades de luta, e certamente não resolvem a questão da política de classe.

Ainda há muito a ser dito acerca das condições de conquista desses bens extraeconômicos. Em especial, se nosso ponto de partida é o *capitalismo*, então devemos saber exatamente que tipo de ponto de partida é este. Quais os limites impostos, quais as possibilidades criadas por essa ordem material e por sua configuração de poder social? Quais tipos de opressão o capitalismo exige e que formas de emancipação ele tolera? Em especial, quais as vantagens para o capitalismo dos bens extraeconômicos, que incentivos ele lhes oferece e que resistência opõe à sua consecução? Pretendo começar pelas respostas a essas perguntas e, à medida que a argumentação vá se desenvolvendo, tentarei realçá-las pela comparação com sociedades pré-capitalistas.

---

[1] DEUTSCHER, Isaac. "Marxism and the New Left". In: *Marxism in Our Times*, Londres, 1972, p. 74. Este capítulo se baseia, com algumas modificações, em minha aula em homenagem a Isaac Deutscher, apresentada em 23 de novembro de 1987.

Capitalismo e bens "extraeconômicos"

Certos bens extraeconômicos simplesmente não são compatíveis com o capitalismo, e, portanto, não pretendo comentá-los. Estou convencida, por exemplo, de que o capitalismo não é capaz de garantir a paz mundial. Para mim, parece axiomático que a lógica expansionista, competitiva e exploradora da acumulação capitalista no contexto do sistema nação-Estado deve, mais cedo ou mais tarde, se desestabilizar, e que o capitalismo – ou, neste momento, sua força organizadora mais aventureira e agressiva, o governo dos Estados Unidos – é, e continuará a ser no futuro previsível, a maior ameaça à paz mundial[2].

Nem acredito que o capitalismo tenha condições de evitar a devastação ecológica. Talvez seja capaz de se ajustar a um certo grau de preocupação ecológica, especialmente porque a tecnologia de proteção ambiental se tornou uma mercadoria lucrativa. Mas a irracionalidade essencial da busca da acumulação de capital, que subordina tudo às exigências da autoexpansão do capital e do chamado crescimento, é inevitavelmente hostil ao equilíbrio ecológico. Se no mundo comunista a destruição do ambiente resultou de um enorme descaso, do alto grau de ineficiência, e da pressa irresponsável de se aproximar do desenvolvimento industrial ocidental no menor prazo possível, no Ocidente capitalista um vandalismo ecológico de muito maior alcance não é visto como indicação de fracasso, mas de sucesso, o subproduto inevitável de um sistema cujo princípio constitutivo é a subordinação de todos os valores humanos aos imperativos da acumulação e às exigências do lucro.

Mas é necessário acrescentar também que as questões relativas à paz e à ecologia não satisfazem muito a geração de vigorosas forças anticapitalistas. Em certo sentido, o problema é precisamente a sua *universalidade*. Elas não constituem forças sociais porque simplesmente não têm identidade social específica – ou, no mínimo, só a têm quando se cruzam com as relações de classe, como, por exemplo, no caso das questões ecológicas relativas ao envenenamento de operários no local de trabalho, ou a tendência a concentrar a poluição e os rejeitos nos bairros operários e não nos bairros privilegiados. Mas, em última análise, a preocupação dos capitalistas não é maior que a dos operários no que diz respeito à destruição por uma bomba nuclear ou à dissolução pela chuva ácida. Pode-se mesmo dizer que, dados os perigos do capitalismo, nenhuma pessoa racional deveria apoiá-lo; mas sabemos que não é assim que as coisas funcionam.

---

[2] Esta observação talvez pareça menos plausível hoje do que quando a fiz, antes de o militarismo americano ser mascarado pelo colapso do comunismo, da aparente aceitação pelos governos dos Estados Unidos de que a guerra fria havia acabado, e de explosões dramáticas de violência étnica, principalmente na antiga Iugoslávia. Cheguei a pensar em retirar esta afirmação sobre os efeitos desestabilizadores do capitalismo e da agressão americana, ou em dizer alguma coisa sobre as novas formas de militarismo associadas ao papel dos Estados Unidos como a única superpotência e guardiã da "nova ordem mundial". Mas nada do que ocorreu durante os últimos anos muda o fato de que, depois da Segunda Guerra Mundial, não houve conflito regional importante que não tenha sido iniciado, agravado ou prolongado pela intervenção, aberta ou clandestina, dos Estados Unidos; e ainda é cedo demais para se poder afirmar que esse padrão de aventura tenha finalmente sido repudiado – para não mencionar as novas formas de intervenção militar, tal como a Tempestade do Deserto.

No caso de raça ou gênero, a situação é quase oposta. Antirracismo e antissexismo têm identidades sociais específicas e geram forças sociais vigorosas. Mas não é tão evidente que igualdade racial e de gêneros sejam antagônicas ao capitalismo, nem que o capitalismo seja incapaz de tolerá-las, assim como é incapaz de garantir a paz mundial ou de respeitar o ambiente. Ou seja, cada um desses bens extraeconômicos tem uma relação específica com o capitalismo.

A primeira característica do capitalismo é ser ele incomparavelmente indiferente às identidades sociais das pessoas que explora. Trata-se de um caso clássico de boas e más notícias. Primeiro as boas – mais ou menos. Ao contrário dos modos anteriores de produção, a exploração capitalista não se liga a identidades, desigualdades ou diferenças extraeconômicas políticas ou jurídicas. A extração da mais-valia dos trabalhadores assalariados acontece numa relação entre indivíduos formalmente iguais e livres e não pressupõe diferenças de condição política ou jurídica. Na verdade, o capitalismo tem uma tendência positiva a solapar essas diferenças e a diluir identidades como gênero ou raça, pois o capital luta para absorver as pessoas no mercado de trabalho e para reduzi-las a unidades intercambiáveis de trabalho, privadas de toda identidade específica.

Em compensação, o capitalismo é muito flexível na capacidade de usar, bem como de descartar, opressões sociais particulares. Parte das más notícias é que o capitalismo é capaz de aproveitar em benefício próprio toda opressão extraeconômica que esteja histórica e culturalmente disponível em qualquer situação. Tais legados culturais podem, por exemplo, promover a hegemonia ideológica do capitalismo ao mascarar sua tendência intrínseca a criar subclasses. Quando os setores menos privilegiados da classe trabalhadora coincidem com as identidades extraeconômicas como gênero ou raça, como acontece com frequência, pode parecer que a culpa pela existência de tais setores é de causas outras que não a lógica necessária do sistema capitalista.

Evidentemente, não se trata de uma conspiração capitalista para enganar. Pois em parte o racismo e o sexismo funcionam tão bem na sociedade capitalista por serem capazes de gerar vantagens para certos setores da classe operária nas condições competitivas do mercado de trabalho. Mas a questão é que, apesar de ser capaz de tirar vantagens do racismo ou do sexismo, o capital não tem a tendência estrutural para a desigualdade racial ou opressão de gênero, mas, pelo contrário, são eles que escondem as realidades estruturais do sistema capitalista e dividem a classe trabalhadora. De qualquer forma, a exploração capitalista pode, em princípio, ser conduzida sem preocupações com cor, raça, credo, gênero, ou com a dependência de desigualdade ou diferença extraeconômica; e, mais que isso, o desenvolvimento do capitalismo criou pressões ideológicas *contra* tais desigualdades e diferenças em grau sem precedentes nas sociedades pré-capitalistas.

Raça e gênero

Neste caso, nos confrontamos imediatamente com algumas contradições. Consideremos o exemplo da raça. Apesar de sua indiferença estrutural em relação a identidades extraeconômicas (ou, em certo sentido, por causa delas), a história do capitalismo foi provavelmente marcada pelos mais virulentos racismos já conhecidos. O racismo generalizado e arraigado contra os negros no Ocidente, por exemplo, é geralmente atribuído ao legado cultural do colonialismo e da escravidão que acompanharam a expansão do capitalismo. Mas, apesar de essa explicação ser até certo ponto convincente, por si só ela não é suficiente.

Consideremos o caso extremo da escravidão. Uma comparação com os outros únicos exemplos históricos de escravidão na mesma escala irá ilustrar o fato de nada haver de automático na associação de escravidão com racismo tão violento, e pode mesmo sugerir que há algo específico ao capitalismo nesse efeito ideológico. Na Grécia e na Roma antigas, apesar da aceitação quase universal da escravidão, a ideia de que ela se justificava pelas desigualdades naturais entre seres humanos não era um valor dominante. A única exceção importante, a concepção aristotélica de escravidão natural, nunca foi aceita. A opinião mais comum parecia ser a de que a escravidão era uma convenção, ainda que universal, que se justificava simplesmente com base na sua utilidade. De fato, aceitava-se até mesmo que instituição tão útil seria *contrária à natureza*. Essa visão aparece não somente na filosofia grega, mas era também aceita no direito romano, no qual havia um conflito reconhecido entre o *ius gentium*, o direito convencional das nações, e o *ius naturale*, o direito da natureza[3].

Esse fato é significativo não por ter levado à abolição da escravidão, o que ele realmente não fez, tampouco por abrandar os horrores da escravidão na Antiguidade. Ele merece ser observado por sugerir que, diferentemente do que ocorreu na escravidão moderna, não parecia haver necessidade premente de encontrar na inferioridade natural e biológica de certas raças justificativas para essa instituição ruim. Conflitos étnicos são com certeza tão antigos quanto a civilização; e defesas da escravidão baseadas, por exemplo, em histórias bíblicas acerca de uma mácula herdada têm uma longa história. Existiram também teorias do determinismo climático, desde Aristóteles até Bodin; mas neste caso os determinantes são ambientais e não raciais. O racismo moderno é diferente, uma concepção mais viciosamente sistemática de inferioridade intrínseca e natural, que surgiu no final do século XVII ou início do XVIII, e culminou no século XIX, quando adquiriu o reforço pseudocientífico de teorias *biológicas* de raça, e continuou a servir como apoio ideológico para a opressão colonial mesmo depois da abolição da escravidão.

É então tentador perguntar que elemento do capitalismo criou essa necessidade ideológica, essa necessidade do que é na verdade uma teoria da escravidão natural, e não convencional. Enquanto cresciam a opressão colonial e a escravidão nos postos avançados do capitalismo, cada vez mais a força de trabalho da metrópole se proletarizava; e a expansão do trabalho assalariado, a relação contratual entre

---

[3] Por exemplo, o jurista romano Florentinus escreveu que "a escravidão é uma instituição do *ius gentium* pela qual alguém é submetido ao *dominium* de outro, contrário à natureza". Ver FINLEY, M. I. "Was Greek Civilization Based on Slave Labour?" e "Between Slavery and Freedom". In: *Economy and Society in Ancient Greece*, Londres, 1981, p. 104, 113, 130. [Ed. bras.: *Economia e sociedade na Grécia antiga*. São Paulo, Martins Fontes, 1989.] Para uma rejeição enfática da opinião de que o cristianismo introduziu "uma atitude nova e melhor com relação à escravidão", ver STE CROIX, G. E. M. de. *The Class Struggle in the Ancient Greek World*, Londres, 1981, p. 419.

indivíduos formalmente iguais e livres, trouxe consigo a ideologia da igualdade e da liberdade formais. Na verdade, essa ideologia, que nos planos jurídico e político nega a desigualdade fundamental e a falta de liberdade da relação econômica capitalista, sempre foi elemento vital da hegemonia do capitalismo.

Então, em certo sentido, foi precisamente a pressão estrutural *contra* a diferença extraeconômica que tornou necessário justificar a escravidão excluindo da raça humana os escravos, tornando-os não pessoas alheias ao universo normal da liberdade e da igualdade. Talvez porque o capitalismo não reconheça diferenças extraeconômicas entre seres humanos, tenha sido necessário fazer as pessoas menos que humanas para tornar aceitáveis a escravidão e o colonialismo que eram tão úteis ao capital naquele momento histórico. Na Grécia e em Roma, bastava identificar pessoas como estrangeiras com base no fato de não serem *cidadãos*, ou não serem gregos (como vimos, os romanos tinham uma concepção menos exclusiva de cidadania). No capitalismo, o critério para excomunhão parece ser a exclusão do corpo principal da raça humana.

Ou consideremos o caso da opressão de gênero. As contradições aqui não são tão gritantes. Se o capitalismo foi associado ao racismo mais violento que se conhece, não considero convincente a alegação de que o capitalismo produziu formas mais extremas de opressão de gênero que as que existiam nas sociedades pré-capitalistas. Mas, também neste caso, há uma combinação paradoxal de indiferença estrutural em relação a essa desigualdade extraeconômica, ou até mesmo pressão contra ela, e uma espécie de oportunismo sistemático que permite ao capitalismo aproveitar-se dela.

Normalmente, o capitalismo nos países capitalistas avançados usa a opressão de gênero de duas formas: a primeira é comum a outras identidades extraeconômicas, como raça ou idade, e é até certo ponto intercambiável com elas como meio de constituir subclasses e oferecer cobertura ideológica. A segunda é específica ao gênero: serve como meio de organizar a reprodução social no que se pensou (talvez incorretamente) ser a forma menos dispendiosa[4]. Com a organização existente das relações entre gêneros, os custos para o capital da reprodução da força de trabalho podem continuar reduzidos – ou pelo menos esta sempre foi a crença geral –, mantendo-se os custos de gestação e criação de filhos na esfera privada da família. Mas temos de reconhecer que, do ponto de vista do capital, esse custo social em particular não é em nada diferente de qualquer outro. Do ponto de vista do capital, licença-maternidade ou creches não são qualitativamente diferentes de, digamos, aposentadoria por idade ou seguro-desemprego, pois todos envolvem um custo indesejável[5]. O capital é em geral hostil a custos

---

[4] Limitei esta afirmação porque fui informada de que existem estudos que demonstram que o atendimento à criança custeado pelo Estado talvez seja uma forma ainda menos custosa para o capital.

[5] Existem evidências de transferência crescente do ônus para idade, por oposição a sexo ou raça, pelo menos no sentido de que o desemprego estrutural dos jovens combinado com ameaças crescentes à segurança social e às aposentadorias por idade levam a culpa pelo declínio capitalista. A qual dessas identidades extraeconômicas será imposto o maior peso é ainda em grande parte uma questão política que pouco tem a ver com a disposição estrutural do capitalismo de escolher entre uma ou outra forma de opressão extraeconômica.

como esses – apesar de nunca ter sido capaz de sobreviver sem pelo menos alguns deles; mas a questão é que, sob este aspecto, ele não é mais incapaz de tolerar a igualdade de gêneros do que de aceitar a seguridade social.

Embora o capitalismo possa usar e faça uso ideológico e econômico da opressão de gênero, essa opressão não tem *status* privilegiado na estrutura do capitalismo. Ele poderia sobreviver à erradicação de todas as opressões específicas das mulheres, na condição de mulheres – embora não pudesse, por definição, sobreviver à erradicação da exploração de classe. Isso não quer dizer que o capitalismo tenha passado a considerar a liberação das mulheres necessária ou inevitável. Mas significa que não há necessidade estrutural específica de opressão de gênero no capitalismo, nem mesmo uma forte disposição sistêmica para ela. Farei mais adiante alguns comentários sobre como o capitalismo difere sob este aspecto das sociedades pré-capitalistas.

Citei esses exemplos para ilustrar duas questões importantes: que o capitalismo tem uma tendência estrutural a rejeitar as desigualdades extraeconômicas, mas que essa tendência é uma faca de dois gumes. Estrategicamente, ela implica que as lutas concebidas em termos exclusivamente extraeconômicos – puramente contra o racismo, ou contra a opressão de gênero, por exemplo – não representam em si um perigo fatal para o capitalismo, que elas podem ser vitoriosas sem desmontar o sistema capitalista, mas que, ao mesmo tempo, terão pouca probabilidade de sair vitoriosas caso se mantenham isoladas da luta anticapitalista.

O CAPITALISMO E A DESVALORIZAÇÃO DOS BENS POLÍTICOS

Como já vimos, as ambiguidades do capitalismo são particularmente evidentes na sua relação com a cidadania democrática. Nesta seção, pretendo explorar as ambiguidades da democracia capitalista relacionadas com a questão dos bens "extraeconômicos" em geral e a posição das mulheres em particular.

Para o socialismo, a questão principal sempre foi determinar que importância estratégica deveria ser atribuída ao fato de o capitalismo ter tornado possível um aumento sem precedentes da cidadania. Praticamente desde o início, tem havido uma tradição socialista que pressupõe que a igualdade formal jurídica e política do capitalismo, combinada com a desigualdade econômica e com a ausência de liberdade, estabelece uma contradição dinâmica, uma força motivadora da transformação socialista. Uma premissa básica da democracia social, por exemplo, foi que a liberdade e a igualdade limitadas do capitalismo deverão produzir impulsos incontroláveis em direção à completa emancipação. Hoje existe uma tendência nova e forte de se pensar o socialismo como uma extensão dos direitos de cidadania, ou – e isso se torna cada vez mais comum – de se pensar a "democracia radical" como um *substituto* para o socialismo. Como o termo *democracia* se transformou no *slogan* de várias lutas progressistas, o único tema unificador entre os muitos projetos emancipatórios da esquerda, ele passou a representar todos os bens extraeconômicos em conjunto.

Entender o socialismo como uma extensão da democracia pode ser uma ideia útil, mas não me deixo impressionar pelos novos adereços teóricos da velha ilusão socialista de que os impulsos ideológicos de liberdade e igualdade capitalistas criaram pressões irresistíveis para transformar a sociedade em todos os seus níveis. Os efeitos da democracia capitalista foram muito mais ambíguos, e essa concepção de transformação social é um truque que nos convida a imaginar, se não uma transição suave da democracia capitalista para a socialista (ou "radical"), no mínimo a realização das aspirações democráticas nos interstícios do capitalismo.

É necessário, em primeiro lugar, não ter ilusões acerca do significado e dos efeitos da democracia no capitalismo. Isso representa não somente a compreensão dos *limites* da democracia capitalista, o fato de que até mesmo um Estado capitalista democrático pode ser restringido pelas exigências de acumulação do capital, e o fato de que a democracia liberal deixa essencialmente intacta a exploração capitalista, mas também, e ainda mais particularmente, a *desvalorização* da democracia que discutimos nas comparações anteriores entre as democracias antiga e moderna.

A questão crítica é que o *status* dos bens políticos é determinado em grande parte pela sua localização no sistema de relações sociais de propriedades. Mais uma vez, neste caso, o contraste com os muitos modelos de sociedade pré-capitalista é instrutivo. Já sugeri em capítulos anteriores que nas sociedades pré-capitalistas, em que os camponeses eram a classe predominantemente explorada e a exploração assumia a forma de dominação extraeconômica, política, jurídica e militar, as relações dominantes de propriedade atribuíam um valor especial ao privilégio jurídico e aos direitos políticos. Dessa forma, assim como o senhorio medieval unia inseparavelmente os poderes econômico e político, também a resistência camponesa à exploração econômica assumia a forma de exigência de participação no *status* político e jurídico de seus senhores – como, por exemplo, na famosa revolta camponesa na Inglaterra em 1381, provocada pela tentativa de se impor um imposto de censo, em que o líder rebelde, Wat Tyler, formulou as queixas dos camponeses como a exigência de distribuição igual de senhorio entre todos os homens. Mas isso teria significado o fim do feudalismo. Ao contrário do que se dá no capitalismo, a importância dos direitos políticos impunha um limite absoluto à sua distribuição.

Para os camponeses, o poder econômico contra a exploração dependia em grande parte do alcance da jurisdição permitida à sua própria comunidade política, a aldeia, contra os poderes dos donos da terra e do Estado. Por definição, qualquer extensão da jurisdição da aldeia invadia e limitava os poderes de exploração do proprietário. Contudo, alguns poderes eram mais importantes que outros. Ao contrário do capitalismo, nem o proprietário pré-capitalista nem o Estado extrator de mais-valia dependiam tanto do controle do processo de produção quanto dos poderes de coação de extração de mais-valia. O camponês pré-capitalista, que retinha a posse dos meios de produção, geralmente mantinha o controle da produção, tanto individual quanto coletivamente, por meio da comunidade aldeã. Era uma característica do feudalismo, bem como de outras formas pré-capitalistas, que o ato de apropriação fosse, em geral, muito mais claramente separado do processo de produção do que se dá no capitalismo. O camponês produzia, o proprietário então extraía a sua renda ou o Estado se apropriava dos impostos; ou então o camponês produzia um dia na sua própria terra para atender às necessidades de sua própria família, e outro dia trabalhava na propriedade do senhor ou prestava algum serviço ao Estado. Assim, os poderes de apropriação do senhor ou do Estado eram preservados mesmo que os camponeses tivessem um grau considerável de independência na organização da produção, desde que a jurisdição da comunidade camponesa não cruzasse a linha que limitava o controle dos mecanismos jurídicos e políticos de extração de mais-valia.

As comunidades camponesas impunham, de tempos em tempos, forte pressão contra essas barreiras, logrando um grau substancial de independência nas suas instituições políticas, estabelecendo suas próprias magistraturas em lugar dos representantes da nobreza proprietária, impondo suas próprias regras locais etc. E, na medida em que conquistaram esse grau de independência *política*, elas também limitaram a exploração *econômica* a que eram submetidas. Mas, como já sugeri no capítulo "O *demos versus* 'nós, o povo...", a barreira entre a aldeia e o Estado geralmente derrotava as tentativas de superar a submissão do camponês; e a democracia ateniense talvez seja o único caso em que se rompeu a barreira final e onde a comunidade aldeã não era excluída do Estado e submetida a ele, como um corpo estranho[6].

Já mostrei que o aspecto mais revolucionário da antiga democracia ateniense foi a posição, única e nunca igualada, do camponês como *cidadão*, e com ela a posição da aldeia na sua relação com o Estado[7]. Em nítido contraste com outras sociedades camponesas, a aldeia era a unidade constitutiva do Estado ateniense, por meio da qual o camponês se tornava cidadão. Isso representou não somente uma inovação constitucional, mas uma transformação radical do campesinato, sem paralelo no mundo antigo, nem mesmo em qualquer outro tempo ou lugar. Se o camponês, como quer Eric Wolf, é um cultivador rural cujos excedentes sob a forma de rendas ou impostos são transferidos para alguém que "exerce um poder, ou domínio, efetivamente superior sobre ele"[8], então o que caracterizou o pequeno proprietário ateniense foi ser livre – de forma jamais igualada – desse tipo de "domínio", e daí um grau incomum de independência em relação a rendas e impostos. A criação do cidadão camponês significou a libertação dos camponeses de toda forma de relação tributária que antes havia caracterizado o campesinato grego, e que continuou a

---

[6] A respeito da comunidade aldeã excluída do Estado, mas submetida a ele como uma força estranha, ver SHANIN, Teodor. "Peasantry as a Political Factor" e WOLF, Eric. "On Peasant Rebellions". In: *Peasants and Peasant Societies*, T. Shanin, (ed.), Harmondsworth, 1971, especialmente p. 244 e 272.

[7] Este é um ponto polêmico difícil de esclarecer neste espaço limitado. Os males já bem conhecidos da democracia ateniense, a instituição da escravidão e a posição das mulheres, empanam as suas outras características mais atraentes; e parece sem dúvida perverso argumentar, como faço, que a característica essencial da democracia ateniense, talvez a mais distintiva, é o grau em que ela excluía a dependência da esfera da produção – ou seja, o grau em que a base material da sociedade ateniense era o trabalho livre e independente. Já expliquei isso em parte no capítulo "O trabalho e a democracia...", e existe uma exposição mais detalhada em meu livro *Peasant Citizen and Slave: The Foundations of Athenian Democracy*, Londres, 1988, na qual discuto em detalhe a escravidão e também trato da posição das mulheres em Atenas. Não peço que as pessoas relevem ou subestimem a importância da escravidão ou a condição das mulheres, apenas que considerem a posição única do campesinato ateniense.

[8] WOLF, Eric. *Peasants*, Englewood Cliffs, NJ, 1966, p. 9-10. [Ed. bras.: *Sociedades camponesas*. Rio de Janeiro, Zahar, 1970.]

caracterizar o campesinato em outros locais. A cidadania democrática ateniense teve implicações ao mesmo tempo políticas e econômicas.

Vimos no capítulo "O trabalho e a democracia..." a diferença radical entre a democracia antiga e outras civilizações adiantadas do mundo antigo, no Oriente Próximo e na Ásia, bem como na Grécia durante a Idade do Bronze, sob o aspecto da relação entre governantes e produtores, o quanto a pólis democrática divergia do padrão comum de Estados apropriadores e aldeias submissas de produtores camponeses, e foi a regra "universalmente reconhecida sob o Céu" de que "os que trabalham com a mente governam, e os que trabalham com o corpo são governados"[9]. Não foi por acaso que, ao representar seus Estados ideais, os filósofos antidemocráticos gregos, como Platão e Aristóteles, reafirmaram o princípio da separação entre governantes e governados, um princípio cuja violação eles obviamente consideravam essencial para a democracia ateniense.

De fato, o Estado apropriador de mais-valia, agindo segundo o que Robert Brenner denominou de maneiras "classistas", foi provavelmente mais a regra que a exceção nas sociedades capitalistas avançadas[10]. Não entendemos o absolutismo francês sem reconhecer o papel do Estado como meio de apropriação privada, com seu vasto aparelho de funções lucrativas e a extração de impostos dos camponeses, um recurso privativo dos que possuíam uma parte dele. Por isso, não compreendemos um levante como a Revolução Francesa sem reconhecer que um dos seus problemas mais importantes foi o acesso a esse lucrativo recurso[11].

Se casos tão diversos têm em comum uma unidade de poder econômico e político que dá aos direitos políticos um valor especial, a desvalorização dos bens políticos no capitalismo se baseia na separação entre o econômico e o político. O *status* dos bens políticos há de ser reduzido pela autonomia da esfera econômica, pela independência da exploração capitalista em relação à execução de funções públicas, pela existência de uma esfera separada e puramente "política" distinta da "economia", que torna possível pela primeira vez uma "democracia" apenas política, sem as implicações econômicas e sociais associadas à antiga democracia grega.

Dito de outra forma, a separação entre o político e o econômico no capitalismo significa separar a vida comunitária da organização da produção. Por exemplo, nada se compara à regulamentação comunitária da produção exercida pela comunidade aldeã em muitas economias camponesas. E, no capitalismo, a vida política é separada da organização da exploração. Ao mesmo tempo, o capitalismo também reúne produção e apropriação numa unidade inseparável. No capitalismo, o ato da apropriação, a extração de mais-valia, é inseparável

---

[9] Ver anteriormente, p. 163, nota 10, a citação completa de Mencius.
[10] BRENNER, Robert. "Agrarian Class Structure and Economic Development in Pre-Industrial Europe". In: *The Brenner Debate: Agrarian Class Structure and Economic Development in Pre-Industrial Europe*, T. H. Aston e C. H. E. Philpin, (eds.), Cambridge, 1985, p. 55-7.
[11] Sobre essa questão, ver o estudo pioneiro de COMMINEL, George. *Rethinking the French Revolution: Marxism and the Revisionist Challenge*, Londres, 1987, esp. p. 196-203.

do processo de produção; e os dois processos foram separados da esfera política e, de certa forma, privatizados.

Tudo isso tem implicações para as condições de resistência. Por exemplo, não existe no capitalismo paralelo da função da aldeia comunitária como forma de organização da classe camponesa na luta contra a exploração senhorial, ou seja, uma forma de organização ao mesmo tempo e inseparavelmente política e econômica. No capitalismo, muita coisa pode acontecer na política e na organização comunitária em todos os níveis sem afetar fundamentalmente os poderes de exploração do capital ou sem alterar fundamentalmente o equilíbrio decisivo do poder social. Lutas nessas arenas continuam a ter importância vital, mas precisam ser organizadas e conduzidas com a noção clara de que o capitalismo tem notável capacidade de afastar a política democrática dos centros de decisão de poder social e de isentar o poder de apropriação e exploração da responsabilidade democrática.

Em resumo, nas sociedades pré-capitalistas, os poderes extraeconômicos tinham importância especial porque o poder econômico de apropriação era inseparável deles. Cabe aqui falar de escassez de bens extraeconômicos por serem eles valiosos demais para serem distribuídos. Poderíamos, então, caracterizar a situação dos bens extraeconômicos no *capitalismo* dizendo que ele superou tal escassez. E possibilitou uma distribuição muito mais ampla dos bens extraeconômicos e, especificamente, dos bens associados à cidadania, como jamais ocorreu antes. Mas para superar a escassez desvalorizou a generalização.

A POSIÇÃO DAS MULHERES

O que afirmei sobre a desvalorização dos direitos políticos vale também para todos, homens e mulheres, mas tem algumas consequências interessantes para as mulheres em particular, ou melhor, para as relações de gênero, que vão além das questões puramente políticas. Primeiro, há o fato óbvio de que mulheres sob o capitalismo conquistaram direitos políticos que nem eram sonhados em sociedades precedentes; e creio poder afirmar que a tendência geral a uma igualdade no mínimo formal criou pressões favoráveis à emancipação das mulheres sem precedentes históricos. Essa vitória, claro, não foi conquistada sem muita luta; mas a própria ideia de que a emancipação política era algo a que as mulheres podiam aspirar e por que podiam lutar só bem tarde entrou na ordem do dia. Em parte, esse fato pode ser atribuído à desvalorização generalizada dos bens políticos que tornou possível aos grupos dominantes ser menos discriminatórios com relação à sua distribuição. Mas, neste caso, há muito mais em jogo do que os direitos formais de cidadania.

Retornemos aos nossos exemplos pré-capitalistas. Focalizamos a atenção na combinação típica de produção camponesa e exploração extraeconômica. Podemos agora considerar o que isso representou para a posição das mulheres. É importante ter em mente que onde os camponeses eram os produtores primários e geradores de excedentes, como geralmente se deu nas sociedades pré-capitalistas, não era apenas o próprio camponês, mas a *família* camponesa que constituía a unidade básica de produção, assim como – e é necessário deixar isso bem claro – a unidade básica de exploração. O trabalho dos camponeses apropriado pelos proprietários da terra e pelos Estados era o trabalho de toda a família, e tomou a forma não somente de serviços geradores de renda ou de impostos prestados coletivamente pela família camponesa, ou outros tipos de serviços privados ou públicos, mas também o trabalho doméstico prestado na casa do senhor e, evidentemente, a reprodução da força de trabalho em si, a gestação e a criação dos filhos, os futuros trabalhadores, servos, soldados nos campos, lares e exércitos das classes dominantes. A divisão do trabalho numa família camponesa era inseparavelmente ligado às exigências impostas à unidade familiar por seu papel no processo de exploração. Fossem quais fossem as razões históricas para determinadas divisões sexuais do trabalho dentro de casa, nas sociedades de classe elas sempre foram distorcidas pelas relações de produção hierárquicas, coercitivas e antagônicas entre a família e as forças fora dela.

É particularmente importante lembrar que os camponeses pré-capitalistas em geral mantinham o controle do processo de produção, enquanto os senhores da terra aumentavam os excedentes menos pelo comando da produção que pelo uso de seus poderes de *extração* de excedentes, ou seja, seus poderes jurisdicionais, políticos e militares. Além das implicações gerais desse fato para a distribuição de direitos políticos, ele teve também consequências para as relações de gênero no âmbito da família camponesa. O ponto crítico pode ser resumido na afirmação de que sempre que houver exploração há de haver disciplina hierárquica e coercitiva, e que nesse caso as duas se concentram na família e se tornam inseparáveis das suas relações diárias. Não é possível haver uma separação clara entre as relações familiares e a organização do local de trabalho do tipo da que se desenvolve sob o capitalismo.

Já se afirmou que o "dilema" do camponês é ser ele um agente econômico e o chefe de uma família, e a família camponesa é "ao mesmo tempo uma unidade econômica e um lar". De um lado, a família deve atender suas próprias necessidades como unidade de consumo e como um conjunto de relações afetivas, e também as demandas da comunidade camponesa de que faz parte; de outro, do ponto de vista do explorador, a família camponesa é, como o exprimiu Eric Wolf, "uma fonte de trabalho e bens com que ele aumenta seu próprio fundo de poder"[12]. Uma consequência dessa unidade contraditória parece ser que a família reproduz as relações hierárquicas e coercitivas entre o explorador e o explorado. Na qualidade de organizador da produção, o chefe de família age em certo sentido como agente de seu próprio explorador.

Evidentemente, é possível afirmar que não existe necessidade absoluta de que essa estrutura hierárquica assuma a forma da dominação masculina, embora isso tenha sido o que em geral aconteceu, embora não universalmente. Mas, sem considerar quaisquer outros fatores que incentivem essa forma particular de hierarquia – tais como as diferenças de força física ou as funções reprodutivas que ocupam energias e tempo da mulher –, há uma disposição à dominação masculina inerente às relações entre a família camponesa pré-capitalista e o mundo dos senhores e do Estado.

---

[12] WOLF. *Peasants*, p. 12-7

Mais uma vez, essa relação é ao mesmo tempo e inseparavelmente econômica e política. Uma vez que os poderes de exploração que a família camponesa é obrigada a enfrentar são geralmente "extraeconômicos" – ou seja, jurídicos, políticos e militares –, eles são inevitavelmente ligados à única função social que foi sempre um monopólio universal masculino, a violência armada. Em outras palavras, a organização da sociedade em geral, e especificamente a natureza da classe dominante, impõe um prêmio à dominação masculina. O poder e o prestígio atribuídos ao papel masculino na sociedade em geral e na ideologia dominante da classe governante tiveram o efeito de reforçar a autoridade do homem, tanto nas funções políticas quanto nos cerimoniais da comunidade camponesa e da família. Se no âmbito da família o chefe é o agente do senhor e do Estado, fora dela ele também é seu representante político, no enfrentamento dos poderes extraeconômicos masculinos dos senhores e do Estado. Assim, o caráter extraeconômico político e coercitivo da exploração pré-capitalista tende a reforçar todas as outras disposições à dominação masculina no âmbito da família.

Incidentalmente, um teste importante dessas proposições poderia ser imaginar uma família dependente de produtores em que o homem não tem papel político fora da casa, ou cujas relações sociais não tenham caráter extraeconômico. A melhor aproximação talvez seja a família escrava do Sul dos Estados Unidos, um grupo de pessoas desenraizado, isolado de suas raízes comunitárias, sem posição política nem jurídica definidas, e inserido numa economia capitalista. E uma das características distintivas da família escrava americana, mesmo no meio de uma sociedade em que a dominação masculina era tenaz, foi exatamente a autoridade incomum da mulher.

De qualquer forma, no capitalismo, a organização da produção e da exploração não se liga de forma tão próxima com a organização da família, e o poder de exploração também não é diretamente extraeconômico, político ou militar. Embora o capitalismo se caracterize pelo impulso sem precedentes para a acumulação, ele preenche essa necessidade principalmente pelo aumento da produtividade do trabalho, e não por meio da extração coercitiva de mais-valia. Essa compulsão para maximizar a produtividade e o lucro, e o antagonismo de interesses entre capital e trabalho criam a necessidade de organização hierárquica altamente disciplinada da produção; mas o capitalismo não concentra na família esses antagonismos, essa organização hierárquica e coercitiva. Eles estão situados no local de trabalho. Mesmo nos casos em que a casa esteja mais ligada ao local de trabalho, como se dá, digamos, na pequena fazenda familiar, o mercado capitalista cria relações próprias com o mundo externo que são diferentes e tomam o lugar das antigas relações pré-capitalistas com a comunidade camponesa e com as forças políticas jurídicas e militares dos senhores e Estados. Essas novas relações têm geralmente o efeito de enfraquecer os princípios do patriarcado.

Já não existem os principais fatores que dispunham o feudalismo para a dominação masculina – ou seja, a unicidade da organização da produção e exploração e da organização da família, a relação extraeconômica entre exploradores e explorados, e outras. Enquanto o feudalismo operava por meio de uma relação entre o senhor ou Estado e a família, mediada pelo homem, o capital luta por relações diretas e não mediadas por *indivíduos*, homens ou mulheres, que do ponto de vista do capital assumem a identidade abstrata do trabalho. Homens interessados na manutenção de antigos padrões de dominação masculina foram forçados a defendê-los *dos* efeitos dissolventes do capitalismo – por exemplo, dos efeitos do crescente número de mulheres que deixam o lar para se incorporar à força de trabalho.

O capitalismo e a contração do domínio extraeconômico

São essas, então, as várias implicações da separação capitalista entre a exploração econômica e as forças e identidades extraeconômicas. Há ainda algo a ser dito sobre seus efeitos ideológicos. Tornou-se lugar-comum entre os teóricos "pós-marxistas" e seus sucessores dizer não somente que a democracia capitalista produziu poderosos impulsos ideológicos de busca de toda espécie de liberdade e igualdade, mas também que a "economia" tem importância limitada na experiência das pessoas, que a autonomia da política e a abertura das identidades sociais são a essência de nossa atual situação no Ocidente capitalista. Vamos examinar as características do capitalismo a que aparentemente se referem essas afirmações.

Paradoxalmente, mais uma vez, as próprias características que desvalorizaram os bens extraeconômicos nas sociedades capitalistas dão a aparência de *enfatizar* o domínio extraeconômico e de ampliar seu alcance. Essa aparência é entendida como realidade pelos ideólogos capitalistas que nos asseguram que o capitalismo liberal é a última palavra em liberdade e democracia (para não mencionar o fim da história), e agora parece que as pessoas de esquerda estão, para o melhor e o pior, passando também a aceitá-la. O capitalismo parece deixar muitos espaços livres fora da economia. A produção foi isolada em instituições especializadas, as fábricas e os escritórios. A jornada de trabalho é nitidamente separada das horas sem trabalho. A exploração já não está formalmente associada a incapacidades jurídicas ou políticas. Parece haver uma ampla gama de relações sociais externas à estrutura de produção e exploração, que criam uma variedade de identidades sociais sem ligação imediata com a "economia". Nesse sentido, as identidades sociais parecem muito mais "abertas". Assim, é possível que a separação da economia pareça dar ao mundo externo a ela um alcance maior, uma liberdade maior.

Mas, na realidade, a economia do capitalismo invadiu e estreitou o domínio extraeconômico. O capital assumiu o controle privado sobre questões que já pertenceram ao domínio público, ao mesmo tempo em que transferia para o Estado várias responsabilidades sociais e políticas. Mesmo as áreas da vida social que estão fora das esferas de produção e apropriação, e fora do alcance imediato do controle capitalista, são sujeitas aos imperativos do mercado e à transformação dos bens extraeconômicos. Praticamente não existe aspecto da vida na sociedade capitalista que não seja profundamente determinado pela lógica do mercado.

Se no capitalismo a política tem autonomia específica, há um sentido importante em que essa autonomia é mais fraca, e não mais forte, do que a autonomia da política pré-capitalista. Como a separação entre o econômico e o político significou também a transferência de funções antes políticas para a esfera econômica separada, a política e o Estado são agora mais, e não menos, restringidos pelos imperativos e exigências das classes apropriadoras. Podemos aqui relembrar exemplos anteriores de Estados pré-capitalistas livres das classes dominantes, a ponto de agirem eles próprios como classe, competindo com outros apropriadores de classe pelos mesmos excedentes produzidos pelos camponeses.

Para a esquerda, é um truísmo que a vida social no capitalismo seja subordinada de forma única aos imperativos da "economia" e por eles moldada, mas as tendências mais recentes da teoria social na esquerda parecem ter abandonado essa ideia simples. De fato, não é exagero afirmar que elas se deixaram enganar pelas aparências mistificadoras do capitalismo, pela ilusão unilateral de ter o capitalismo liberado e enriquecido a esfera extraeconômica. Se a autonomia da política, a evidência das identidades sociais e a ampla distribuição dos bens extraeconômicos são parte da verdade, não passam de parte dela, uma parte pequena e contraditória.

Entretanto, a tendência a ver apenas parte do quadro não surpreende. Uma das características mais notáveis do capitalismo é essa capacidade de ocultar o rosto atrás de uma máscara de mistificações ideológicas. Mais surpreendente é o fato de se haver criado uma convenção segundo a qual o capitalismo deveria ser excepcionalmente *transparente* nas suas relações de exploração e dominação econômicas. Os cientistas sociais afirmam com frequência que, ao contrário dos modos pré-capitalistas de produção, no capitalismo as relações de classe são nitidamente delineadas, não são mascaradas por categorias não econômicas, tais como diferenças de *status* ou outros princípios não econômicos de estratificação. As relações econômicas se destacam, pois a economia já não está mergulhada nas relações sociais não econômicas. Somente agora, dizem eles, tornou-se possível falar de consciência de *classe*.

Mesmo entre aqueles que negam a importância da classe na sociedade capitalista – como uma entre muitas "identidades" – existe quem endosse essa opinião. Concordam sobre a distinção da esfera econômica no capitalismo e sobre a nitidez da classe como categoria claramente econômica, e então passam a tratar essa separação como *isolamento* e a relegam a uma periferia insular, baseados em que, ainda que as pessoas pertençam a classes, as identidades de classe têm importância limitada, não mais que marginal, na experiência dos seres humanos. As pessoas têm outras identidades que nada têm a ver com classe e que são tão ou mais determinantes.

Mais uma vez, há nisso uma ponta de verdade, apenas parte de uma verdade contraditória, tão parcial que pode ser vista como uma grosseira distorção. Evidentemente, as pessoas têm outras identidades sociais além de classe, e é claro que elas têm grande capacidade para dar forma às suas experiências. Mas esse truísmo simples não aumenta o nosso conhecimento, e quase nada nos diz sobre como essas identidades deveriam ser representadas na construção de uma política socialista – ou de qualquer programa de emancipação – se não aprofundarmos o que essas identidades significam, não apenas o que revelam sobre a experiência das pessoas, mas também o que ocultam.

Deu-se muito pouca atenção à capacidade sem precedentes do capitalismo de mascarar exploração e classe – ou melhor, torna-se cada vez mais difícil reconhecer que essa máscara é exatamente uma máscara. A exploração capitalista, longe de ser mais transparente que outras formas, é mais opaca que qualquer outra, como mostrou Marx, mascarada pela obscuridade da relação entre capital e trabalho em que a porção não paga de trabalho é completamente disfarçada na permuta de força de trabalho por salário, na qual é o capitalista quem paga ao trabalhador, ao contrário, por exemplo, do camponês que paga ao senhor. É esta a falsa aparência mais elementar que existe no centro das relações capitalistas, mas é apenas uma entre muitas. Há também o já conhecido "fetichismo de mercadorias" que dá às relações entre pessoas a aparência de relações entre coisas, já que o mercado medeia a mais básica das transações humanas; há a mistificação política de que igualdade cívica significa não haver classe dominante no capitalismo; e muitas outras.

Tudo isso é muito conhecido, mas é necessário enfatizar que a exploração e a falta de liberdade capitalistas são de muitas formas menos, e não mais, transparentes que a dominação pré-capitalista. A exploração do camponês medieval, por exemplo, ficou mais, e não menos, visível pelo reconhecimento jurídico de sua dependência por parte do feudalismo. Em comparação, a igualdade jurídica, a liberdade contratual e a cidadania do trabalhador numa democracia capitalista obscurecem as relações ocultas de desigualdade econômica, ausência de liberdade e exploração. Em outras palavras, a própria separação entre o econômico e o extraeconômico, que deveria desmascarar as realidades de classe no capitalismo, é o que, pelo contrário, mistifica as relações de classe capitalistas.

O efeito do capitalismo talvez seja a negação da importância da classe no momento mesmo, e pelos mesmos meios, em que ele limpa a classe de todos os resíduos extraeconômicos. Se o efeito do capitalismo é criar uma categoria puramente econômica de classe, ele também cria a aparência de que classe é *apenas* uma categoria econômica, e de que existe um vasto mundo além da "economia" onde o ditame de classe já não é válido. Tratar essa aparência como se fosse uma realidade final e sem máscara não representa avanço na análise do capitalismo. É o erro de ver no problema sua solução, e no obstáculo, uma oportunidade. É menos esclarecedor que o menos crítico dos economistas políticos pré-marxistas; e construir uma estratégia política sobre a manutenção dessa mistificação, e não sobre o esforço para erradicá-la, conduz certamente à própria derrota.

Então, o que significa tudo isso para os bens extraeconômicos na sociedade capitalista e para o projeto socialista? Vou resumir: a indiferença estrutural do capitalismo pelas identidades sociais das pessoas que explora torna-o capaz de prescindir das desigualdades e opressões extraeconômicas. Isso quer dizer que, embora o capitalismo não seja capaz de garantir a emancipação da opressão de gênero ou raça, a conquista dessa emancipação também não garante a erradicação do capitalismo. Ao mesmo tempo, essa mesma indiferença pelas identidades extraeconômicas torna particularmente eficaz e flexível o seu uso como cobertura ideológica pelo capitalismo. Enquanto nas sociedades pré-capitalistas as identidades extraeconômicas acentuavam as relações de exploração, no capitalismo elas geralmente servem para obscurecer o principal modo de opressão que lhe é específico. E, apesar de o capitalismo tornar possível uma redistribuição sem precedentes de bens extraeconômicos, ele o faz desvalorizando-os.

O que dizer então do socialismo? O socialismo talvez não seja em si uma garantia de completa conquista dos bens extraeconômicos. Talvez não seja em si a garantia da destruição dos padrões históricos e culturais de opressão de mulheres ou racismo. Mas é capaz de pelo menos duas coisas importantes, além da abolição dessas formas de opressão que homens e mulheres, negros e brancos, sofrem em comum como membros de uma classe explorada. Primeiro, ele elimina as necessidades ideológicas e econômicas que, sob o capitalismo, ainda são atendidas pela opressão de raça e gênero. O socialismo talvez venha a ser a primeira forma social desde o advento da sociedade de classes cuja reprodução como sistema social é ameaçada, e não favorecida, pelas relações e ideologias de dominação e opressão. Segundo, ele vai permitir a revalorização dos bens extraeconômicos, cujo valor foi deteriorado pela economia capitalista. A democracia que o socialismo oferece está baseada na reintegração da "economia" à vida política da comunidade, que se inicia pela sua subordinação à autodeterminação democrática dos próprios produtores.

Conclusão

A maioria dos socialistas já desistiu há muito tempo de prever a morte iminente do capitalismo. Embora o "ciclo de negócios" continue a ser pontuado por crises regulares, já nos acostumamos à flexibilidade do sistema e à sua capacidade de encontrar novos caminhos de expansão. Mas parece que hoje estamos enfrentando algo novo com que a esquerda nunca havia se deparado. A prolongada crise nas economias capitalistas avançadas, que até os economistas alinhados ao sistema estão descrevendo como "estrutural", talvez não seja uma indicação de declínio terminal; mas talvez indique que essas economias já esgotaram, para um futuro previsível, sua capacidade de sobreviver sem deprimir ainda mais as condições de vida e de trabalho de suas populações – muito menos as dos países menos desenvolvidos que elas continuam a explorar como fontes de trabalho barato e de dívidas. Ainda assim, embora sejam muitas as lamúrias, e não somente da esquerda, sobre a condição atual do capitalismo, suas implicações, na teoria e na prática, ainda não foram entendidas.

Vou primeiro esboçar o contexto. Não é necessário falar muito a respeito do catálogo de declínio que é alimento diário de todos os meios de comunicação dos países ocidentais. As economias capitalistas adiantadas enfrentam uma longa e profunda recessão, além das fissuras e contradições do mundo capitalista expostas pelo colapso do comunismo, antes ocultas e mascaradas pela guerra fria. As economias europeias mais fortes vivem o que para elas são novas formas de desemprego estrutural de longo prazo, e a unificação da Alemanha agravou dramaticamente os pontos fracos que já começavam a aparecer na economia mais bem-sucedida da Europa. O Japão começou a sofrer os males aos quais o seu "milagre" econômico parecia imune (para não falar das penosas condições de vida e trabalho que o sustentaram). Enquanto isso, recebemos garantias de que nos Estados Unidos e em outros lugares a recessão recalcitrante já foi revertida; mas os economistas têm sido mais que normalmente seletivos na leitura dos "indicadores" econômicos para demonstrar inversão de tendência da economia, deixando de lado as evidências de que o desemprego em massa, ou o subemprego, a pobreza, o desabrigo, o racismo e a violência criminal parecem ter se transformado em características permanentes dos países mais ricos do mundo. As taxas de desemprego ligeiramente mais baixas dos Estados Unidos foram conquistadas em detrimento do crescimento dos empregos de baixos salários e de uma grande classe de trabalhadores pobres. A crescente consciência ecológica dos países ocidentais também não foi capaz de controlar o imperativo estrutural do capitalismo de degradar o meio ambiente. Tudo isso acontece enquanto formações políticas tradicionais, de esquerda e direita, vivem diversos graus de crise, chegando em alguns casos, como acontece na Itália, quase ao ponto do colapso.

Ninguém duvida que, em meio a essa litania de males econômicos, seja o desemprego estrutural de longo prazo – complicado pelas mudanças no padrão de trabalho em direção à informalidade e aos contratos de curto prazo – de longe o sinal mais importante que desafiou as flutuações de todos os outros indicadores econômicos, contrariando até mesmo as convenções econômicas mais básicas relativas a crescimento e emprego[1]. Mas, se isso não é novidade, os termos do debate dominante sobre essas questões na Europa e nos Estados Unidos sugerem que alguém está interpretando mal os acontecimentos.

Mercados, "flexíveis" e "sociais"

A última palavra mágica no debate econômico (se a isso se pode dar o nome de debate) é "flexibilidade": as economias capitalistas avançadas, é o que se afirma, devem desregulamentar o mercado de trabalho, enfraquecer a "rede de segurança" social e quem sabe levantar as restrições à poluição ambiental para competir com o capitalismo do Terceiro Mundo, ao permitir que os termos e as condições de trabalho caiam aos níveis de seus competidores nos países menos desenvolvidos. Além dos cuidados com a previdência social, também o salário e as condições de trabalho decentes, e até a proteção do meio ambiente, parecem constituir obstáculos à competitividade, à lucratividade e ao crescimento.

Por si só, isto talvez não seja novidade, pelo menos para a extrema direita, mas parece haver uma nova disposição de se manifestar explicitamente sobre a necessidade de deprimir a condição dos trabalhadores no interesse de mercados "flexíveis" de trabalho, e uma nova tendência a incluir entre os inimigos da flexibilidade até mesmo os direitos e as proteções que qualquer um, com exceção do mais fanático dos neoconservadores, teria preferido preservar. Talvez se note um desvio para a esquerda nessa exigência de maior "flexibilidade". Não são apenas os conservadores da Europa Ocidental, em cujas fileiras os britânicos pareciam isolados na oposição às frágeis regulamentações das Questões Sociais, que agora falam a língua da flexibilidade à medida que acordam para as novas realidades do desemprego de longo prazo. Até entre os partidos europeus de esquerda já não está tão claro que este é um território proibido.

Se nesse debate existe alternativa à flexibilidade, ela é, segundo alguns (principalmente o Partido Trabalhista Britânico), a criação de uma força de trabalho altamente qualificada que atraia o capital deslocado para as economias dependentes de baixos salários. Educação e treinamento são, de acordo com esse ponto de vista, a principal

---

[1] No momento em que escrevo, estima-se que 40% da força de trabalho canadense esteja desempregada ou ocupada em empregos inseguros ou temporários. Nos Estados Unidos, entre 20 e 30% estão ocupados em empregos temporários ou de contrato limitado, longe do grande e crescente número de empregos de baixos salários em tempo integral. Sobre os padrões de trabalho, ver MATTERA, Philip. *Prosperity Lost*, Reading, Mass, 1990.

cura para os males econômicos. Mas não há sinal mais seguro de desespero que a fé nessa solução de cuja eficácia não se tem evidência. Num contexto de desemprego em massa, a lógica de uma teoria que coloca a oferta de mão de obra qualificada antes da demanda é no mínimo ilusória. Seria razoável supor que, para absorver uma força qualificada recém-criada, fossem criados de repente empregos que não existem por razões estruturais? De qualquer forma, será tão evidente que a maioria dos empregos (com exceção do trabalho da secretária, geralmente pouco valorizado), mesmo nas mais avançadas indústrias de alta tecnologia, exige mesmo treinamento demorado e habilidades que não se adquirem no trabalho[2]?

As evidências sugerem que o capital não tem maior probabilidade de gravitar em torno de uma força de trabalho altamente qualificada do que de outra mais barata. De fato, o crescimento atual do desemprego na Alemanha, o modelo de uma economia bem treinada, deve ser suficiente para lançar dúvidas sobre a solução pelo treinamento; e lá, exatamente na indústria de alta tecnologia, há sinais de uma tendência a se deslocar as fábricas europeias para a Ásia, deixando uma força de trabalho qualificada, mas "inflexível" para locais onde os custos do trabalho, inclusive pensões e planos de saúde, são menores, e onde há uma "cultura" menos avessa a longas e insalubres jornadas de trabalho, a turnos ininterruptos e a condições de trabalho geralmente piores[3].

Se a solução pelo treinamento não é adequada, existem outras opções oferecidas pela esquerda? Como as convicções da direita se espalham na direção da esquerda, deslocando até as formas mais inofensivas de neokeynesianismo, todo o espectro do debate parece estar adotando uma nova tendência em que mesmo a lealdade ao Estado keynesiano de bem-estar já é vista como uma posição cada vez mais revolucionária – e, de fato, há hoje pessoas na extrema esquerda que adotaram esta como sua própria posição, e substituíram o socialismo por uma "cidadania social", o aprimoramento dos "direitos sociais" sob o capitalismo, como sua maior (mais viável) aspiração emancipatória.

Mas e se a cidadania social for *menos* viável que o socialismo? E se a direita estiver correta? E se o Estado de bem-estar já não for o refúgio da esquerda? E se formos forçados a admitir que o Estado de bem-estar e a regulamentação do mercado de trabalho são incompatíveis não somente com o objetivo do lucro de curto prazo, mas também com a competitividade e o crescimento de longo prazo? E se o futuro do capitalismo ocidental depender realmente da redução dos padrões de vida e de trabalho? E se a disparidade entre o nível de forças produtivas e sua contribuição para a melhoria das condições de vida estiver crescendo, em vez de diminuindo? E se não formos capazes de negar as queixas ruidosas da extrema direita, se for realmente verdade (agora, se não antes) que os direitos dos trabalhadores, a cidadania social, o poder democrático e até mesmo uma qualidade decente de vida para a massa da

---

[2] Sobre a educação na economia de hoje, ver BLAUG, Mark. *The Economic Value of Education: Studies in the Economics of Education*, Aldenshot, 1992.

[3] Ver *Financial Times* ("Cost constrains prompt a continental shift"), 25 de agosto de 1992, o caso emblemático da LSI Logic, um fabricante americano de semicondutores, inicialmente atraído pela força de trabalho qualificada e pelos generosos incentivos da Alemanha, e que decidiu fechar sua fábrica alemã e mudar-se para o Extremo Oriente.

população são de fato incompatíveis com o lucro, e que o capitalismo, mesmo nas suas formas mais avançadas, não é capaz de oferecer lucro e "crescimento", nem a melhoria das condições de trabalho e de vida, muito menos justiça social? Não é essa a mensagem que se extrai do discurso da "flexibilidade", e já não deveríamos estar aprendendo com esse fato que esse julgamento sombrio de nosso sistema econômico já não é mais uma reserva da esquerda?

Mas o que vemos é uma estranha inversão de posições. Hoje são os ideólogos da ala direita do capitalismo que apregoam suas limitações, enquanto a esquerda descobre novas razões para ter fé na sua capacidade de adaptação. Por trás dessa curiosa inversão talvez se encontre outra mudança estranha: foi o marxismo que denunciou a cruel lógica social do mercado capitalista mascarada pela economia política clássica, mas hoje essa lógica está sendo revelada nas páginas financeiras da imprensa burguesa e pelos economistas da "flexibilidade", enquanto muitos dos antigos militantes da esquerda marxista se converteram à crença no mercado "social", um mercado capitalista com rosto humano.

Vou expor claramente minha própria posição. Acredito que a direita esteja certa em relação aos custos sociais da lucratividade capitalista. A língua da "flexibilidade" certamente registra importantes alterações estruturais na economia mundial que tornam ineficazes os velhos corretivos intervencionistas. O capitalismo com rosto humano talvez exija mais intervenção do Estado do que exigiria o socialismo, talvez um planejamento mais extensivo que o sonhado pelo mais ortodoxo dos comunistas, e desta vez numa enorme escala internacional[4]. Com isso não quero negar que a esquerda deva defender com todas as suas forças o Estado de bem-estar ou a regulamentação ambiental, ou que educação seja um bem indiscutível a ser perseguido por razões que nada têm a ver com a maximização dos lucros. Provisão para a seguridade, proteção ambiental e educação devem continuar no centro dos programas de curto e longo prazos da esquerda. Basta apenas reconhecer os limites do capitalismo. Acho difícil entender como o mercado há de se tornar uma disciplina "econômica", um mecanismo motor e um regulador da economia, sem mais cedo ou mais tarde produzir as mesmas consequências que preocupam os expoentes da flexibilidade e que os defensores do mercado social prometem corrigir.

Uma coisa é falar da adoção de certos mecanismos de "mercado" como instrumentos de circulação e intercâmbio. Outra muito diferente é convocar o mercado a agir como regulador econômico, o garantidor de uma economia "racional". Não pretendo explicar aqui essa distinção, apenas dizer que a economia "racional" garantida pelas disciplinas do mercado, auxiliadas pelo mecanismo de preço de que

---

[4] Ver, por exemplo, as observações de Robert Heilbroner sobre as mudanças que tornam menos viáveis as soluções keynesianas. Apesar de insistir que ainda temos algo a aprender do "espírito" da teoria econômica de Keynes, Heilbroner afirma que "o desemprego persistente de hoje, tanto nas suas origens quanto nas consequências, parece diferente do problema que Keynes pensou poder ser remediado por 'uma socialização um tanto abrangente do investimento'". Entre as diferenças estruturais estão as "pressões inflacionárias, desconhecidas no tempo de Keynes", e "a interpenetração internacional de mercados" que "ameaça diluir o efeito benéfico de qualquer programa de recuperação, ainda que ousado. Ela indica a necessidade de coordenação internacional de esforços econômicos – um objetivo que se encontra, lamento, muito além de nosso alcance". "Acts of an Apostle", *New York Review of Books*, 3 de março de 1994, p. 9.

dependem, está assentada num requisito insuperável, a transformação da força de trabalho em mercadoria e sua sujeição aos mesmos imperativos da competição que determinam os movimentos de outros "fatores" econômicos[5]. Isso quer dizer que, além dos efeitos diretos sobre os trabalhadores, há uma contradição entre as funções reguladoras do mercado e sua capacidade de "socialização".

Falei antes, especialmente nos capítulos "História ou determinismo tecnológico?" e "História ou teleologia?...", sobre a incapacidade dos historiadores de reconhecer a distinção entre sociedades com mercado e comércio, que existiram ao longo de toda a história conhecida, e a especificidade do capitalismo, em que "o mercado" não é uma oportunidade, mas um imperativo. A diferença está no grau em que o acesso dos produtores aos meios de produção depende do mercado. Os imperativos da competição, da maximização de lucros e da acumulação foram acionados, por exemplo, no momento em que se negou aos meeiros ingleses o acesso às terras por outras vias que não o mercado, sujeitando-os não somente à exigência de venderem seus produtos no mercado, mas também a um mercado de arrendamento que, nas condições específicas das relações de propriedade inglesas, forçou-os a produzir lucrativamente apenas para manter o acesso à própria terra; e esses imperativos foram reforçados à medida que as pressões da competição aceleraram o processo de divisão entre uma classe de grandes proprietários e uma classe de trabalhadores completamente destituída de propriedade e obrigada a vender sua força de trabalho por um salário. A visão geralmente aceita do capitalismo como expansão de mercados (tenha essa visão a forma do velho modelo de comercialização, com o fechamento e a abertura de rotas de comércio, ou a do argumento demográfico mais complexo) se baseia na fusão desses dois tipos diferentes de "mercado"; e a mesma incapacidade de reconhecer a especificidade histórica do capitalismo e a distinção entre *oportunidades* e *imperativos* de mercado parece-me estar oculta sob a crença corrente das possibilidades infinitas de um mercado socializado.

Democracia como mecanismo econômico

Se a direita estiver correta sobre o mercado como agente regulador, parece-me que a principal tarefa de longo prazo é pensar em mecanismos alternativos para regular a produção social. A antiga opção entre mercado e planejamento centralizado é estéril. De várias formas, os dois foram movidos pelos imperativos da acumulação – num dos casos, impostos pelas exigências da competição e da maximização do lucro intrínsecas ao sistema, no outro, pelas exigências do desenvolvimento industrial acelerado. Nenhum dos dois envolveu a reapropriação dos meios de produção pelos produtores, nem foi motivado pelos interesses dos trabalhadores cujo trabalho excedente foi apropriado, nem mesmo pelos interesses do conjunto da população; e em nenhum dos dois casos a produção se sujeitou à responsabilidade social. Nem o mercado social nem o "socialismo de mercado" oferecem uma alternativa, pois,

---

[5] Indico aos leitores o trabalho de meu amigo, colega e ex-aluno, David McNally, que discorreu com admirável lucidez sobre as implicações do mercado como regulador em *Against the Market: Political Economy, Market Socialism and the Marxist Critique*, Londres, 1993, especialmente o capítulo 6.

com ou sem um rosto humano, os imperativos do mercado permanecem como o mecanismo acionador. Na economia mundial de hoje, à medida que o mercado social assume o ar de utopia, cada vez menos viável, uma contradição em termos, talvez seja mais realista pensar em alternativas radicais.

Já sugeri em várias partes deste livro que o mercado capitalista é um espaço *político*, assim como econômico, um terreno não apenas de liberdade e escolha, mas também de dominação e coação. Quero agora sugerir que a *democracia* precisa ser repensada não apenas como categoria política, mas também como categoria econômica. Não estou sugerindo apenas uma "democracia econômica" entendida como maior igualdade na distribuição. Estou sugerindo democracia como um regulador econômico, o *mecanismo acionador* da economia.

Um bom ponto de partida é a associação livre de produtores diretos (que não se limita a incluir trabalhadores manuais ou pessoas diretamente envolvidas na produção material6) proposta por Marx. É claro que o melhor local para começar a busca de um novo mecanismo econômico é a própria base da economia, na organização do trabalho. Mas a questão não é apenas a organização interna das empresas; e mesmo a reapropriação dos meios de produção pelos produtores, ainda que condição necessária, não seria suficiente, pois a posse permanece dependente do mercado e sujeita aos velhos imperativos. A liberdade de livre associação implica não somente a organização democrática, mas também a emancipação de coações "econômicas" desse tipo.

Estabelecer uma organização democrática de produtores diretos, por comparação com a atual estrutura hierárquica da empresa capitalista, é tarefa fácil sob certos aspectos. Até certo ponto, mesmo as firmas capitalistas têm condições de acomodar organizações alternativas – como o "conceito de equipe". Com certeza, não há nada de especialmente democrático no conceito de equipe que opera nas empresas capitalistas; mas mesmo com as equipes organizadas da forma mais democrática, essas empresas seriam governadas não pelos objetivos autodeterminados das pessoas que nela trabalham, mas pelos imperativos impostos a elas do exterior, nem mesmo pelas necessidades e pelos desejos da maioria dos cidadãos, mas pelos interesses dos empregadores e pelas coerções impostas pelo mercado capitalista em si: os imperativos da competição, da produtividade e da maximização dos lucros. E é claro que os trabalhadores continuariam vulneráveis à ameaça de demissão e fechamento de fábricas, a disciplina última do mercado. De qualquer forma, esses novos modos de organização são concebidos não como novas formas de democracia, que tornam a organização mais responsável perante seus empregados e a comunidade, mas, pelo contrário, como meio de tornar os trabalhadores mais atentos às necessidades econômicas da organização. Essas organizações não satisfazem aos critérios mais básicos

---

[6] Um bom ponto de partida para entender o conceito de Marx de classe produtora é seu conceito do "trabalhador coletivo", que nas sociedades capitalistas inclui uma ampla variedade de trabalhadores, tanto operários quanto administrativos, situados em pontos diferentes do processo de criação e realização de mais-valia apropriado pelo capital. (Para uma discussão dessa questão, ver MEISKINS, Peter. "Beyond the Boundary Question", *New Left Review* 157, p. 101-20.) É essa a classe cuja autoemancipação viria a constituir o socialismo; mas é evidente que com a abolição da exploração capitalista a natureza dos "produtores" deixaria de ser definida por sua contribuição à produção de capital.

de democracia, pois o "povo" – os trabalhadores, ou o corpo de cidadãos – não será em nenhum sentido soberano, nem é objetivo primário da organização aprimorar a qualidade de vida de seus membros nem a busca de objetivos que eles definiram para si próprios.

Nem mesmo a tomada do controle por parte dos trabalhadores evitaria, por si só, a alienação do poder para o mercado. Qualquer pessoa que tenha acompanhado os debates sobre a compra da United Airlines nos Estados Unidos pode entender o problema. O argumento mais forte que os trabalhadores conseguiram apresentar em defesa de sua proposta foi que eles não seriam menos sensíveis que seus empregadores capitalistas aos imperativos do mercado – inclusive, é o que se supõe, as disciplinas de fechamento e demissões sem as quais o mercado não tem condições de operar como regulador.

Formas novas e mais democráticas de organizar o local de trabalho e as tomadas de controle por parte dos trabalhadores são objetivos admiráveis em si e a base potencial de algo mais; mas, ainda que todas as empresas fossem assim tomadas, persistiria o problema de separá-las dos imperativos do mercado. Certos instrumentos e instituições hoje associados ao "mercado" seriam sem dúvida úteis numa sociedade realmente democrática, mas a força motora da economia teria de emanar não do mercado, mas de dentro da associação autoativa dos produtores. E se a força motivadora da economia se encontrasse na empresa democrática, nos interesses e objetivos dos trabalhadores autoativos, seria necessário descobrir alternativas para colocar tais objetivos e interesses a serviço da administração da economia como um todo e do bem-estar da comunidade em geral.

Não quero dar a entender que tenho as respostas; mas, como sempre, é necessário definir primeiro os problemas, o que ainda mal começamos a fazer, a julgar pelos debates atuais. No momento, quero apenas enfatizar um ponto: o que estamos procurando não são apenas novas formas de propriedade, mas também um novo mecanismo motor, uma nova racionalidade, uma nova lógica econômica; e se, como acredito ser o caso, o local mais promissor para começar é a organização democrática da produção, o que pressupõe a reapropriação dos meios de produção pelos produtores, então é também necessário enfatizar que os benefícios da substituição da racionalidade do mercado como mecanismo motor não seriam somente dos trabalhadores, mas de todos aqueles que se sujeitam às consequências dos imperativos do mercado, desde os seus efeitos sobre os termos e condições de trabalho e lazer – na verdade, a própria organização do tempo – até as implicações maiores para a qualidade da vida social, a cultura, o meio ambiente e os bens "extraeconômicos" em geral.

Nesse meio tempo, a atual lógica do mercado gera efeitos para os quais a esquerda, tal como está hoje constituída, está despreparada, teórica e politicamente. Os acontecimentos que deveriam revigorar o capitalismo ocidental – a integração europeia e o livre comércio na América do Norte – parecem criar condições para novas confrontações de classe entre capital e trabalho. Por exemplo, assim como o Nafta, evidentemente criado para deprimir as condições de trabalho nos Estados Unidos para convergir com os vizinhos mexicanos, foi instituído contra a resistência do trabalhismo organizado, a integração europeia tem o efeito de enfraquecer os mecanismos – tais como déficit e desvalorização – por meio dos quais as economias nacionais europeias conseguiram no passado acomodar aumentos de salário e amortecer o desemprego.

Os efeitos já começaram a se manifestar numa explosão de agitação operária na Europa e na crescente politização dos sindicatos – mais significativa e sintomaticamente na Alemanha. Ao mesmo tempo, um dos milagres asiáticos, a a Coreia, experimenta agora uma "moderna" política de classes, enquanto a Rússia e as chamadas novas democracias se transformaram em terreno fértil para o conflito de classes, à medida que se estabelecem as disciplinas do mercado. Onde estão os recursos políticos e intelectuais para tratar esses acontecimentos, quando os partidos de esquerda abandonaram o terreno da política de classes e a nova pós-esquerda ainda está em busca de uma identidade? O que, por exemplo, poderá preencher o vácuo político deixado pela defecção dos partidos operários, à medida que a reestruturação do capitalismo aumenta as pressões ao longo das linhas de tensão de classe e cria novas formas de trabalho inseguro e vulnerável? Quem sabe mais extremismos de direita?

Ninguém nega que a "nova ordem mundial" define tarefas inteiramente novas tanto para a esquerda quanto para todos os outros. Mas o colapso do comunismo não é somente o momento definidor de nosso tempo, não é apenas uma transformação significativa que exige sério "repensar". Nesse meio tempo, alguma coisa está acontecendo também com o capitalismo. Até agora as principais soluções oferecidas foram, de várias formas, contraditórias e devem gerar o próprio fracasso. O mercado "flexível" acentua a flexibilidade e a competitividade solapando as suas próprias fundações enquanto retira consumidores do mercado, enquanto o mercado "social", submetendo-se aos imperativos capitalistas, estabelece limites estreitos para sua própria capacidade de humanizar o capitalismo. A lição que talvez sejamos forçados a aprender de nossas atuais condições econômicas e políticas é que um capitalismo humano, "social" e verdadeiramente democrático e igualitário é mais irreal e utópico que o socialismo.

ÍNDICE REMISSIVO

A

absolutismo 21-22, 56, 174, 197, 206

ação humana 17-18, 51, 52, 53, 59-60, 92-93

acumulação 28, 31, 44, 131-132, 247-248

agricultura 58, 114, 168, 170, 183

Alemanha 145, 153-154, 243, 245, 250

Althusser, Louis 17-18, 19-20, 51-53, 69, 71, 92, 94-96
  sobre a distinção entre formação social e modo de produção 54, 59

Anderson, Perry 12, 54, 71, 75, 76, 79--80, 82, 86, 158nota, 183nota

aprendizado 166-167

apropriação 28, 34-35, 36, 146-147, 215, 216, 247
  e o Estado 37-38
  capitalista 45-46, 99, 235-236
  feudal 41-42, 145
  nas sociedades pré-capitalistas 162

Aristóteles 183, 187-188, 190-192, 230

Ásia
  modo de produção na 38-40, 41

Atenas 141, 150, 172, 181-182, 193
  cidadania em 157, 160, 162-166, 167, 168, 173, 178, 181-182, 183, 189, 234-235
  democracia em 173-175, 183, 186--188, 196-197, 202-203, 234
  escravidão em 157-161, 164
  trabalho em 142, 157-171
  trabalho livre em 158-159, 162-165, 168-171, 173
atividades econômicas 146-149

B

Balibar, Étienne 54-55, 57

base econômica 16, 22, 28-29, 32-34, 66
  e o modo base/superestrutura 51-53, 54-55, 58-59, 70-72

bens extra-econômicos 227
  e capitalismo 228-229, 232, 235-236, 239-242

bens políticos
  desvalorização dos 232-236

Böckh, August 170

Brenner, Robert 12, 33-34, 43-44, 101, 105-106, 107-109, 119, 235

burgueses 29, 140, 144, 145, 170

burguesia 29, 112, 130-131, 133, 135, 140-141, 143, 145-146, 150-151

C

calvinismo 135, 145-146

capital 120, 148-149
  ver também capitalismo
  como relação social de produção 30-31

capital, O 28, 38, 39, 58, 105, 112, 122, 131-132, 133
capitalismo 27-29, 30-31, 40, 83-86, 99-100
  e cidadania 180, 182-183, 193, 210-212
  e sociedade civil 206-207, 210-212
  e luta de classes 46-49, 66-68
  premissa de que sempre existiu 103-104, 106, 130-131, 133-134, 136
  capacidade de mascarar exploração e classe 240-241
  dissolução conceitual do 205, 222
  contradições do 116, 120-124
  e controle sobre a vida humana 45-47
  e controle sobre a produção 44-46
  crítica do 13, 14-15, 21, 205
  crise atual do 243-244, 249-250
  e democracia 173-175, 180-184, 193, 232-233
  definição econômica do 148-149
  e bens extra-econômicos 227-229, 236, 238-242
  e flexibilidade 244-247
  e democracia formal 212-213, 216-217
  e igualdade formal 221-222
  e opressão de gênero 229-232
  e trabalho 137-139
  e mercados 246-250
  e modo de produção 54-57, 60-61
  e privatização do poder político 43-47
  e ética protestante do trabalho 135-137, 142-144, 145, 172
  domínios público e privado no 217-219
  e racismo 221-222, 228-231
  e separação entre o político e o econômico 27-29, 34-36, 47-48, 180, 235-236, 239-240
  e escravidão 230-231
  especificidade do 14, 16, 21, 22-23, 40nota, 107-110, 111-114, 122-124, 131-133
  e progresso técnico 129-135
  poder totalizante do 14, 212
  e transferência de mais-valia 100
  transição para 16-17, 101-102, 104-107, 121-122, 132, 133, 134-135, 146
  universalização do 108, 148
cartismo 69-70, 184
categorias ontológicas 71-72
Caudwell, Cristopher 61-62, 65
causação 18, 63, 151-152
China 41, 120, 150-151, 215
cidadania 23, 142-143, 162-165, 167-168, 173-175, 177, 179, 180, 232, 234-236
  e democracia antiga 173-174, 178, 183-184, 189
  limitada sob o capitalismo 180, 182-183, 193
  e democracia moderna 203-204
  visão passiva da 188-189
cidadão camponês 157, 160, 162-165, 168-170, 177, 178, 181-182, 234-235
cidade medieval
  e a ascensão do capitalismo 143-146
  comparação com a cidade antiga 139-143
cidades 107-108, 133-134, 135, 151-152
  comparação entre antigas e medievais 139-143
  e ascensão do capitalismo 143-146
cidades antigas 139-143
  ver também pólis
classe 22, 27-28, 33, 53-54, 63-64, 65-71, 95-98, 99-100, 146-147, 163-164, 223-224, 240-241
  e relações de produção 87-92
  e desigualdade sexual e de raça 221-222
  como processo e relação 73, 75-79, 87-93
  como processo estrutural 75-76, 91-92
  consciência 65, 66-67, 68-69, 74-76, 78-79, 91-92, 93-95, 96-97
  formações 76-79, 81-82, 84, 85, 86-87, 89-92
  e identidade 222-223, 240

Estado e 37-38, 39-40, 48-49
definição estrutural de 73, 74-79
teorias 73, 87-88, 93-94

classe operária 17, 19-20, 27-28, 48, 53, 65-69, 79-87, 95, 96
e revolução industrial 81, 82, 83-85, 97-98
reformismo 98
própria atividade 69, 87

classes subordinadas 64, 68-69, 96, 177, 196

Clístenes 143nota, 177, 181, 188-189

coerção 23, 33, 37, 100, 103, 146, 152, 201, 203, 210, 216, 217-218, 222-223

Cohen, G. A. 74-75, 76, 101, 110, 111, 118

colapso do comunismo 13, 18-19, 110, 224, 250

comércio 107, 108, 130-131, 133-134, 137, 143-144, 145, 247

Comninel, George 56nota, 59nota

comunidade aldeã 34, 181-182, 233-235

comunidade cívica 142-143, 163-164, 183, 196

conceito de equipe 248-249

conflito de classes no campo
ver também feudalismo

conhecimento 18, 20, 22, 71-72, 75, 109--110, 119, 166, 167

conhecimento totalizador 14

consciência 51, 59-60, 65, 90, 93, 94, 95, 96-97

constitucionalismo 197, 198-199

consumo 139-143, 144, 145, 223

contingência 13, 17-19, 52-53, 57, 59, 74, 77, 92-93, 224-225

Coréia 250

Cromwell, Oliver 198-199

cultura 14, 19-20, 51, 53-54, 65-69, 76
e economia 61-63

cultura popular 65-66, 74, 80-82, 86-87, 93-95, 97, 98

D

democracia 21, 23-24, 141, 143, 166-167, 220
ataque de Platão à 167, 190-191
ateniense 159, 161, 164-165, 167, 171, 173-175, 177, 178, 183-184, 186, 187-188, 191-192, 196-197, 202-203, 234-235
como regulador econômico 248-249
conceito moderno de 177-180, 194--196, 198-200
e capitalismo 173-175, 180-185, 193--194, 232-233
e cidadania moderna 203-204
e separação entre Estado e sociedade 212-216
e trabalho 173-175
definição de Aristóteles de 190-192
de massa 194-196
formal 184-185, 208, 212-217
redefinição nos Estados Unidos 184-188, 193-195
representativa 186-188, 189-190, 194-195

democracia liberal 197-200
e capitalismo 200-204, 232-233

democracia operária 248-249

demos 140-141, 142-143, 150, 168-169, 177-178, 181-182, 183-184, 187, 191, 194, 196-197, 199, 202

desemprego 231-232, 243-245, 249-250

desigualdade 221-222

desigualdade racial 221, 227, 229-231, 241-242

determinações objetivas 81, 83-87, 93-94

determinismo 18, 19, 52-53, 64-65, 105

determinismo tecnológico 15, 17, 19, 52, 53, 66, 101-102, 103-104, 107-108, 109, 125

Deutscher, Isaac 227

direito 63, 70-71

discurso 20, 53, 91, 96, 103, 137, 165, 166, 198, 200, 202, 207, 246

divisão do trabalho 35-36, 37, 105, 130, 131-132, 133, 168

dominação masculina 237-239

E

ecologia 126, 127, 227, 228-229

economia 20, 46-47, 51, 202, 207
  e cultura 61-63
  e separação do político 21, 23, 27-29, 34-36, 48, 180, 192-193, 203, 235-236, 239-240
  jurídica e política 35-36
  natureza social da 60
  "econômico", o 21
  Weber sobre 145-149, 151-152

economia política 14-16, 27-30, 111-112, 124, 132
  crítica da 14-16, 28-30, 59nota, 105, 122-124, 132-133, 154

economicismo 27-28, 48-49, 53-54

eleições 187-188

eleutheria 177, 190-191, 202

empirismo 17-18, 52-53, 81, 82-83, 109-110

Engels, F. 15, 51

escravidão 38, 42, 46nota, 157-158, 160, 161-162, 168-171, 190, 238
  antiga e moderna 229-232
  ateniense 142, 157-161, 164

Esparta 161, 168-169, 179, 190-191, 196-197

Estado 28, 37-40, 41-43, 46-47, 48-49, 56, 162-164, 192-193, 197, 233-235
  e sociedade civil 205-209, 213-217
  e classe, 37-38, 39-40, 46-47, 48-49
  e camponeses, 181-182

  e propriedade privada 35-36, 215-216
  e relações de produção 34
  e apropriação de mais-valia 37-40, 43
  coerção pelo 218-219
  definição do 37-38
  de bem-estar 245-246

Estados Unidos 162, 174, 249
  e a visão passiva de cidadania 188-189
  democracia limitada nos 184-188, 189-190, 193-194

estrutura 20-21, 52-53, 58-59, 74-75, 77, 87-93, 94

estruturalismo 51-54, 55-56, 58-59, 66, 69
  e classe 74-79, 87-93

ética protestante do trabalho 135-137, 142-143, 145, 150, 172

Europa medieval 33, 139-140, 141, 142-143, 145

Europa Ocidental 134-136

Europa Oriental 209-210
  sociedade civil na 213-216

experiência 53-54, 59-60, 76-77, 84, 89-90, 93-94

exploração 33, 36, 37, 43, 44, 65-66, 82-86, 104, 173-174, 240-241

F

família 236-239

fatores extra-econômicos 152-153, 210-211, 238

feminismo 209-210

Ferguson, Adam 195

feudalismo 21-22, 33-34, 58, 117, 130-132, 136, 174, 177-178, 182, 197-198, 238-239
  e organização da produção 42-43
  e propriedade privada 40-43
  e a ascensão do capitalismo 144-146
  e separação entre Estado e sociedade 214-216

e transição para o capitalismo 16-17, 101-103, 105-107, 121-122, 133-135
   apropriação e 233-234
   mercados e comércio no 107-108

Finley, M. I. 158nota, 191

flexibilidade 243-246

Florença 142-143, 145

forças de produção 15, 100-102, 103-104, 112-114
   e contradição com relações de produção 116-124
   desenvolvimento das 115-120
   revolução das 122-123, 124-125

formação da classe trabalhadora na Inglaterra
   ver Inglaterra

formação social 18, 52, 67, 69
   e modos de produção 54-59, 104

fragmentação pós-moderna 13, 14, 205, 219-220

França 21-22, 118, 130-131, 145, 169, 235

Fustel de Coulanges, Numa Denis 170

G

Godelier, Maurice 40nota

governantes e produtores 162-168, 174--175

Gramsci, Antonio 19-20, 205, 207-208

Gray, John 111-112

Grécia antiga 142-143, 169-170, 193, 206, 231
   argumentos antidemocráticos na 189-191
   trabalho na 157-171
   filosofia na 165-168
   governantes e produtores na 163-165
   escravidão 157-162

Grote, George 171

Grundrisse 38, 39, 54, 58, 62, 67, 105, 122-124, 125, 131-133

guildas 142-143

H

Hall, Stuart 93-94, 96

Hamilton, Alexander 186-187, 189-190, 192

Harrington, James 179

Hegel, G. W. F. 17, 54, 170, 205, 207

hegemonia 95-97

Heller, Agnes 217nota

hilotas 161, 173-174

história 16, 18, 19-20, 21-22, 68-69, 133, 154
   e possibilidade 127-128
   mudança na 100-101, 102, 103-105, 113-114, 123
   fim da 13, 14, 153, 202
   teoria geral da 121-123, 125-126
   teorias marxistas da 100-114
   em oposição a estrutura 51-52, 58-59, 75, 77
   visão unilinear da 110-114

Hobsbawm, Eric 195

Holanda 145

humanismo 17-18, 51, 53, 59-60

I

idealismo 64-65

identidade social 239-240, 241

ideologia 51, 53-54, 61-62, 96

igualdade 35-36, 173, 186
   formal 179-180, 221-222

Iluminismo 129-130, 153-154

Inglaterra 21-22, 78, 108, 118, 133, 145--146, 169, 171-172, 182, 216, 247
   sociedade civil na 206-207

democracia na 178-180
formação da classe trabalhadora na 79-83
intelectuais 13, 18, 19, 93, 96, 104, 136, 153, 171, 198, 205, 213
intercâmbio de mercadorias 35, 139
irracionalismo 153-154
isegoria 186-187, 189, 202
Itália 145

L

leis universais 17, 101, 108-109, 148
liberalismo 153-154, 170-171, 179, 182--183, 196-200, 212-213, 219, 222
   e democracia 198, 203-204
   e o mercado 201-202
   origens do 197-198
   ver também democracia liberal
liberdade 35-36, 153, 172-173, 190-191, 200, 202-203
   de expressão 218
Locke, John 137-138, 172, 179-180
luta de classes 20, 28, 30-31, 33-34, 66-67, 68, 76, 78-79, 93, 95, 99, 100-101, 126, 223, 249-250
   e feudalismo 101-102
   localização da 47-49
lutas por rendas 47
lutas por salários 47

M

Magna Carta 177, 184, 199-200
Mandel, Ernest 40nota
Mann, Michael 151
maoísmo 19, 20
Marx, Karl 16-17, 31, 34, 47, 53, 59, 62, 65, 67, 99, 108-109, 144, 152-153, 180, 205, 207

   e o modo base/superestrutura 51
   e a teoria geral da história 122-124
   e ser social 90
   atitude em relação ao progresso 153-154
   sobre classe 75
   materialismo de 32, 64-65
   sobre a produção capitalista 44
   sobre as ligações entre relações de produção e reforma política 57
   sobre as contradições entre forças e relações de produção 115-116, 117, 120-124
   sobre as formas de sociedade 57-58
   sobre a mudança histórica 104-105, 114, 123
   sobre as formas pré-capitalistas 38-40, 45, 105-106, 123-124, 131-132, 133
   sobre a separação do produtor dos meios de produção 125-126
   sobre a especificidade do capitalismo 111-113, 114, 131-133
marxismo
   e o modo base/superestrutura 28-29, 30-34, 51-53
   e as liberdades civis 212-213
   e os fatores não-econômicos 152-153, 209, 210-211
   e especificidade do capitalismo moderno 134-135
   e as teorias de classe 73-74, 87-88, 93-94
   e as teorias de mudança histórica 100-114
   e a visão unilinear da história 110-112
   natureza crítica do 14
   político 30-34
   versões acríticas do 14-17
   unidade de teoria e prática no 27
   da escolha racional 19, 73, 101-103
marxismo ocidental 17-18, 19-20, 95-97
materialismo 32-33, 64-65
materialismo histórico 14, 16-17, 21-22, 27, 58-59, 60, 64-65, 99, 109-111
mercadores 144, 145, 186

Índice Remissivo

mercado social 247-248
mercados 13, 22-23, 107-108, 133-134, 137, 139, 146-147, 201-202, 216, 217-218, 246-250
Mill, J. S. 112-113, 171, 196-197
Mitford, William 169-170, 171
modos de produção 15, 16, 31, 32, 36, 52, 55, 56, 58, 59, 64, 67, 76, 77, 104, 112, 123, 124, 126
Montesquieu, Charles de Secondat, Baron de 169
mulheres 231-232, 236-239
multidão ociosa 169-172

N

nação 183
natureza 32-33
novos movimentos sociais 18, 224-225

O

oligarquia 164-165, 187-188, 190
opressão de gênero 221-222, 227, 229, 231-232, 238-239, 241-242
organização política e relações de produção 33-34

P

padrões de vida 245-246
Palmer, Bryan 93nota
parentesco 37, 150-151
Parlamento 178-179
patrícios 142-143
Péricles 187, 191-192, 194
Pirenne, Henri 134
Platão 165-168, 186, 191, 235

plebe 68, 142-143, 192
pluralismo 208, 209, 211-212, 219-225
 e a política de identidade 219-223
 e causação social 151-153
poder 33, 35-36
poder político
 alienação do 187-188
 privatização do 40-47
Polanyi, Karl 34, 134-135, 147, 148
pólis 141, 150, 161-163, 181-182, 183, 190-192
política 178-179, 189, 239-240, 248
política de identidade 14, 205, 219-225
político, o 20, 46-47, 151-152
 e a separação do econômico 21, 23, 27-29, 34-36, 48, 180, 192-193, 203, 235-236, 239-240
pós-fordismo 13, 205, 224
pós-marxismo 13, 18-19, 53, 63, 74, 93--94, 219-220, 239
pós-modernismo 13-14, 19, 153, 154, 205, 219-220, 223, 224
Poulantzas, Nicos 55-57, 66, 212
povo, o 189-195
privilégio 200
processo 61-62, 65, 68-69, 75-79, 87-93, 104, 154, 224-225
produção 29
 e luta de classes 47-49, 99-100
 e vida comunitária 235-236
 e intercâmbio de mercado 139
 e relações sociais 29, 31-32
 controle sobre 28, 34-36, 45-46
 organização democrática da 249
 na cidade medieval 139-143, 145
 excedentes de 37
produtores diretos 28, 37-39, 43-44, 105, 131-132, 137
 e feudalismo 41-43, 100

e separação dos meios de produção 125
associação de 248-249
em Atenas 173-174

produtores e governantes 162-168, 174-175

progresso 15-16, 109, 112, 129-131, 153--154, 197

progresso tecnológico 108-109, 112-113, 153
e a ascensão do capitalismo 129-135

propriedade 22-23, 34, 38, 39, 179, 180
e democracia 185, 186, 187-188
e trabalho 137-138
relações de 100-101, 105, 137, 146, 174

propriedade privada 34-36, 137-138, 200, 205-206, 217-218
feudal 40-43
romana 215-216

proprietários 139-140, 141-142, 162-164

Protágoras 165-168, 186

R

racionalidade econômica 135-136, 137, 143-144, 147-148, 150

racismo 229-231

reducionismo 52-53, 59-60

Reforma 135-136

reformismo 98

regulador econômico 248-249

relações de produção 33, 58, 68-69, 85, 100-101
e classe 74-76, 78-79, 87-92
e contradição com forças produtivas 116-124
e formas políticas 57
e organização política 33-34

relações sociais 28, 29, 31-33, 73, 76-78, 146, 208-209

rentistas 139-140, 142

republicanismo 179-180, 198-199

Revolução Gloriosa (1688) 177, 184, 198-200

Revolução Industrial 80-87

revoluções 48

Roemer, John 101-104, 106-108, 110

Roma Antiga 42, 46nota, 136, 139-140, 150, 192, 194, 205-206, 231
cidadania na 188
contradição entre forças e relações de produção na 116-119
cidadão camponês na 162-164
propriedade privada na 215-216
escravidão na 157-162

Runciman, W. G. 151

Rússia 250

S

senhores 33-34, 214, 215-216

senhorio 177, 180, 197-198, 200, 214--215, 216

ser social 90

serviços 147-148

servos 102-103, 161

Smith, Adam 106-107, 130-131

Smith, Sir Thomas 178, 180, 186

soberania do indivíduo 180-181, 182--183, 189

sobredeterminação 18

socialismo 20-21, 53, 93, 94, 95, 209, 220-221
e capitalismo 121-122, 123-124, 126, 245
e democracia 220, 232-233, 241-242
e bens extra-econômicos 241-242
e forças de produção 125-127
e história 127-128

e a visão marxista da história 110-111
e o novo pluralismo 223-225
definição de Marx do 125
universalidade do 128
sociedade 29-30, 54, 205-207
formas de 57-58
sociedade civil 202, 203, 205
e capitalismo 206-207, 210-212
e liberdade 218-219
problemas conceituais da 209-210
o novo culto da 208-212
desenvolvimento histórico da 205-207
pluralismo e 208, 209, 211-212, 219-220
e política da identidade 205, 219-220
domínios público e privado na 217-218
Estado e 205-209, 213-217
sociedade comercial 15-16, 129-130, 137
sociedades pré-capitalistas 38-40, 45, 105--106, 124, 131-133, 141-142, 233-236
apropriação nas 162-163
bens extra-econômicos nas 235-236
forças e relações de produção nas 119-120
obstáculos ao capitalismo nas 149-151
família na 236-239
camponeses nas 181-182
stalinismo 18, 51, 63, 93
Stedman Jones, Gareth 69-70
subjetivismo 76, 77, 79-80, 82-83, 86-87, 92-93, 94, 219
superestrutura 16, 21, 22, 28-30, 32-33, 51-52, 66
e modelo base/superestrutura 51-53, 54-55, 59-65, 69-72
Szücs, Jenö 213-216

T

teleologia 20-21, 22-23, 121, 123-124, 129, 132-134, 154

teoria 17-18, 20-21, 27, 52-53, 54, 58--59, 71-72, 75, 93-95, 96-97
teoria da estratificação 73, 87-88
terra 38-39, 41, 182
Thatcher, Margaret 199-200
Thompson, E. P. 22, 51, 53-54, 171
e "experiência" 89-90
e o impacto da revolução industrial, sobre a classe operária 81-82, 84-87
e determinações objetivas 83-87, 94
e populismo 93-95
e definição estrutural de classe 74-79, 87-93
e subjetivismo 79-83, 94
e teoria de classe 74, 88-89, 96-97
crítica de Althusser 54-59
sobre o modelo base/superestrutura 59-65, 70-72
sobre a mudança na continuidade na história da classe operária 66, 81, 86-87
sobre classe como processo e relação 75-79, 87-93
sobre a luta de classe 66-67
sobre o direito 63, 70-71
sobre a relação entre costumes de classe e modo de produção 63-64
sobre a simultaneidade de economia e cultura 61-63
trabalho 83, 84, 112-113, 140-141, 143--144, 172-173, 244-246
e democracia 173-175
e organização econômica 247-249
e a ética do trabalho137, 143, 172
confronto com a empresa capitalista 137-139, 172
liberdade de 34-36
mercado de 147
na Grécia antiga 142-143, 157-158, 171, 173-174
produtividade do 123, 172
trabalho livre 157-158, 174
mercado livre 201-202
livre em Atenas 158-161, 162-165

eclipse do 168-171
trabalho excedente 34-35, 36, 42-43, 99-
-100, 112-113
treinamento 244-245

V

virtude 166-167
voluntarismo 17-18, 19-20, 76, 87, 92-93

W

Weber, Max 21-23, 31, 135
    atitude ambivalente em relação ao progresso 153-154
    e democracia liberal 200-204
    e concepção limitada de atividade econômica 146-148
    e universalização do capitalismo 148
    comparação com Marx 129, 135-136, 152-153
    sobre classe 147
    sobre a diferença entre a cidade medieval e a antiga 139-143
    sobre obstáculos ao desenvolvimento inicial do capitalismo 149-151
    sobre a ética protestante do trabalho 135-137, 143, 172
    sobre a ascensão do capitalismo 143--146
    sobre causação social 151-153

Williams, Raymond 60-61, 97
Wolf, Eric 234, 237
Wright, Erik Olin 115nota

Outras obras da autora

Mind and Politics: An Approach to the Meaning of Liberal and Socialist Individualism (1972)

Class Ideology and Ancient Political Theory: Socrates, Plato and Aristotle in Social Context (com Neal Wood, 1978)

The Retreat from Class: A New "True" Socialism (1986)

Peasant-Citizen and Slave: The Foundations of Athenian Democracy (1988)

The Pristine Culture of Capitalism: A Historical Essay on Old Regimes and Modern States (1992)

Democracy Against Capitalism: Renewing Historical Materialism (1995) [ed. bras.: *Democracia contra capitalismo*, São Paulo, Boitempo, 2003]

A Trumpet of Sedition: Political Theory and the Rise of Capitalism, 1509-1688 (com Neal Wood, 1997)

The Origin of Capitalism (1999) [ed. bras.: *A origem do capitalismo*, Rio de Janeiro, Jorge Zahar, 2001]

The Empire of Capital (2003) [ed. bras.: *O império do capital*, São Paulo, Boitempo, 2014]

Citizens to Lords: A Social History of Western Polical Thought from Antiquity to the Late Middle Ages (2008)

Como organizadora:

In Defense of History: Marxism and the Postmodern Agenda
(com John Bellamy Foster, 1997) [ed. bras.: *Em defesa da história: marxismo e pós-modernismo*, Rio de Janeiro, Jorge Zahar, 1999]

Capitalism and the Information Age
(com Robert McChesney e John Bellamy Foster, 1997)

Rising from the Ashes? Labor in the Age of "Global" Capitalism
(com Peter Meiksins e Michael Yates, 1998)

OUTRAS PUBLICAÇÕES DA BOITEMPO

Antonio Gramsci, o homem filósofo
GIANNI FRESU
Tradução de **Rita Matos Coitinho**
Prefácio de **Marcos Del Roio**
Posfácio de **Stefano G. Azzarà**
Orelha de **Luciana Aliaga**

Capitalismo em debate
NANCY FRASER E RAHEL JAEGGI
Edição de **Brian Milstein**
Tradução de **Nathalie Bressiani**
Orelha de **Pedro Paulo Zahluth Bastos**

Os sentidos do mundo
DAVID HARVEY
Tradução de **Artur Renzo**
Prefácio de **John Davey**
Orelha de **Raquel Rolnik**

Universidade pública e democracia
JOÃO CARLOS SALLES
Prefácio de **Fernando Cássio**
Orelha de **Vladimir Safatle**

ARSENAL LÊNIN
Conselho editorial Antonio Carlos Mazzeo, Antonio Rago, Augusto Buonicore, Ivana Jinkings, Marcos Del Roio, Marly Vianna, Milton Pinheiro e Slavoj Žižek

O que fazer?
VLADÍMIR ILITCH LÊNIN
Tradução de **Edições Avante!**
Revisão da tradução de **Paula Vaz de Almeida**
Prefácio de **Valério Arcary**
Orelha de **Virgínia Fontes**

BIBLIOTECA LUKÁCS

Essenciais são os livros não escritos: últimas entrevistas (1966-1971)
GYÖRGY LUKÁCS
Organização, tradução, notas e apresentação de **Ronaldo Vielmi Fortes**
Revisão técnica e apresentação de **Alexandre Aranha Arbia**
Orelha de **Anderson Deo**

ESCRITOS GRAMSCIANOS

Odeio os indiferentes: escritos de 1917
ANTONIO GRAMSCI
Seleção, tradução e aparato crítico de **Daniela Mussi** e **Alvaro Bianchi**
Orelha de **Guido Liguori**

MARX-ENGELS

Últimos escritos econômicos
KARL MARX
Organização de **Sávio Cavalcante** e **Hyury Pinheiro**
Tradução e notas de **Hyury Pinheiro**
Apresentação de **Sávio Cavalcante**
Orelha de **Edmilson Costa**

MUNDO DO TRABALHO
Coordenação de Ricardo Antunes

Uberização, trabalho digital e Indústria 4.0
RICARDO ANTUNES (ORG.)
Textos de **Arnaldo Mazzei Nogueira, Cílson César Fagiani, Clarissa Ribeiro Schinestsck, Claudia Mazzei Nogueira, Fabiane Santana Previtali, Geraldo Augusto Pinto, Isabel Roque, Iuri Tonelo, Jamie Woodcock, Luci Praun, Ludmila Costhek Abílio, Marco Gonsales, Mark Graham, Mohammad Amir Anwar, Patrícia Rocha Lemos, Rafael Grohmann, Ricardo Antunes, Ricardo Festi, Sávio Cavalcante, Thiago Trindade de Aguiar e Vitor Filgueiras**

PANDEMIA CAPITAL

Pandemia: covid-19 e a reinvenção do comunismo
SLAVOJ ŽIŽEK
Tradução de **Artur Renzo**
Prefácio de **Christian Ingo Lenz Dunker**

CLÁSSICOS BOITEMPO

Estrela vermelha
ALEKSANDR BOGDÁNOV
Tradução e prefácio de **Paula Vaz de Almeida** e **Ekaterina Vólkova Américo**
Orelha de **Pedro Ramos de Toledo**

Este livro foi composto em Adobe Garamond, 10,5/12, e reimpresso em papel Avena 80 g/m² pela gráfica Lis para a Boitempo, em outubro de 2020, com tiragem de 500 exemplares.